£9.99

DAL PEN RHESWM

Cyfweliadau gydag Emyr Humphreys

DAL PEN RHESWM

Cyfweliadau gydag Emyr Humphreys

Golygwyd gan R. Arwel Jones

Gwasg Prifysgol Cymru • Caerdydd • 1999

ISBN 0-7083-1561-5

Mae cofnod catalogio'r gyfrol hon ar gael gan y Llyfrgell Brydeinig

Cyhoeddwyd gyda chymorth ariannol Cyngor Celfyddydau Cymru

Llun y clawr: *Scarlet, Emerald and Orange*, Patrick Heron, 1976. Casgliad Oriel y Tate, Llundain.

Dyluniwyd y clawr gan Neil James Angove
Cysodwyd yng Ngwasg Prifysgol Cymru, Caerdydd
Argraffwyd yng Nghymru gan Wasg Dinefwr, Llandybïe

Cynnwys

Rhagair

Wrth gyhoeddi'r gyfrol hon fe wireddir syniad gwreiddiol Ned Thomas oedd ar y pryd yn gyfarwyddwr Gwasg Prifysgol Cymru. Ei syniad ef oedd nodi pen-blwydd Emyr Humphreys yn bedwar ugain oed trwy gyhoeddi cyfrol a fyddai'n adlewyrchu ystod ei waith fel nofelydd, bardd, dramodydd, a chyfarwyddwr radio a theledu trwy gyfrwng y Gymraeg a'r Saesneg, ac a fyddai'n dathlu ei gyfraniad i'r genedl. Ef a lwyddodd i gael cydsyniad Emyr Humphreys, a chytunwyd i lunio'r gyfrol ar batrwm tebyg i *Politics and Letters*, cyfres o gyfweliadau estynedig a wnaethpwyd gyda Raymond Williams ym 1979. Ar gais Ned Thomas yr ymgymerodd y pedwar ohonom â'r gwaith o holi'r awdur ac y cytunais innau i olygu'r cyfraniadau.

Mae M. Wynn Thomas ac Ioan Williams eisoes yn adnabyddus iawn fel beirniaid llenyddol, ac mae'r ddau wedi ymdrin â gwaith Emyr Humphreys yn y gorffennol. Mae Gwynn Pritchard, sydd bellach yn Bennaeth Rhaglenni Cymraeg gyda'r BBC yng Nghaerdydd, yn hanu o'r un rhan o'r byd â'r awdur ac wedi cydweithio ag ef fel cynhyrchydd a chomisiynydd rhaglenni. Cefais innau'r fraint o drefnu archif helaeth o bapurau personol Emyr Humphreys ar ôl iddynt gael eu prynu gan Adran Llawysgrifau a Chofysgrifau Llyfrgell Genedlaethol Cymru ym mis Awst 1994.

Digwyddodd y cyfweliadau ar wahanol adegau rhwng Mawrth a Medi 1998 ac er bod cynnwys y rhan fwyaf o bob cyfweliad wedi ei atgynhyrchu'n ffyddlon rhwng y cloriau hyn fe symudwyd ambell atgof o'r naill gyfweliad i'r llall, fe ychwanegwyd at ambell ran ac fe ddilewyd ambell un arall er lles y gyfrol fel cyfanwaith. Ond mae'r rhan helaethaf o gynnwys pob cyfweliad wedi digwydd yn union fel y mae'n ymddangos yma. Recordiwyd y cyfweliadau a gwnaethpwyd adysgrif o'r tapiau, ac fe fydd copïau ohonynt ar gadw yn Llyfrgell Genedlaethol Cymru. Golygodd pob holwr ei sgript ei hun cyn ei throsglwyddo i mi i dynnu'r cyfan at ei gilydd. Ymdrechwyd i adlewyrchu naws lafar y cyfweliadau, ond eto heb gynhyrchu testun oedd yn cynnwys yr holl ffurfiau llafar.

Mae pedwar ugain mlynedd yn ystod eang o amser mewn unrhyw gyfnod. Ac mewn ystod o'r fath fe welir pob math o newidiadau mewn cymdeithas. Ond tybed a oes yna bedwar ugain mlynedd yn hanes Cymru sydd wedi gweld cymaint o newidiadau ag a welodd ac a brofodd Emyr Humphreys yn ystod ei oes hyd yma? Aethpwyd o oes y pyllau glo prysur a'r capeli llawn i oes yr amgueddfeydd glofaol a'r *discount warehouses* enwadol; o ardaloedd uniaith i wlad sydd ag ugain y cant o'i phoblogaeth yn rhyfeddol o falch o'i dwyieithrwydd; o oes y pladur prysur i oes lle mae cefn gwlad yn prysur ddiboblogi; aethpwyd o ddiwedd y Rhyfel Byd Cyntaf drwy'r Ail Ryfel Byd, drwy ryndod y Rhyfel Oer i anwes fyglyd yr Unol Daleithiau modern; aethpwyd o lafur y pin ac inc i hwylustod cyfrifiaduron; o oes y radio fethedig i oes 'oleuedig' y teledu digidol; o oes ddi-gar i oes y gorsafoedd gofod, ac yn goron ar y cwbl i rai ohonom, aethpwyd o Benyberth i'r Cynulliad Cenedlaethol.

Dyna ystod oes a phrofiad Emyr Humphreys hyd yma. Nid bwriad y gyfrol hon yw gosod byd a bywyd Emyr Humphreys rhwng dau glawr a chau arnynt am byth; ei bwriad yw nodi carreg filltir ar daith sy'n parhau. Mae'r beirdd hynny sydd yn dal i fod yn gynhyrchiol wrth gyrraedd eu pedwar ugain yn brin, mae'r nofelwyr hynny yn brinnach byth. Mynn Emyr Humphreys na fydd yn ysgrifennu nofel arall ond, er hynny, yn ôl tystiolaeth y gyfrol hon, mae ganddo gynlluniau ar y gweill ar gyfer tair nofel fer a nifer o straeon byrion. Boed iddo hir oes ac iechyd i barhau.

R. Arwel Jones
Gorffennaf 1999

Emyr Humphreys – Cronoleg

1919 Ganwyd Emyr Humphreys ym Mhrestatyn a'i fagu yn Nhrelawnyd ar aelwyd ddi-Gymraeg. Fe'i haddysg-wyd yn ysgol yr eglwys, lle'r oedd ei dad yn brifathro. Er mai ef oedd unig blentyn y teulu, roedd ei rieni eisoes yn magu cefnder iddo, mab i efeilles ei fam a fu farw ar enedigaeth ei phlentyn; magwyd y ddau fel brodyr, ac felly mae'r ddau'n ystyried ei gilydd byth ers hynny.

1936 Ac yntau yn y chweched dosbarth yn Ysgol Sir y Rhyl cydiodd y brotest ym Mhenyberth yn ei ddychymyg. Dan ddylanwad Moses Jones, un o'i athrawon ac aelod brwd o Blaid Cymru, daeth yn drwm dan ddylanwad Saunders Lewis ac fe'i hysgogwyd i ddysgu Cymraeg. Tua'r un pryd daeth yn gyfeillgar ag un o'i gyd-ddisgyblion, R. Tudur Jones.

1937 Dan ddylanwad ei brifathro, T. I. Ellis, derbyniodd le yng Ngholeg Prifysgol Cymru Aberystwyth i astudio hanes. Tra oedd yn Aberystwyth cyfarfu â dau gyfaill arall a fu'n ddylanwad pwysig ar ei fywyd, D. Myrddin Lloyd ac Emyr Currie Jones.

1939 Ei fwriad wrth fynd i'r coleg oedd dilyn ôl troed ei dad a'i frawd a chymryd urddau eglwysig, ond yn fuan ar ôl cyrraedd Aberystwyth newidiodd ei feddwl. Cofrestrodd fel gwrthwynebwr cydwybodol ar ddiwrnod ei ben-blwydd yn ugain oed a phenderfynu mynd i weithio ar y tir cyn cwblhau ei radd. Bu'n gweithio ar fferm yn sir Benfro, cyn symud ymlaen am gyfnod byr i ffermydd yn sir y Fflint ac yng Nghapel Curig.

1941 Symud unwaith eto i weithio ym Mhlas Llanfaglan ar lan y Fenai. Yma cyfarfu ag Elinor, merch i weinidog Annibynwyr y Bontnewydd, a'i ddarpar wraig.

1943 Aeth i Lundain i hyfforddi ar gyfer gweithio i Gronfa Achub y Plant dan nawdd Cymdeithas y Cenhedloedd Unedig. Ar yr un pryd roedd Elinor yn y ddinas yn hyfforddi i fod yn nyrs. Yn y cyfnod hwn daeth i gysylltiad â dau gyfaill arall, Graham Greene a Basil MacTaggart.

1944 Fe'i symudwyd i'r Aifft am ragor o hyfforddiant.

1945 Gweithio yn yr Eidal lle daeth i gysylltiad drachefn â Basil MacTaggart.

1946 Dychwelyd i Gymru a phriodi Elinor. Byw yn Llanfyllin tra oedd yn gweithio i'r Urdd ac i Wasanaeth Ieuenctid Sir Drefaldwyn. Yn ystod y cyfnod hwn y cyfarfu ag R. S. Thomas am y tro cyntaf. Collodd Elinor ei mam o fewn chwe wythnos i'r briodas ac fe symudodd y ddau i fyw i'r Bontnewydd ac fe aeth Emyr i ofalu am Aelwyd yr Urdd, Caernarfon. Cyhoeddwyd *The Little Kingdom.*

1947 Dychwelyd i'r coleg ym Mangor i wneud tystysgrif dysgu.

1948 Cael swydd dysgu yn Wimbledon, Llundain.

1948 Ysgrifennu drama lwyfan 'Protector Somerset' nas perfformiwyd, a drama radio 'The Last Days of Penry'.

1949 Cyhoeddi *The Voice of a Stranger.*

1951 Cyhoeddi *A Change of Heart.*

1951 Symud yn ôl i Gymru i ddysgu ym Mhwllheli. Erbyn hyn roedd gan Emyr ac Elinor ddau o blant

1952 Cyhoeddi *Hear and Forgive,* a enillodd wobr Somerset Maugham.

1955 Cyhoeddi *A Man's Estate.*

1955 Gadael Pwllheli i fynd i weithio i'r BBC yng Nghaerdydd fel cynhyrchydd drama.

1956 Cynhyrchu drama radio, Elis Gwyn Jones 'Y Petrol yn Darfod'.

1957 Cyhoeddi *The Italian Wife.*

1958–64 Gweithio ar gynyrchiadau radio a theledu o waith Saunders Lewis a John Gwilym Jones yn Gymraeg ac wedi'u cyfieithu i'r Saesneg.

1958 Cyhoeddi *Y Tri Llais* a'r cyfieithiad Saesneg ohoni, *A Toy Epic,* a enillodd wobr Hawthornden iddo.

1962 Paratoi cynhyrchiad teledu o gerdd R. S. Thomas 'The Airy Tomb'.

1963–7 Ymwneud â Chwmni'r Gegin, Cricieth.

1963–72 Ymwneud â'r ymgyrch dros Theatr Genedlaethol i Gymru.

1963 Cyhoeddi *The Gift.*

1964 Cynhyrchu drama deledu gan Wil Sam, 'Y Dyn Swllt'.

1965 Gadael y BBC a symud i weithio i Goleg Prifysgol Gogledd Cymru, Bangor, i sefydlu Adran Ddrama a'r Cyfryngau, gan obeithio cael rhagor o amser i ysgrifennu. Symud i fyw i Sgubor Fawr, Marian-glas, Môn. Cyhoeddi *Outside the House of Baal.*

1968 Cyhoeddi cyfrol o straeon byrion, *Natives.*

1969–80 Ymgyrchu dros sianel deledu Gymraeg.

1970 Cyhoeddi dilyniant o gerddi, *Ancestor Worship* ac ysgrifennu'r ddrama *Dinas* ar y cyd â Wil Sam.

1971 Gwrthod llenwi ffurflen y cyfrifiad a chyhoeddi *National Winner,* y gyntaf yn y gyfres 'The Land of the Living'.

1972 Ymadael â'r coleg ac ymroi i ysgrifennu'n llawn amser; traddodi'r ddarlith 'Diwylliant Cymru a'r Cyfryngau Torfol' a gyhoeddwyd yn *Taliesin* ym 1974.

1973 Treulio cyfnod yn y carchar yn ystod mis Mai am wrthod talu trwydded deledu fel rhan o'r ymgyrch dros sianel deledu Gymraeg.

1974 Cyhoeddi *Flesh and Blood* a chynhyrchu 'Y Gwrthwynebwr', wyth ffilm deledu ar gyfer HTV. Symud i fyw i Gaerdydd a gweithio ar ddwy gyfres deledu yn yr Unol Daleithiau.

1975 Darlledu *Y Baradwys Bell/Our American Dream*, cyfres Gymraeg a Saesneg ar Gymry'r Unol Daleithiau.

1976 Cyhoeddi dilyniant o gerddi, *Landscapes.*

1978 Cyhoeddi *The Best of Friends* yn y gyfres 'The Land of the Living'.

1979 Cyhoeddi detholiad o gerddi yn y gyfrol *Penguin Modern Poets 27*, cyfrol o gerddi, *The Kingdom of Brân*, a llyfryn yn dwyn y teitl *Theatr Saunders Lewis.*

1980 Cyhoeddi nofel, *The Anchor Tree*, a chyfrol o gerddi, *Pwyll a Riannon.*

1981 Cyhoeddi *Etifedd y Glyn* a'r gyfrol amrywiol o gerddi ac ysgrifau *Miscellany Two.*

1983 Cyhoeddi *The Taliesin Tradition* a chydweithio â'i fab, Siôn Humphreys, am y tro cyntaf ar *Y Gosb*, ffilm ar gyfer S4C.

1984 Cyhoeddi *Jones.*

1985 Cyhoeddi *Salt of the Earth* yn y gyfres 'The Land of the Living'.

1985 Symud o Gaerdydd i fyw i Lanfairpwllgwyngyll, ar Ynys Môn.

1986 Cyhoeddi *An Absolute Hero* yn y gyfres 'Land of the Living', a *Darn o Dir* cyfieithiad o *The Little Kingdom.*

1988 Cyhoeddi *Open Secrets* yn y gyfres 'The Land of the Living'.

1991 Cyhoeddi *Bonds of Attachment*, yr olaf yn y gyfres 'The Land of the Living'.

1996 Cyhoeddi *Unconditional Surrender.*

1998 Cyhoeddi *The Gift of a Daughter*, a enillodd iddo wobr Llyfr y Flwyddyn, Cyngor Celfyddydau Cymru, 1999.

1999 Cyhoeddi *Collected Poems.*

Papurau Emyr Humphreys

Mae Emyr Humphreys wedi gohebu'n gyson ac yn helaeth â nifer fawr o unigolion nodedig dros gyfnod maith o amser, deng mlynedd ar hugain a hyd yn oed hanner canrif mewn rhai achosion. Ymysg ei ohebiaeth mae llythyrau gan Graham Greene, 1940–88, Basil MacTaggart, 1945–93, R. Tudur Jones, 1947–80, Alun Llywelyn-Williams, 1949–64, Kate Roberts, 1953–79, Anton Kjaedegaard, 1954–93, Saunders Lewis, 1955–81, R. Gerallt Jones, 1957–83, Meredydd Evans, 1958–94, Thomas Parry, 1959–83, R. S. Thomas, 1962–94, a Wil Sam, 1960–90. Mae'r dyddiadau'n cyfeirio at yr ohebiaeth sydd ar gadw yn y Llyfrgell Genedlaethol ac mae'n debyg fod llawer o'r cyfresi wedi estyn y tu hwnt i'r dyddiadau hyn ac yn parhau hyd heddiw. Gan fod atebion Emyr yn aml wedi eu teipio, mae copi carbon o'r ateb ar gael yn y casgliad yn ogystal. Mae'r ohebiaeth, llawysgrifau'r nofelau a'r cerddi, a llawer rhagor i'w gweld yn yr archif a adwaenir fel Papurau Emyr Humphreys ac a gedwir yn Adran Llawysgrifau a Chofysgrifau Llyfrgell Genedlaethol Cymru.

O Wreichion Penyberth

R. Arwel Jones yn holi Emyr Humphreys am ei fywyd a'i yrfa

Arwel Wrth feddwl am gyfweliad fel hwn dwi'n ymwybodol iawn eich bod chi wedi dweud droeon na fyddwch chi byth yn sgwennu hunangofiant. Ydi hynny'n awgrymu fy mod i'n wynebu talcen go galed felly?

Emyr Ydi a nac ydi. Ddim am fod gen i ddim i'w guddio, am wn i, ar wahân i'r beiau lluosog y mae'r emynydd yn sôn cymaint amdanyn nhw. Fel pawb arall mae gen i fwy na digon i'w gyffesu. Ond yn sicr dydi bwrw golwg ar y beiau ddim yn ddigon o sbardun i sgwennu yn fy achos i. Dwi'n meddwl bod nofelydd, yn rhinwedd ei swydd, yn gorfod bod yn wrthrychol iawn. Nid anghofio amdano'i hun, ond gweld ei hun a gweld y byd trwy gyfrwng pobl eraill yn hytrach na thrwy syllu ar ei fogel ei hun.

Arwel Yn anffodus, fi sy wedi cael y dasg o'ch holi chi am eich bywyd yn gyffredinol. Dwi'n gobeithio y bydd gynnon ni rywbeth i'w ddangos ar ddiwedd y cyfweliad 'ma!

Emyr Rhinwedd holi ac ateb, os oes rhinwedd o gwbl, yw gorfodi dyn i wynebu ffeithiau cyn iddo gael amser i'w didol a'u dethol nhw. Braidd fel tyst mewn llys barn. Ar y llaw arall mae'n hawdd, weithiau, methu datgelu'r gwir drwy fod yn orawyddus i ddod o hyd iddo fo. Dwi ddim am fynd ar fy llw ond mi dria'i ddweud y gwir, yr holl wir a dim ond y gwir yn ôl y gofyn. Morgrugyn cloff yw awdur yn ei berthynas â ffeithiau. Mi fedrwch chi feddwl amdano fo yn hel briwsion ond yn eu malu nhw weithiau er mwyn eu cymhwyso ar gyfer adeilad y mae o'n ei greu o awyr denau las ei ddychymyg. Yr esgus wrth gwrs ydi'r ymdrech i gyrraedd y gwirionedd sy'n llechu y tu draw i'r ffeithiau.

Arwel Wrth baratoi dwi wedi tueddu i gategoreiddio'ch bywyd chi i'r dyddiau cynnar a dysgu, ac yna'r BBC a darlithio, cyn gadael hynny ac ymroi i sgwennu. Ydach chi'n ystyried eich bywyd fel camau penodol, neu ydach chi'n gweld eich bod chi wedi bod yn sgwennu o'r cychwyn cyntaf ac mai ffordd o gynnal hynny oedd ennill bywoliaeth yn y dyddiau cynnar?

Emyr Na, dwi ddim yn medru rhannu pethau i fyny mor hawdd â hynny. Yr unig beth ydi fy mod i'n od o gyson, ro'n i'n synnu o weld hynny. Mae hel fy nghasgliad cyflawn o gerddi at ei gilydd wedi bod yn reit ddadlennol, achos maen nhw'n profi i mi fy mod i wedi troi yn fy unfan ar hyd fy oes. Does yna fawr o newid wedi bod yn fy niddordebau i, neu'n hytrach fy argyhoeddiadau i, maen nhw'n rhyfeddol o gyson. Dwi'n siwr fod fy naliadau i i gyd wedi'u sefydlu erbyn fy mod i'n ddeunaw oed. Dwi'n credu yn yr un pethau'n union hyd yr awr hon – cyfaddefiad o wendid os bu un erioed. Ac eto'n brofiad cyffredinol braidd. Os ca'i aralleirio'r bardd, diwedd mabolaeth yw dechrau'r byd, cyn belled ag y mae argyhoeddiadau yn y cwestiwn ym myd beirdd a diwygwyr fel ei gilydd. Yn anffodus dwi wedi dysgu dim oddi ar hynny!

Ar y llaw arall, dwi'n cyfaddef i mi gael bywyd reit ddiddorol a difyr, rhy ddifyr a dweud y gwir. Mae'r sawl sy'n goroesi wastad yn teimlo'n euog. Dwi wedi byw trwy gyfnod reit gythryblus a hyll fel y rhyfel, er enghraifft. Fel gwrthwynebwr cydwybodol roedd y rhyfel yn boen dyddiol ar un wedd, ac eto mae gen i atgofion reit felys o'r cyfnod, a dwi'n siwr y byddai llawer o filwyr yn dweud yr un peth. Profiadau digon annifyr, ond difyr ar yr un pryd.

Arwel Ac wedi sgwennu'n gyson o'r cychwyn . . .

Emyr Pan o'n i'n hogyn ysgol do'n i ddim llawer o sgolar. Ro'n i'n ddigon araf a dweud y gwir, ac yn wirion ym mhob ystyr i'r gair, ac yn reit ddireidus. Do'n i ddim yn llwyddiant academaidd o gwbl nes i mi gyrraedd y chweched dosbarth a chael Moses Jones yn athro, ac yntau'n dechrau ennyn fy niddordeb i mewn pethau fel Plaid Cymru a phob math o bethau nad o'n i wedi cymryd diddordeb ynddyn nhw o'r blaen. Ro'n i'n dechrau ymddiddori mewn darllen hefyd ac yn trio sgwennu – roedd y cwbl yn digwydd tua'r un pryd, pan o'n i'n ddwy ar bymtheg neu ddeunaw oed a dwi wedi newid dim ers hynny!

Arwel Ydach chi'n cofio'r peth cyntaf i chi sgwennu? Nid yn llythrennol felly, nid sgwennu cerdd neu stori fer fel gwaith cartref o'r ysgol, ond profi'r wefr o'i wneud o o'ch pen a'ch pastwn eich hun. Mae hynny, am wn i, yn rhywbeth cwbl wahanol. Ydach chi'n cofio rhywbeth felly'n digwydd?

Emyr Dwi'n cofio'n union. Ar ôl bod yn fethiant am flynyddoedd, mi ges i hwyl reit dda ar y lefel A, achos mi wnes i nhw mewn blwyddyn a hanner; Saesneg, economeg a hanes, testunau hawdd i rywun oedd yn licio darllen. Yn yr haf cyn mynd i Aberystwyth dwi'n cofio ista i lawr adra a sgwennu pedair neu bump o straeon byrion, y naill ar ôl y llall. Roedd hynny'n wefr a ddangosodd i mi fod yna ryw bleser arbennig yn y busnes, ac o fan'na cychwynnodd o. Ar wahân i sgwennu rhyw gerddi gwirion yn yr ysgol, hwnna oedd y man cychwyn.

Arwel Ga'i fynd ati a gofyn cwestiwn Cymreig iawn i chi? Pwy ydach chi, o ble ydach chi'n dod ac i bwy ydach chi'n gweld eich hun yn perthyn? Beth ydi'ch achau chi?

Emyr Dwi'n reit dda ar achau fel pob hen Gymro. Roedd fy nhad yn dod o Ffestiniog. Mi ddaeth o i Sir y Fflint fel ysgolfeistr dwi'n meddwl. Roedd o wedi bod yn Sir Drefaldwyn cyn dod i Sir y Fflint ac mi ddaeth i Ronant yn brifathro'r ysgol gynradd, er mai ysgol elfennol oedd hi yn y dyddiau hynny mae'n siwr. Roedd mam yn ferch fferm Brynllystyn, ym mhentref Gwespyr, sy'n edrych i lawr ar Ronant. Roedd fy nhaid, John Owen, tad fy mam, yn dod o Sir Drefaldwyn yn wreiddiol, o Lanrhaeadr-ym-Mochnant, ond am ryw reswm neu'i gilydd mi ddaru o a'i frawd symud o Sir Drefaldwyn, fo i Sir y Fflint a'i frawd i Gapel Curig o bob man yn y byd. Mi briododd o ferch yr Henfache, sydd yn fferm reit hen a hanesyddol yn Llanrhaeadr-ym-Mochnant.

Roedd teulu Henfache yn Wesleyaid mawr. Mae 'na gofiant i fy hen daid a'i ddau frawd gyda rhagymadrodd gan y Syr

John Edward Lloyd ifanc, *Cofiant y Tri Brawd.* Y rheswm iddyn nhw haeddu cofiant oedd eu bod nhw wedi codi capeli ym mhobman. Felly fel rydach chi'n gweld rydan ni'n deulu go helaeth ar ochr mam.

Wedyn mae teulu fy nhad, yr Humphreyses. Gof oedd fy nhaid o'r ochr honno, roedd o'n byw yn y Manod, ac yn gweithio yn chwarel Maen Offeren, un o chwareli mawr Stiniog. Dwi'n ei gofio fo'n iawn, a'r peth sydd gen i gywilydd mwyaf ohono fo ydi nad o'n i ddim yn medru Cymraeg ac yntau ddim yn medru Saesneg. Dwi bron yn sicr ei fod o'n uniaith Gymraeg i bob pwrpas. Felly er fy mod i'n ei gofio fo'n iawn ches i ddim siarad llawer efo fo. Ac wrth gwrs roedd Trelawnyd a Manod yn bell oddi wrth ei gilydd yn yr oes honno. Fuodd fy nhad erioed yn berchen ar gar modur. Rhywsut neu'i gilydd roedd fy nhad yn gyfyrder i Hedd Wyn, felly mae 'na gysylltiadau diddorol iawn yn fan'na nad o'n i ddim yn gwybod dim amdanyn nhw nes i mi dyfu'n ddyn.

Ond Sir y Fflint oedd cefndir y rhan fwyaf o'r teulu, mwy o deulu fy mam na theulu fy nhad wrth reswm, achos roedd gan fy mam ddeg o frodyr a'r rheiny i gyd yn ffermwyr ac yn fwtsieriaid o gwmpas Sir y Fflint, o Brestatyn i Gei Connah ac ymhellach. Roeddan nhw i gyd yn flaenoriaid efo'r Methodist-iaid Calfinaidd ac yn ddynion reit annwyl. Dwi'n eu cofio nhw'n fyw iawn, achos ro'n i'n mynd i'w gweld nhw'n aml pan oedd mam yn mynd rownd y teulu.

Arwel Gaethoch chi'ch geni reit ar ddiwedd y Rhyfel Byd Cyntaf i bob pwrpas?

Emyr Do. Roedd fy nhad yn filwr, ac yn un reit hen a dweud y gwir. Fel athro ysgol doedd dim rhaid iddo fo fynd, ond roedd o wedi bod yn ddigon gwirion i wirfoddoli. Mi gafodd ei glwyfo'n arw iawn gan y nwy gwenwynig a fuodd o ddim yn iach am weddill ei oes. Fuodd o farw ym 1949 yn chwe deg a naw oed, adeg geni'n hail blentyn ni, ond doedd o ddim wedi bod yn iach ers blynyddoedd. Ond roedd gynno fo gorau – dau gôr, côr cymysg a chôr meibion – fo oedd sylfaenydd côr Trelawnyd. Roedd y corau'n rhan bwysig iawn o'i fywyd o. Dyna oedd ei bleser mawr o.

Dyn cysetlyd, gwael, oedd fy nhad, a fi oedd ei unig blentyn o.

Ond roedd 'na blentyn ar yr aelwyd o fy mlaen i achos fod gan fy mam, Sara, efeilles o'r enw Bessie a fu farw ar enedigaeth ei hunig blentyn. Y plentyn hwnnw yw fy mrawd sy'n byw ym Mhortiwgal. Mae o bedair blynedd yn hŷn na fi. Roedd ei dad o'n fyw ar y pryd, ac yn y fyddin fel fy nhad innau, a dwi'n gwybod fod yna ddrwgdeimlad wedi codi rhwng y ddau achos fod fy ewyrth wedi hawlio beth bynnag oedd i'w gael am fod â phlentyn, a fy nhad angen y pres am fod y plentyn ar ei aelwyd o. Roedd pethau'n galed am dipyn bach, ond dwi'n gwybod ei fod o wedi ei fabwysiadu'n ffurfiol efo stamp chwe cheiniog, achos mae gan fy mrawd stori fawr am y peth. Mae o'n well o lawer am hunangofiannu na fi.

Arwel Felly fyddai hi'n wir dweud mai yr argraff fwyaf wnaeth y rhyfel arnoch chi oedd yr effaith gafodd ar eich tad?

Emyr Roedd y Rhyfel Byd Cyntaf yn bresennol yn ein tŷ ni bob amser mewn ffordd, er nad oedd fy nhad byth yn siarad am ei brofiadau. Chlywais i erioed mohono fo'n siarad am y rhyfel, ond roedd o'n reit wael a gorofalus ohonon ni'r plant. Roedd Tŷ'r Ysgol tu allan i'r pentref yn Nhrelawnyd a phan ddaeth o'n ôl i fod yn athro a ninnau'n byw fel teulu yn y tŷ, roedd gynno fo chwiban, fel roedd gan athrawon yn yr oes honno, ac os oeddan ni'n clywed honno'n mynd ddwywaith, dim ots os oeddan ni yn y pentref neu ar ben y Gop, roeddan ni i fynd adra, a rhedeg adra hefyd. Er ei fod o'n ddyn gwael, roedd o'n ddyn mwyn mewn ffordd. Roedd gynno fo lais dwfn, awdurdodol iawn, ac er bod yna duedd ynddo fo i fod yn ofnadwy o haearnaidd efo rhai pethau, fe allech chi ddweud ei fod o'n fy sbwylio i hefyd.

Arwel Oedd o'n ymagweddu'n wahanol tuag atoch chi a'ch brawd?

Emyr Mae fy mrawd yn meddwl hynny, ond dwi ddim mor siwr fy hun. Mae gynno fo straeon, ei apocryffa ei hun, ac mae o'n dweud fy mod i wedi cael fy nifetha, ond dwi ddim gwaeth o hynny medda fo! Ond yn rhyfedd iawn, mae o'n ymddwyn tuag ata'i yr un fath yn union ag oedd fy nhad, a dydi o ddim cymaint â hynny'n hŷn na fi. Mae o'n licio dweud y drefn wrtha'i ac yn licio dweud wrtha'i beth i'w wneud ac eto mae o'n ffeind ofnadwy. Mae gan fywyd gast rhyfedd o ailadrodd ei hun.

Arwel Mewn pentref roeddach chi'n byw. Sut gymdeithas oedd yno?

Emyr Ysgol yr Eglwys oedd yr unig ysgol yn Nhrelawnyd. Roedd pawb yn gorfod mynd yno. Annibynnwr oedd fy nhad yn y lle cyntaf a Methodist oedd mam. Wesley oedd ei mam hithau, felly roedd y tri enwad ymneilltuol yn cael eu cynrychioli yn ein teulu ni ond fod fy nhad wedi pwdu ynglŷn â rhywbeth yn y fyddin ac wedi troi at yr Eglwys. Mi fuodd o'n sâl ar ôl cael ei glwyfo ac mi fuodd o i mewn ac allan o'r ysbyty am yn hir, a'i stori o oedd fod caplan yr eglwys wedi bod yn dda efo fo, a bod yna ddim golwg o'r Ymneilltuwyr yn unlle! Dyna oedd ei esgus o beth bynnag.

Pan ryddhawyd o mi gafodd gynnig ysgol. Roedd 'na dri lle ar gael – mi allai o fynd yn ôl i Ronant dwi'n meddwl, mynd i Laneurgain, Northop fel maen nhw'n ei alw fo yn Sir y Fflint, neu i Drelawnyd, oedd yn cael ei alw'n Newmarket yn yr oes honno wrth gwrs. Mi ddewisodd o Newmarket achos mai ysgol Eglwys oedd hi ac roedd o isio mynd at yr Eglwys. Fel roedd hi'n digwydd, hen lanc oedd y person, a dyna pam mae fy mrawd yn berson dwi'n meddwl, roeddan ni'n treulio oriau yn y rheithordy, fo a finnau. Roedd o'n ail gartref i ni mewn gwirionedd.

Tasach chi'n adnabod daearyddiaeth Trelawnyd, mae o'n dal yr un peth heddiw â phryd hynny, mae'r ysgol a thŷ'r ysgol, yr eglwys a'r rheithordy gyda'i gilydd fymryn y tu allan i'r pentref. Felly ro'n i'n treulio lot fawr o amser yn y rheithordy gan nad oedd gan y rheithor ddim teulu a bod gynno fo chwaer ddibriod hefyd, Miss Morgan. Pobl o Sir Aberteifi oeddan nhw, plant fferm a phobl ffeind iawn; yr enw hir cyntaf glywais i yn Gymraeg erioed oedd Llanfihangel-Genau'r-Glyn. Ond doeddan nhw byth yn siarad Cymraeg, yn enwedig hi, roedd hi'n defnyddio rhyw fath o 'Gymraeg' yn gymysg â'r Saesneg, ond Saesneg oedd o i gyd. Doedd hi ddim wedi cael llawer o addysg, ond roedd y brawd yn '*Oxford man*', James J. Morgan oedd ei enw fo, roedd gynno fo frawd, Henry, ond Hendry oedd yr ynganiad gynnyn nhw, roedd o'n ficer Hen Golwyn neu Fae Colwyn, dwi ddim yn siwr pa un.

Roedd 'na gapel Methodist, capel Annibynwyr, a chapel Wesley yn y pentref a Bedyddwyr hefyd ar y ffordd allan o'r pentref, felly roedd hi'n gymysg iawn. Roedd lot o bobl yn mynd i'r eglwys, mwy na basach chi'n meddwl, o gymharu deudwch â Sir Fôn. Roedd yna lot o lowyr yn y cylch ac roeddan nhw at ei gilydd yn mynd at yr Annibynwyr, ond nid y cyfan chwaith. Roedd y glowyr yn cerdded o Drelawnyd i'r Parlwr Du, awyrgylch sydd i'w weld yn aml yn *Outside the House of Baal*. Roedd 'na chwarel arall yn Nyserth, chwarel Hobbs, chwarel carreg galch fawr. Roedd yna ffermwyr o gwmpas hefyd, wrth gwrs, felly roedd o'n groestoriad diddorol iawn.

Arwel Beth am eich mam?

Emyr Roedd hi'n lot fwy allblyg na fy nhad. Roedd o'n fewnblyg a hithau'n allblyg. Roedd hi'n hwyliog iawn o ran natur, yn mynd i'r Rhyl a Phrestatyn yn rheolaidd, ddwywaith yr wythnos, ar ddydd Mercher a dydd Sadwrn, dyna oedd ei dyddiau arbennig hi. Roeddan ni'n byw'n ddeddfol iawn, roedd ganddi hi ddiwrnod i fynd at ei chwaer yn y Bryn, a diwrnod i fynd at ei brawd ym Maesgwyn. Yr hen gartref, Bryn Llystyn, uwchben y Gronant, yw Argoed yn *Outside the House of Baal*. Mae'r holl nofel yn reit agos i fy nghartref i, ac i fy nghalon i mae'n debyg.

Arwel Mae hi'n ymddangos yn ddynes gref a'i dylanwad hi'n drwm . . .

Emyr Roedd hi'n un gref ym mhob ystyr. Fasa mam byth yn ein difetha ni. Roedd hi fel rhyw gysgod o awdurdod dros y lle i gyd. Os oedd yna ddwrn yn cael ei godi yn ein tŷ ni, ei dwrn hi oedd o. Roedd hi'n hitio fy mrawd a finnau pan oeddan ni'n fwy na hi o lawer! Hi oedd ag awdurdod y celpan.

Arwel Rydach chi wedi awgrymu, ac mae o wedi cael ei drafod droeon, nad oeddach chi'n siarad Cymraeg yn blentyn. Pryd ddysgoch chi?

Emyr Adeg llosgi'r Ysgol Fomio.

Arwel Ddim tan y cyfnod yna? Felly penderfyniad ar eich rhan chi oedd dysgu'r iaith?

Emyr O, ia.

Arwel Ond mae'r teulu rydach chi wedi'i ddisgrifio yn gwbl Gymraeg a Chymreig.

Emyr Ydi, ond cymysg iawn ei iaith. Roedd teulu'r Bryn, teulu fy mam, i gyd yn mynd i'r capel. Roeddan nhw'n siarad Cymraeg yn y capel ond ddim yn unlle arall. Roedd gen i fodryb, Anti May, chwaer fy mam, chlywais i erioed mohoni'n siarad Cymraeg ond yn y capel, a chlapiog ofnadwy oedd hi'n fan'no. Roedd hi'n hen ferch am flynyddoedd lawer a'i job hi pan oedd fy nhaid yn fyw oedd gofalu am y pregethwr. Yn y Bryn yr oedd y pregethwyr yn aros bob amser, roedd yna lofft arbennig iddyn nhw yno a phob dim. Sut roedd hi'n medru cynnal sgwrs efo nhw dwi ddim yn gwybod! Roedd rhaid iddyn nhw droi i'r Saesneg mae'n siwr. Roedd ganddi hi *chum* fawr iawn oedd yn Gymraes bybyr, Olwen oedd ei henw hi, merch gweinidog Gronant. Ei thad hi, dyn o'r enw T. M. Jones, ddaru sgwennu *Llenyddiaeth y Wlad*, llyfr ynglŷn â newyddiaduraeth Gymraeg, ac un o'r llyfrau prin ar y pwnc. Ond doedd Olwen, ei ferch o, ddim yn siarad Cymraeg efo Anti May hyd yn oed. Saesneg byddai hi'n siarad bob amser, roedd o'r peth rhyfeddaf.

Arwel Mae'n rhaid fod hwnna'n adeg o newid mawr achos mae'r ystadegau'n mynnu bod rhwng 80 a 90 y cant o'r cymunedau yna'n Gymry Cymraeg yn y cyfnod hwnnw.

Emyr Mae'n siwr. Ond roedd o'n rhywbeth i'w wneud efo cymdeithaseg hefyd, eu bod nhw'n meddwl eu bod nhw'n well na'i gilydd. Roedd fy nhaid, er enghraifft, wedi cael ei yrru i ffwrdd i'r ysgol, rhywle yn Holt, lle roedd rhaid i chi siarad Saesneg yn dda i ddod ymlaen yn y byd.

Arwel Cyfnod o newid felly. Eich tad yn brifathro ysgol . . .

Emyr Doedd yna ddim Cymraeg yn yr ysgol.

Arwel Felly roedd o'n brifathro arnoch chi dwi'n cymryd.

Emyr Oedd. Awr neu ddwy o Gymraeg oedd yna i fod yn ôl y gyfraith. Ond roedd o'n eithrio fy mrawd a finnau, o bawb, rhag cael gwersi Cymraeg. Peth anhygoel o edrych yn ôl.

Arwel Beth oedd ei gymhelliad o? Doedd o ddim isio i chi

ddysgu'r iaith neu oedd o'n teimlo nad oeddach chi ddim angen Cymraeg, fod gynnoch chi ddigon eisoes?

Emyr Na, ei fod o'n dda i ddim i ni mwy neu lai. Yr Ymerodraeth a'r Eglwys oedd yn bwysig. Roedd rhaid i'r *hoi poloi*, y werin, fedru Cymraeg ond nid ni, rhyw elfen felly oedd iddi. Tasan ni wedi bod dipyn bach cyfoethocach, mae'n siwr y basan ni wedi cael ein gyrru i ffwrdd i'r ysgol. Dyna beth fyddai wedi bod yn ddelfrydol. Dwi'n cofio ffrind i mi yn cael ei yrru i ffwrdd i'r ysgol pan o'n ni tua wyth neu naw oed, a minnau'n gofyn i fy rhieni, 'mae hwn a hwn wedi cael mynd, pam na cha'i?'.

Arwel Oedd y Gymraeg yn fwy cyffredin i rai o'r dosbarth-iadau cymdeithasol eraill oedd yn yr ysgol felly?

Emyr Oedd. Yn y cyfnod hwnnw, roedd y mwyafrif llethol yn Gymry Cymraeg. Holais i'r prifathro ryw dair blynedd yn ôl faint o'r plant oedd yn dod o deuluoedd Cymraeg erbyn hyn, a rhyw 3 y cant oedd yno ar gyfartaledd. Saeson sydd ym mhobman erbyn hyn. Mae o mor agos i'r ffin. Mae o'n drychineb yn fy ngolwg i, mae o'n torri fy nghalon i i fynd yno, ac eto pwy ydw i i siarad, achos wnaeth fy nheulu i ddim byd i rwystro'r mewnlifiad, dim ond ei hybu o.

Arwel Oeddach chi'n dweud eich bod chi'n blentyn digon direidus. O gofio hynny, sut brofiad oedd dyddiau ysgol i chi? Yn fab i'r prifathro, yn Saesneg eich iaith a chyfran helaeth o'ch cyfoedion yn siarad Cymraeg?

Emyr Lot fawr ohonyn nhw, ond nid efo fi nac efo fy mrawd. Roeddan nhw'n ddwyieithog iawn, a'r plant oedd yn mynd i'r eglwys oedd yn siarad Saesneg. Fel roedd hi'n digwydd bod, roedd Eddie fy ffrind mawr i yn yr ysgol yn fab i siopwr y pentref, Siop Ganol. Aeth yr hen greadur hwnnw'n fethdalwr a dwi'n synnu dim achos roedd ei fab o'n dwyn sigarèts byth a hefyd, i ni gael mynd fyny i'r Gop i smocio, yn falch iawn, yn gywilyddus o falch a dweud y gwir.

Arwel Oedd yna ddiddordeb mewn darllen yn cyniwair ynoch chi yr adeg honno?

Emyr Dim ond comics. Ro'n i'n cîn iawn ar gomics. Roedd fy nhad yn dipyn o ddarllenydd mewn ffordd od iawn. Roedd o'n darllen lot yn ei henaint, ond pan o'n i'n tyfu fyny, y corau a pharatoi ar gyfer y corau oedd pob dim. Dwi'n cofio pethau fel dysgu'r piano, fy mrawd a finnau i fod i gael gwersi ac yn dengyd. Roedd y ddynes, Miss Anwyl oedd ei henw hi, yn dod yr holl ffordd o'r Rhyl efo býs, ond roeddan ni'n gwybod pryd oedd y býs yn dod â phryd i ddengyd. Roedd fy mam a fy nhad yn gwylltio'n ofnadwy. Ro'n i'n cael celpan gan mam, ond dim byd mwy corfforol na hynny.

Arwel Roedd eich tad yn cymryd ei gerddoriaeth o ddifrif felly?

Emyr O, roedd o'n poeni'n ddirfawr am hwnnw. Roedd ennill mewn steddfodau'n cyfri'n ofnadwy achos roedd yna gystadleuaeth fawr rhwng dau gôr yn yr ardal. Roedd côr Ffynnongroyw yn well na'i gôr o a dweud y gwir – roedd o'n gôr mwy beth bynnag, a lot o'r aelodau'n gweithio yn y Parlwr Du. Roedd y ddau gôr braidd fel timau ffwtbol, a chystadleuaeth fawr rhyngddyn nhw.

Arwel Aeth yr hyfforddiant cerddorol i'ch gwaed chi o gwbl?

Emyr Dim o gwbl. Dwi'n hoff ofnadwy o gerddoriaeth a dwi'n medru chwarae piano tipyn bach. Ga'i ddweud wrthoch chi am rai o aelodau'r côr? Un oedd tad Rhys Jones, tad Caryl Parry Jones, roedd o'n canu yn y côr. Mae Rhys dipyn yn iau na fi, a dwi'n cofio mam yn dweud fod 'na hogyn addawol iawn yn yr ysgol, Rhys oedd hwnnw. Mi ddaeth David Lloyd, y tenor enwog, at fy nhad, pan oedd o'n *boy soprano*, a fy nhad ddaru stopio fo ganu pan oedd ei lais o'n torri, a'i ddechrau fo wedyn pan oedd o'n barod. Mae gen i atgofion byw iawn o David Lloyd achos roeddan ni blant yn fach iawn ac roedd o isio dod i'r gegin i chwarae *rings* a phethau efo ni yn lle mynd at fy nhad am wersi.

Arwel Oedd gynnoch chi howscipar neu forwyn yn y cyfnod yna hefyd?

Emyr Oedd, Gwladys. Roedd hi yna trwy gydol yr amser ro'n i'n tyfu fyny. Pam oedd isio morwyn dwi ddim yn gwybod, achos doedd yna ddim cymaint â hynny o waith. Roedd hi'n dod o Gaergwrle, neu 'Cae-girly' fel roedd hi'n dweud. Roedd honno'n ddi-Gymraeg ac yn edrych i lawr ei thrwyn ar Fethodistiaid a Chymry Cymraeg yn gyffredinol.

Roedd ganddi hi gariad am ryw gymaint, Iorwerth Bach, y clochydd, roedd o'n Gymro Cymraeg mae'n amlwg. Ond pharodd hynny ddim yn hir, ac ar ôl i mi fynd i'r coleg, neu ella cyn hynny, mi briododd rywun arall a gadael.

Arwel Oedd hi'n byw i mewn?

Emyr Oedd. Roedd hi'n bwysig iawn. Hi oedd yn rheoli. Mae hi'n amlwg iawn yn *Y Tri Llais*. Mi fues i'n araf iawn yn dysgu darllen mae'n debyg, achos fy mod i'n ista ar ei glin hi ac yn gwrando arni hi'n darllen mewn llais undonog yn camynganu geiriau ac yn y blaen. Roedd hi'n reit ddigri mae'n siwr. Fe fyddai fy mrawd yn cofio hynny'n well na fi.

Arwel Mynd i'r Rhyl oedd y cam mawr cyntaf o'r cartref. Oedd Y Rhyl yn dynfa? Ai fan'no oedd 'dre'?

Emyr Shangrila. Fan'na oedd y baradwys ddaearol!

Arwel Oedd cael mynd i'r ysgol yn fan'no yn rhywbeth reit gyffrous?

Emyr Duwcs annwyl oedd. Roedd Y Rhyl yn llawn o bob mathau o bethau. Ffair wagedd oedd hi o un pen i'r llall. Yn rhyfedd iawn mae Emlyn Williams wedi sgwennu'n reit dda am hynny, yn ei ddisgrifio fo'i hun yn mynd i'r Rhyl o Lanrafon ym mhenodau cynnar *Emlyn*, sydd yn well na'r gweddill. Mae o'n dirywio erbyn iddo fynd i Rydychen a dechrau gwirioni ar fod yn Sais, ond mae'r penodau cynnar yn ardderchog – yn disgrifio'r un amgylchfyd â fy un i.

Arwel Oedd o yno yn yr un cyfnod â chi?

Emyr Na, roedd o bymtheng mlynedd yn hŷn na fi, ond ro'n i'n ei adnabod o'n reit dda. Yn od iawn mae cefnder cyfan i mi yn cadw'r dafarn lle magwyd o.

Arwel Roedd symud i'r Rhyl yn golygu fod gynnoch chi gylch newydd o ffrindiau wrth gwrs, yn ogystal â dylanwad athrawon newydd.

Emyr Roedd mynd yno'n eitha cyffrous – roedd o'n cymryd oriau yn un peth. Dim ond rhyw saith milltir oedd o, ond roedd hi'n hanner awr o siwrnai a'r býs yn araf iawn yn mynd, yn stopio ac yn codi pobl. Ond erbyn hyn dwi ddim yn gwybod y gwahaniaeth rhwng beth sy'n ddychmygol a beth ddigwyddodd. Mae lot o fusnes y býs ar ddechrau *Flesh and Blood* ac mae'r *Tri Llais* yn llawn o'r pethau plentynnaidd yna hefyd.

Arwel Fel rydach chi eisoes wedi awgrymu, fe ddaethoch chi ar draws dyn o'r enw Moses Jones yn yr ysgol.

Emyr Dod ar draws cledr ei law o wnes i gyntaf! Dydi o ddim wedi dweud dim byd byth oddi ar hynny, ond dwi'n cofio. Roedd o wedi gwylltio'n ofnadwy fy mod i ddim yn medru Cymraeg, a finnau'n dod o Drelawnyd, ac yn waeth na hynny fod fy nhad yn dod o Stiniog, achos dyn o Stiniog oedd o'i hun. Roedd o'n meddwl fy mod i'n ofnadwy. Roedd o'n un parod iawn i roi clip ar draws eich pen chi ac mi ges i sawl un gynno fo pan o'n i'n fach.

Ro'n i'n mynd i'r chweched dosbarth pan losgwyd yr Ysgol Fomio a dwi'n cofio fod Moses Jones wedi tanio rhywbeth mawr iawn ynof i yr adeg hynny. Roedd o wedi dechrau pregethu'r neges cyn i mi ddysgu Cymraeg hyd yn oed. Ro'n i'n genedlaetholwr Saunders Lewisaidd o'r cychwyn cyntaf. Doedd gen i ddim llawer o ddewis.

Arwel Dysgu Cymraeg oedd gwaith Moses Jones yn yr ysgol?

Emyr Na, roedd o'n dysgu pob math o bethau, mathemateg a lot o bethau ro'n i'n methu'n lân â'u gwneud. Ond y ffordd wnaethon ni gyfarfod fel bodau gwareiddiedig oedd trwy'r dosbarth economeg. Fi oedd y cyntaf erioed yn yr ysgol i wneud y pwnc, a fi oedd yr unig un yn y dosbarth. Agorodd o ddrws i fyd newydd i mi. Nid yn unig byd y Blaid ac ati, ond roedd o'n cael *The New English Weekly* a *G.K's Weekly*, dau gylchgrawn a gafodd ddylanwad mawr arna'i, yn enwedig y cyntaf. Ro'n i'n meddwl fod hwn yn cyflwyno rhyw ffordd newydd o edrych ar y byd, ac wrth gwrs, pwy oedd yn rhedeg y sioe honno ond T. N. Heron, tad yr arlunydd Patrick Heron. Ysbrydoliaeth fawr y papur hwnnw oedd T. S. Eliot. Felly ro'n i'n cael T. S. Eliot ar y naill law a Saunders Lewis ar y llall, o fan'na dwi wedi cychwyn. Ro'n i wedi mynd i eilunaddoli'r ddau. Rheina oedd fy arwyr mawr i o'r cychwyn cyntaf. Ro'n i wedi rhoi rhyw naid o fod yn gwbl anwybodus i fod yn arbenigwr mawr ar y ddau bwnc ymysg fy nghyfoedion.

Arwel Arwain eich meddwl chi wnaeth Moses Jones, ond wnaeth o ddysgu Cymraeg i chi hefyd?

Emyr Na.

Arwel Oeddach chi wedi'ch magu yn sŵn y Gymraeg, felly doedd dysgu ddim yn gam mawr does bosib?

Emyr Wel, oedd mi roedd o. Dwi'n trio cofio'r camau cyntaf. Roedd 'na ddyn neis iawn yn dysgu Cymraeg yn yr ysgol, dyn o'r enw Lewis Angel, ond doedd o ddim yn athro arna'i. Mi aeth i fyw i Gaerdydd a dwi'n ei gofio fo pan o'n i yn y BBC, roeddan ni'n mynd i'r un capel. Mi roedd o'n athro da iawn ac mi fuodd o'n rhoi gwersi Cymraeg i fy mrawd. Ond yn ofer mae arna'i ofn. Roedd o'n rhoi rhyw syniad i mi. Roedd 'na ryw lyfr Saesneg gan John Morris Jones, *Elementary Welsh Grammar*, hwnnw oedd yr allwedd i mi. Ro'n i'n gwneud Lladin ar yr un pryd, ac o gymharu â hynny roedd egwyddorion gramadeg y Gymraeg yn hawdd. Fel ro'n i'n dechrau dod i sylweddoli beth oedd gramadeg a chystrawen a phethau felly, roedd yr iaith yn tyfu arna'i.

Ond dysgu fy hun wnes i i raddau helaeth iawn cyn i mi fynd i Aberystwyth. Wrth i mi weiddi a gwneud twrw efo'r Blaid ro'n i'n dod i gysylltiad agos â 'Chymry go iawn'. Ro'n i'n rhannu tŷ efo Emyr Currie Jones, a dwi'n cofio bod yn *impressed* iawn efo rhyw ferched; un o'r enw Eluned Elis Williams, sy'n byw yng Nghaernarfon erbyn hyn; un arall o'r enw Rachel Davies, Rachel Saer ydi hi erbyn hyn; a Mary Parri, Mary Vaughan Jones; y tair yna, ro'n i'n meddwl fod rheina'n wych iawn, roeddan nhw'n ddisglair tu hwnt. Trwyddyn nhw des i i adnabod pobl fel yr Athro Thomas Jones. Roedd o'n ddyn neis ofnadwy, dyn clên. Beth oedd yn dda am Aberystwyth yn y cyfnod hwnnw oedd fod myfyrwyr yr Adran Gymraeg yn agos iawn atoch chi, lot fwy felly na'r Adran Saesneg neu'r Adran Hanes, ac er nad o'n i'n aelod o'r Adran Gymraeg ro'n i'n dal i deimlo'n rhan o bethau, cyd-deithiwr fel petai.

Arwel Awn ni'n ôl am eiliad i Benyberth. Roeddach chi mewn oed lle'r oedd pob dim yn gynnwrf, cyfnod pan oedd hi'n hawdd iawn dylanwadu arnoch chi a chithau yn eich arddegau hwyr. Roedd o'n gyfnod allweddol iawn. Ydach chi'n cofio manylion y digwyddiad?

Emyr Ro'n i'n rhan ohono fo, mewn ffordd gwbl anuniongyrchol. Roedd gan Moses Jones gar bach, a dwi'n ei gofio fo'n dod i'r ysgol ac yn dweud, drwy ochr ei geg yn ôl ei arfer, 'mae'r car yna wedi bod yn cario petrol'. Ar ôl hynny roedd pob dim yn rhyw fath o gynllwyn mawr. Ac mi roedd o. Mi roedd o'n un o'r ceir oedd wedi cario petrol i'r tri ym Mhenyberth a do'n i ddim i fod i ddweud ar unrhyw gyfrif. Ro'n i'n teimlo'n bwysig iawn, yn un o'r hogia. Mae 'na lun ohona'i yn llyfr J. E. Jones, *Tros Gymru,* criw tu allan i ryw fýs, tua 1937, yr haf ro'n i yn mynd i'r coleg. Roedd y llosgi wedi digwydd tra o'n i yn y chweched dosbarth a'r achos llys yn digwydd tra o'n i yn y coleg.

Arwel Rydan ni'n edrych yn ôl rwan ar Benyberth fel rhyw drobwynt mawr. Beth oedd yr ymateb ar lawr gwlad? Beth oedd ymateb eich teulu chi er enghraifft?

Emyr Ro'n i wedi mynd yn llanc erbyn hynny. Doedd dim ots am fy rhieni! Mi roedd o'n drobwynt. Wrth gwrs ro'n i'n wahanol iawn i'r lleill, ond roedd fy mrawd yn reit gefnogol, roedd *o* hyd yn oed wedi cael ei gyffwrdd. Tori os buodd 'na un erioed! Roedd pawb wedi cael eu cyffwrdd mewn ffordd. Roedd o'n drobwynt rhyfedd.

Dwi'n meddwl i mi yn anuniongyrchol fod yn gyfrifol am newid enw'r pentref. Newmarket oedd o ac fe'i newidiwyd o i Drelawnyd. Tua amser yr Ysgol Fomio fe drefnodd Moses Jones, drwyddaf i, ryw fath o gyfarfod o'r Blaid yn Neuadd y Pentref yn Newmarket. Fe gafodd o ddyn Llafur mawr o'r enw Huws Jones, oedd yn Annibynnwr ac yn Gymro brwd, i lywyddu'r peth. Mi ddaethon nhw acw i swper wedyn – mae'n rhaid fy mod i wedi dragwnio mam i baratoi bwyd iddyn nhw, a dwi'n cofio'r hen J. E. Daniel yn sôn am *mass conversions* yn y pentref. Roedd lot fawr o bobl y pentref yn y cyfarfod, a dyma nhw'n penderfynu newid yr enw yn y fan a'r lle. Mae'n siwr gen i fod hynny wedi digwydd tua adeg y llosgi. Ro'n i'n dal i fod yn y chweched, mae hynny'n dangos fod o'n cael dylanwad ar y wlad.

Arwel Rydach chi wedi sôn am y Blaid droeon. Oeddach chi'n weithgar iawn efo'r Blaid, yn ymarferol felly, yn y cyfnod yna?

Emyr Oeddwn, ro'n i'n ysgrifennydd y gangen ac ati pan o'n i yn y coleg, ond mi ro'n i'n gwneud pob dim. Mi ddaru mi gychwyn cangen yn Nhrelawnyd, a merch Huws Jones oedd yr ysgrifenyddes. Mae'r teulu'n dal i fod yn Bleidwyr, mae Nia Royle yn un ohonyn nhw.

Arwel Oedd Tudur Jones yn un o'ch cyfoedion chi yn y Rhyl hefyd?

Emyr Oedd. Roedd R. Tudur flwyddyn yn iau na fi, hogyn bach oedd o!

Arwel Ac yn rhan o'r un bwrlwm felly.

Emyr Nac oedd, ddim cweit, achos Annibynwyr oeddan nhw. Mi ddaethon ni'n ffrindiau mawr wedyn wrth gwrs, yn ffrindiau pennaf, ond ar yr adeg yma roedd byd Tudur yn troi o gwmpas y capel a fy myd i'n troi o gwmpas yr eglwys, yn hollol wahanol i'n gilydd.

Arwel Ond mae'n rhaid fod y Blaid a Phenyberth wedi dod â chi at eich gilydd?

Emyr Do, am y tro cyntaf erioed, a dwi ddim yn amau mai trwy Moses Jones y digwyddodd hynny hefyd. Roedd yna ryw ddadl wedi bod yn yr ysgol, a Tudur a fi'n siarad ar y naill ochr, a rhywun arall ar y llall. Dyna'r tro cyntaf i ni gyfarfod yn iawn. Roedd o'n ddigon caredig i ddweud mai fi ddaru ei gyflwyno fo i'r Blaid. Dwi'n haeddu medal felly.

Arwel Ymlaen i'r coleg yn Aberystwyth wedyn. Pam Aberystwyth?

Emyr Roedd gen i brifathro dylanwadol iawn yn T. I. Ellis. Roedd o'n enw go fawr yn tŷ ni – mab Y Tom Ellis AS, gŵr Mari Ellis wrth gwrs, a thad Meg. Mi gafodd Tom Ellis dröedigaeth oddi wrth y Methodistiaid at yr Eglwys ac un o ddrysau'r ddihangfa oedd dod i aros efo ni yn Nhrelawnyd a mynd i'r eglwys. Roedd T. I. Ellis wedi bod yn Aberystwyth wrth gwrs yng nghysgod cerflun o'i dad, felly fedra fo ddim peidio gyrru pawb i fan'no o'r Rhyl. Felly mi gaethon ni fynd i Aberystwyth i sefyll yr arholiad am yr ysgoloriaeth.

Arwel Ac mi enilloch chi ysgoloriaeth i Aberystwyth.

Emyr Wnes i? Dwi ddim yn siwr. Dwi'n credu mai

Ysgoloriaeth y Sir ges i, ond ella i mi gael y llall hefyd. Ond dwi'n cofio rhyw dri ohonon ni'n mynd efo T.I. i Aber. Chwarae teg, roedd o'n ffeind iawn – dim llawer o brifathrawon fasa'n trafferthu mynd â thri disgybl yn unswydd i Aberystwyth ar gyfer yr ysgoloriaeth, ond mi wnaeth o. Roedd o'n brifathro da iawn a dweud y gwir.

Arwel Roeddach chi'n cyrraedd Aberystwyth fel roedd achos Penyberth ar ei anterth mae'n debyg?

Emyr Roeddan nhw yn y carchar yn 1937 ac yn dod allan yr haf hwnnw, yr adeg ro'n i'n mynd i'r coleg. Doeddan nhw ddim yn bresennol yn yr ysgol haf gyntaf es i iddi hi yn y Bala, lle mae'r llun yna efo J.E. a'r criw wedi'i dynnu. Wedi i mi fynd i Aberystwyth ro'n i'n aros am ryw dair wythnos i fis mewn rhyw le dwi wedi'i ddarlunio yn *The Best of Friends* dwi'n meddwl. Fues i ddim yno'n hir. Roedd o'r lle rhyfeddaf, yn Bath Street, ac mi es i gwmni drwg – pobl fel Ken y bocsar a William Crawshay, oedd wedi cael ei yrru i Aber i brofi awyrgylch Gymraeg, a Walter Jones – roeddan nhw'n yfwrs ac yn byw yn ofer iawn yn ôl safonau'r dydd. Aeth pethau o ddrwg i waeth yn y tŷ 'ma, ac er ei fod o'n dŷ braf iawn, pan aeth partner Emyr Currie Jones, Arthur Rhys Williams, i Gaergrawnt, mi es i at Emyr ac mi fuon ni'n rhannu stafelloedd ym Meirionfa, Queens Road.

Mae byd a bywyd Emyr a finnau wedi cydredeg byth ers hynny. Rydan ni'n dal i siarad ar y ffôn yn gyson. Roedd ei dad o a fy nhad i yn y coleg efo'i gilydd a dwi'n rhyw feddwl mai dyna sut rydan ni wedi cael yr enw Emyr. Mae o ddwy flynedd yn hŷn na fi felly fo gafodd yr Emyr gyntaf, ond mae'n rhaid gen i mai trwyddo fo y daeth yr enw i mi achos does dim Emyr arall yn y teulu o gwbl.

Aeth Emyr i Lundain a finnau dros y môr ac mi gollon ni gysylltiad nes i ni ddod i weithio i Gaerdydd, fo'n dwrnai efo'r Ddinas a finnau i weithio efo'r BBC, felly y croesodd ein llwybrau ni'r eildro. Mae o'n well Cymro na fi ar un wedd ond mae o'n digwydd bod yn aelod o'r Blaid Lafur felly rydan ni wedi bod yn ffraeo ynglŷn â gwleidyddiaeth ar hyd y blynyddoedd, ond rydan ni'n dal yn ffrindiau da iawn yr un fath. Mae o wedi gwneud gwaith gwych iawn yng

Nghaerdydd, fo, yn fwy na neb arall, oedd yn gyfrifol am sefydlu ysgolion Cymraeg yno. Roedd o ar Gyngor y Ddinas am flynyddoedd ac yn uchel iawn ei barch. Drwy Emyr mi wnes i gyfarfod un o ddylanwadau mawr fy mywyd sef David Myrddin Lloyd. Dyna pryd wnes i ddechrau dysgu Cymraeg o ddifrif. Fo oedd fy athro i yn gymaint â neb, mi fues i'n lwcus iawn.

Arwel Sut ddaethoch chi ar ei draws o felly?

Emyr Roedd o'n digwydd bod yn y tŷ lodging; roedd Emyr a finnau'n rhannu'r stafell lawr llawr, ac roedd o, Myrddin, yn y top.

Arwel Oedd o'n fyfyriwr?

Emyr Na, gweithio yn y Llyfrgell Genedlaethol oedd o. Roedd o ddeng mlynedd yn hŷn na fi ac ro'n i'n sylweddoli ar unwaith fod hwn yn athrylith. Dim ond i chi odro, roeddach chi'n cael y cwbl ac fe ddatblygais i'n gysgod i'r hen Myrddin druan. Doedd dim isio iddo fo ond troi rownd a ro'n i'n debyg o fod y tu ôl iddo fo yn rhywle. Ro'n i'n meddwl y byd ohono fo.

Roedd ei stafell o'n llawn llyfrau. Roedd o'n eu cario nhw yn ôl o'r Llyfrgell wrth y cannoedd yn llythrennol, a dyna sut glywais i sôn am Kierkegaard gyntaf erioed. Roedd 'na ryw Americanwr wedi bod yn cyfieithu holl weithiau Kierkegaard, ac roedd Myrddin wrthi'n mynd trwyddyn nhw ac ro'n i'n cael gwybod am y cynnwys gynno fo. Ond yn sydyn iawn mi gafodd o'i daro gan 'y garreg', *gallstones*, ac fe fuodd o'n ddifrifol wael am ychydig bach. Ond doedd dim ots gan y Llyfrgellydd am ei iechyd o, am y llyfrau roedd o'n poeni. Daeth dau o swyddogion y Llyfrgell i'r tŷ i chwilio amdanyn nhw, felly fe ddaru ni drefnu i ryw Idris, hen foi neis ofnadwy oedd yn ffrind i Myrddin, gael berfa, ac fe wnaeth Emyr Currie a finnau gario'r llyfrau'n ôl fesul berfâd i fyny ac i lawr yr allt. Dwi'n cofio hynny'n iawn.

Arwel Felly, roedd Myrddin Lloyd yn eich arwain chi mewn sawl ffordd.

Emyr Oedd. Cael rhyw syniad gynno fo am y Ffrangeg wedyn. Roedd ei wraig o, ei gariad o ar y pryd, yn dysgu Ffrangeg yng Nghaerdydd dwi'n meddwl. Roedd ganddi hi gar, roedd hynny'n beth mawr, ac mi roeddwn i'n cael mynd efo nhw weithiau. Roedd Emyr Currie Jones yn dweud fy mod i'n gwsberen broffesiynol, 'ti erioed yn mynd efo nhw eto!', fydda fo'n dweud, ond ro'n i wrth fy modd efo nhw, achos roedd jyst gwrando ar Myrddin yn addysg. Dwi'n cofio mynd efo nhw i Bontarfynach i gyfarfod â Griffith John Williams a'i wraig. Ro'n i'n teimlo fy mod i yng nghanol y mawrion, yn gwrando arnyn nhw. Wedyn ro'n i'n cael cyfarfod â Saunders Lewis wrth gwrs.

Arwel Pryd oedd y tro cyntaf i chi ddod ar ei draws o?

Emyr Ro'n i wedi trefnu rhyw gyfarfod i'r Blaid, dwi'n meddwl, a Saunders i fod i siarad, a minnau'n mynd i'r cefn i ofyn oedd o'n barod, a'i gael o'n swp sâl. 'Peidiwch â phoeni,' medda fo, 'fel hyn ydw i o flaen pob cyfarfod.'

Arwel Yn gorfforol sâl felly? Cyn cyfarfod â myfyrwyr Aberystwyth?

Emyr Roedd o'n gyfarfod cyhoeddus a'r neuadd yn orlawn, ond oedd, roedd o'n chwydu.

Arwel Dyma oedd y tro cyntaf ichi gwrdd ag o?

Emyr Ia. Roedd hynny tua 1938 mae'n siwr. Wedyn roedd o'n dod i Wasg Aberystwyth, i swyddfa Prosser Rhys. Roedd pwyllgorau'r Blaid yn fan'no weithiau. Ro'n i'n cael cyfarfod Gwenallt a'r mawrion i gyd yn fan'no. Ro'n i'n cael blas ar y lle.

Arwel Roeddach chi'n siwr o fod yn ymwybodol, wrth fynd i'r coleg, fod rhyfel mawr ar y gorwel?

Emyr Oeddwn a nac oeddwn. Roedd pawb yn poeni ond yn gobeithio osgoi'r perygl ar yr un pryd. Roedd Myrddin yn heddychwr ac am wn i roedd Moses hefyd. Dyna oedd pawb am gyfnod. Heddychiaeth oedd y peth yng Nghymru ac yn y Blaid. Felly pan oedd angen cofrestru ar gyfer y gwasanaeth milwrol, oedd wedi dechrau cyn y rhyfel, ar fy mhen-blwydd i fel mae'n digwydd bod, mi wnes i gofrestru fel gwrthwynebwr cydwybodol.

Dim ond myfyrwyr oedd yn cofrestru yn y Coleg wrth gwrs, ond mi roedd y rhes o bobl oedd yn cofrestru fel gwrthwynebwyr yn hirach na'r lleill. Nid y Blaid yn unig oedd yn gwrthwynebu'r rhyfel, roedd y comiwnyddion a mwyafrif y Blaid Lafur hefyd. Dwi'n cofio ni'r *conshis*, Emyr Currie a finnau, ar y naill ochr a Glanmor Williams, oedd yn aelod o'r OTC, a'r bobl oedd yn mynd i'r fyddin ar y llall. Erbyn hynny ro'n i'n ddwfn ym mhethau'r Blaid. Ro'n i wedi dod i adnabod dyn o'r enw Robin Richards, oedd yn olygydd y *Welsh Nationalist*, a fan'no ges i weld fy ngwaith mewn print am y tro cyntaf, ar ôl cylchgrawn yr ysgol. Yn hwnnw y cyhoeddwyd un o'r cerddi cyntaf sgwennais i yn y cyfnod, 'A Young Man Considers His Possibilities'.

Wedyn daeth haf cas 1939. Fe gyhoeddwyd y rhyfel ar y trydydd o Fedi, ond ro'n i wedi penderfynu cyn hynny y byddwn i'n mynd i weithio ar y tir efo Robin Richards. Roedd o wedi prynu fferm yn rhad, lle gwyllt iawn, ac isio rhywun i'w helpu o i labro, ac i fan'no es i, i Benwenallt, Sir Benfro. Do'n i ddim yn gwybod beth i'w wneud yr adeg hynny. Mi ddaeth fy nhad druan, yn ei wewyr, i Aberystwyth, isio i mi aros yn y coleg. Mae 'na gymhlethdodau mawr yn fa'ma eto. Roedd fy mrawd wedi mynd yn berson ac ro'n i wedi meddwl gwneud yr un fath. Yn y flwyddyn honno ro'n i wedi bod efo dyn o'r enw Glyn Simon ym Mangor, yr Esgob Simon wedyn – fo oedd yn paratoi'r ordinands. Roeddwn i wedi cael fy nerbyn i goleg St Stephen's Hall, Rhydychen, fel uchel eglwyswr os gwelwch yn dda! Ond roedd fy mrawd erbyn hyn yn St Michael's, Llandaf, ac i fan'no byddwn i wedi mynd mwy na thebyg, ond fy mod i wedi dechrau cael amheuon. Do'n i ddim yn meddwl fod yr esgob yn iawn. Fuodd 'na ryw helyntion yn y papur newydd, *Student Disagrees With Bishop*, meddan nhw! Roedd yr esgob wedi gyrru rhyw lythyr i ddweud fod yr ordinands ddim i fod i ymuno â'r fyddin, ac ro'n i wedi sgwennu yn ôl yn dweud os nad oedd o'n iawn i'r ordinands nad oedd o ddim yn iawn i neb arall chwaith – rhyw ddadl resymegol felly, cwbl nodweddiadol o fyfyriwr. Roedd honno'n rhyw fath o ffordd allan. Yn lle mynd i aros yn Aberystwyth, gwneud fy ngradd fel roedd fy nhad isio, ac wedyn mynd i St Stephen's Hall a bod yn berson parchus, ro'n i'n was fferm yn Sir Benfro. Ond dyna oedd fy newis i.

Arwel Oeddach chi'n gwneud hynny yn gymaint i osgoi'r coleg ag i osgoi'r fyddin felly?

Emyr Roedd fy ngweledigaeth i o'r dyfodol yn gwbl apocalyptig yn y cyfnod hwnnw. Ro'n i'n gweld bod y byd yn mynd i ddarfod achos fod 'na erthygl wedi bod yn y *New English Weekly* yn sôn eu bod nhw wedi dyfeisio'r bom atomig, a dyna'r tro cyntaf i mi glywed sôn fod yna fom ar gael allai ddifa Birmingham. Dyna ddeudon nhw – pam Birmingham dwi ddim yn gwybod. Ro'n i'n gweld y basa'r rhyfel yma yn difa popeth, felly yr unig obaith i ni fel cenedlaetholwyr a heddychwyr oedd troi at y tir. Felly ar ryw dir athronyddol, rhesymegol felly y gwnes i hynny. Mae o'n swnio'n ardderchog mewn theori ond yn ymarferol roedd o dipyn bach yn gloff achos do'n i'n cael dim dimau wrth fynd at yr hen Robin gan nad oedd gynno fo ddim pres chwaith. Roedd o'n fywyd digon anodd, ac yn fan'na ro'n i pan ddaru'r rhyfel dorri allan o ddifri, Dunkirk a rhyw bethau felly.

Arwel Felly cymysgedd o heddychiaeth a chenedlaetholdeb, rhywbeth Cymreig iawn, oedd eich ymateb chi i'r rhyfel?

Emyr Ia, roedd gen i ddwy ffordd o edrych ar y peth. Roedd gen i lwybr yr heddychwr cyffredin a llwybr cenedlaetholwr. Dwi bob amser wedi parchu bod yn filwr proffesiynol fel galwedigaeth uchel. Dwi'n derbyn dadl Saunders yn llwyr ynglŷn â hyn achos mewn ffordd mae dyn yn dweud, 'dwi'n barod i farw dros fy ngwlad' – y cwestiwn wedyn ydi 'pa wlad?'. 'Dwi'n barod i farw dros Gymru, alla i weld sens yn hynny, ond beth sydd isio i mi farw dros Loegr?' *Wedyn* mi ddaeth yr holl fusnes chwedlonol ynglŷn â bod rhaid difa Natsïaeth. Dim felly ro'n i'n gweld y rhyfel ar y dechrau. Doedd gan y rhyfel ddim i'w wneud â difa Natsïaeth, roedd y rhyfel ynglŷn â diogelu buddiannau Lloegr yn erbyn ei gelynion. Mae'n hawdd iawn bod yn ddoeth ar ôl i hanes gyflawni ei hun.

Arwel Yn debyg iawn i Saddam yn cael ei bortreadu fel anifail ar ôl i'r olew yn Kuwait gael ei reibio.

Emyr Yn hollol, roedd yna elfen felly i'r peth. Wrth gwrs, yn anlwcus iawn i bobl fel fi, a gwrthwynebwyr cydwybodol yn gyffredinol, roedd un o gythreuliaid mwyaf hanes ar yr ochr arall, ond doeddan ni ddim i wybod hynny ar y pryd.

Arwel Beth oedd ymateb eich teulu chi, eich tad yn benodol, i'ch safiad chi? Wedi'r cwbl mi roedd o'n ddyn oedd wedi bod yn y Rhyfel Mawr ac wedi dioddef.

Emyr Roedd ei ymateb o'n ddeublyg, sy'n profi pa mor hyblyg ydi'r seicoleg mewn ffordd. Roedd o'n edmygydd mawr o Lloyd George ac yn credu yn yr Ymerodraeth Brydeinig, a phob dim felly, ond ar yr un pryd roedd o'n reit falch o gael ei fab yn fyw. Roedd o'n gwybod digon am ryfel i wybod taswn i wedi mynd y basa fo'n sicr o fod wedi colli'i fab.

Arwel Roedd o'n reit onest yn hynny o beth . . .

Emyr Wel, doedd o ddim yn dweud hynny. Wedi'i siomi'n arw nad o'n i wedi mynd yn berson oedd o. Mi o'n i'n siomedigaeth fawr iddo fo yn y cyfnod hwnnw a dwi'n teimlo'n euog am hynny hyd heddiw. Dydach chi ddim i fod i siomi'ch rhieni.

Mi es i Sir Benfro ac er fy mod i'n edmygu Robin mewn ffordd doedd o ddim yn heddychwr, cenedlaetholwr oedd o, ac roedd o'n tueddu i wneud sbort am ben heddychwyr. Doeddan ni ddim yn cyd-dynnu. Ymhen dim roedd gynno fo wraig a babi a do'n i ddim yn hapus yno o gwbl.

Ro'n i isio gadael ac mi es i at frawd i mam yn Sir y Fflint oedd yn berchen ar nifer o ffermydd. Ond dim ond rhyw ddau fis bues i efo hwnnw wedyn, os bues i gymaint â hynny, achos mi roedd o'n diawlio gwrthwynebwyr cydwybodol. Doedd gynno fo ddim cydymdeimlad o gwbl efo fi. Wedyn mi es i at berthynas arall, bellach – cefnder i mam, yng Nghapel Curig, i'r fferm lle'r oedd brawd fy nhaid wedi bod, ac mi fues i efo hwnnw am dymor, tymor go hir a dweud y gwir. Wedyn mi ges i ysbrydoliaeth. Trwy Moses Gruffudd a chysylltiadau'r Blaid mi ges i symud i Blas Llanfaglan, sydd ar lan y Fenai. Ro'n i erbyn hyn yn gwneud cryn dipyn efo J. E. Daniel hefyd. Fyddai dim sôn am Gynulliad i Gymru oni bai am ei waith arloesol o. Fe ddylai fod cerflun ohono fo o flaen yr adeilad newydd. Ro'n i'n edmygydd mawr o'r hen J.E., dwi'n credu ei fod o'n ddyn mawr sydd wedi mynd yn angof erbyn hyn. Roedd Plas Llanfaglan yn fferm fawr iawn ac mi ges innau le fel rhyw fath o was bach i'r ffarmwr, oedd yn ddyn dall fel mae'n digwydd bod.

Arwel Sut roeddach chi'n dygymod â gwaith fferm?

Emyr Ro'n i wrth fy modd. Dwi'n dal i fod â diddordeb, mae o yn fy ngwaed i wrth gwrs, ffermwyr ydi teulu mam i gyd.

Arwel Doedd o ddim yn galedi o gwbl arnoch chi felly?

Emyr Nac oedd a dweud y gwir. Doedd dim pres wrth reswm, ches i ddim cyflog am yr holl amser yna, dim dimau. Ro'n i'n hen iawn yn ennill cyflog achos do'n i ddim yn cael dim dimau pan o'n i dros y môr chwaith – dim ond cael fy nghadw.

Arwel Ond wnaethoch chi fwynhau Plas Llanfaglan?

Emyr Fan'no ro'n i pan wnaeth J.E. ddweud wrth ffrind iddo fo – Hywel D. Roberts, Hywel Bach, trefnydd dosbarthiadau'r WEA – fy mod i'n ddigon abl i gymryd dosbarth. Mi wnaeth Hywel drefnu dewis i mi, a'r agosaf o'r tri i'r lle ro'n i oedd Bontnewydd. Roedd un dyn yn allweddol yno ar gyfer llwyddiant y WEA, y Parch. Griffith Jones, ac fe drefnwyd i mi fynd i'w weld o. Fel digwyddodd hi, hwn fyddai fy nhad-yng-nghyfraith. Dyna sut wnes i gyfarfod ag Elinor, ac mi fues i'n dysgu yn fan'na am ddwy flynedd dwi'n siwr. Aeth Elinor i nyrsio i Lundain ac mi es i dros y môr.

Arwel Ond mi ddilynoch chi Elinor i Lundain cyn mynd dramor?

Emyr Cyd-ddigwyddiad oedd hynny. Ro'n i yno'n hyfforddi a hithau yno'n nyrsio. Roedd hi wedi meddwl mynd yn ddoctor, yr un fath â'i brawd, ond wrth gwrs roedd gweinidog efo'r Annibynwyr yn rhy dlawd i fedru fforddio hynny. Mi ddaru hi achub y blaen ar yr amgylchiadau trwy fynd yn nyrs, doedd hi ddim yn gost i'w rhieni wedyn. Mae'i hanes hi lot mwy diddorol na'm hanes i.

Arwel Beth oedd eich diddordebau chi o ran darllen yn y cyfnod hwnnw?

Emyr Yn y cyfnod hwnnw? Ro'n i'n darllen yn ofnadwy, pob dim! Ond erbyn hynny ro'n i wedi dod i gysylltiad â Graham Greene hefyd. Ro'n i wedi bod yn sgwennu cerddi ac wedi'u gyrru nhw i'r *Spectator* am fod rhywun wedi dweud wrtha i, 'gyrrwch nhw i'r *Spectator* achos mae 'na Gymro yn fan'na yn olygydd llenyddol', enw hwnnw oedd Goronwy Rees wrth gwrs. Mi wnes i eu gyrru nhw at hwnnw ac mi ddaeth yr ateb yn ôl oddi wrth Graham Greene yn dweud, *'I am now the Literary Editor.'*

Arwel Sut benderfynoch chi fynd i weithio i Gronfa'r Plant?

Emyr Roedd gan Emyr Currie Jones gysylltiadau efo Cronfa Achub y Plant a drwyddo fo mi ges i gyfweliad ac ar ôl llwyddo i gael lle mi wnes i symud i Lundain i baratoi i weithio efo nhw. Ond cyn cael symud roedd rhaid i mi gael tribiwnlys arall oherwydd fy mod i'n newid natur fy ngwaith – mi ges i ddau dwi'n meddwl tra oeddwn i yn Llundain. Roedd yr hyfforddiant yn cynnwys mynd am gyfnod i ysbytai oedd yn arbenigo yng nghlefydau'r dwyrain ac wedyn mynd i wersylla yng nghefn gwlad er mwyn dysgu byw yn yr awyr agored. Ro'n i'n dysgu sut i drin a thrafod ffoaduriaid, codi pebyll a pherffeithio sut i wneud bwyd o dan amgylchiadau amhosibl; gwneud popty allan o fwd a'i danio fo trwy gymysgu dŵr ac oel, system oedd yn cael ei galw'n *drip flash,* y math yna o beth. Yn ystod y cyfnod yma roeddan ni'n gorfod dringo i ben ysbytai neu ysgolion i wylio am dân yn ystod y nos – dyna'r cyfnod roedd y bomiau hedegog 'ma wedi cychwyn. Roedd o'n gyfnod difyr a diddorol iawn, mi wnes i ei fwynhau o a dweud y gwir. Dyna sut wnes i gyfarfod Basil MacTaggart wrth gwrs, dyn sydd wedi bod yn gyfaill agos i mi byth ers hynny. Fe luchiwyd y ddau ohonon ni at ein gilydd i wneud y pethau 'ma ar yr un pryd. Roedd o'n dod o deulu cymharol gefnog, ei dad o'n berson a fynta'i hun wedi ei fagu yn y Swistir ac yn medru pob math o wahanol ieithoedd. Gynno fo y cefais i wersi Eidaleg ac Almaeneg, achos do'n i'n gwybod dim am yr ieithoedd hynny ar y pryd, felly mi ges i lot fawr o'i gwmni o. Roedd gan ei fam o fflat yn Chelsea lle nad oedd neb yn byw oherwydd y bomiau, felly ro'n ni'n cael mynd i fan'no i wneud bwyd i ni'n hunain. Roedd o'n gyfnod difyr iawn.

Wedyn mi gaethon ni'n hel i'r Aifft ar long o'r enw *The Duchess of Bedford* – dwi'n cofio hynny'n iawn – o Lerpwl o bob man. Dwi'n cofio hwylio heibio i Bwynt Leinws, hwnnw oedd y darn olaf o Gymru welais i. Mynd wedyn trwy Gibraltar ac i fyny i'r Aifft trwy Fôr y Canoldir. Wedyn mi fuon ni mewn gwersylloedd yn fan'no yn paratoi at fynd i Iwgoslafia gan mai fan'no roeddan ni i fod i fynd fel uned, ond roedd pethau'n newid yn gyson. Mi fues i am dair wythnos yn ymlafnio i ddysgu Serbo-Croat ond wedyn gaethon ni'n symud i'r Eidal, i Sisili i ddechrau wedyn i fyny'r wlad fel roedd y rhyfel yn symud. Dyna sut wnes i ailgysylltu efo Basil. Roedd o wedi cael ei yrru yno o fy mlaen i, ac am ei fod o'n gymaint o ieithydd fe benderfynwyd ei osod o yn Fflorens a finnau wrth ei ochr o. Wedyn fan'na buon ni a'n gwaith ni'n bennaf, ar wahân i ymgeleddu a dilladu ac yn y blaen, oedd gyrru pobl adra. Gan fod y rhyfel wedi bod yn symud i fyny'r wlad roedd llawer o'r de wedi ffoi i'r gogledd a phobl o'r gogledd wedi ffoi i'r de – roedd gynnon ni ddwsin o loris i gario pobl, a thrên i yrru pobl at y llongau. Roedd hi'n job ddiddorol a chymhleth ond roedd Basil yn giamstar ar y peth. Mi fedra fo weiddi ar bawb ym mha bynnag iaith oedd yn gweddu, ond roedd o'n ddyn byrbwyll braidd felly ro'n i yno i esmwytho pethau pan oedd o wedi cynhyrfu'r dyfroedd.

Roedd 'na ddau Gymro oedd yn bwysig iawn efo gwasanaeth y *Friends Ambulance Unit* yn y cyfnod hwnnw – mab Tegla Davies, Arfon Tegla Davies a Dewi Pearson. Pobl oedd wedi codi o draddodiad heddychol yr ymneilltuwyr Cymraeg, wedi mynd i weithio efo'r ambiwlans yn hytrach na mynd i'r fyddin, ac wedi cael eu dyrchafu. Roedd Arfon yn uchel iawn yn Ethiopia a Dewi yn bennaeth ar wersyll go fawr tu allan i Rufain, Forte Aurelia, tu allan i'r Fatican. Cyn inni gyrraedd Florence roedd Basil wedi mynd yno fel llaw dde ieithyddol i Dewi gan nad oedd o'n siarad dim ond Cymraeg a Saesneg, ond fe chwalwyd nhw i gyfeiriadau gwahanol ac fe lwyddodd Basil i fy nghael i i'r job 'ma yn Fflorens.

Arwel Felly roeddach chi a Basil yn gyfrifol am hyn i gyd? Chi oedd y penaethiaid?

Emyr Ni oedd yn rhedeg y lle o ddydd i ddydd, ond roedd gynnon ni fòs uwch ein pennau ni, dyn o'r enw Cyrnol Yeo, o'r Indian Army. Doedd o ddim yn dal dig ein bod ni'n wrthwynebwyr cydwybodol o gwbl – roedd o'n dda iawn, chwarae teg iddo fo. Roedd gynno fo wallt gwyn, er nad wn i ddim pa mor hen fasa fo chwaith. Hwyrach ei fod wedi gwynnu'n ifanc, ninnau'n rhyw dair neu bedair ar hugain oed ac yntau fel tad i ni. Roedd gynnon ni gydweithwyr o'r Eidal, Avoccato Cocchi oedd enw yr un oedd yn gyfrifol am y gweithwyr sifil, chwech o yrwyr, uned o ferched *Croce Rossa* (y Groes Goch), dau gaplan ac uned o'r *Carabinieri* (y plismyn). Ni oedd yn dweud wrthyn nhw beth i'w wneud a Yeo oedd yn dweud wrthon ni beth i'w wneud.

Arwel Cyfrifol am symud y bobl yma oeddach chi, nid am eu cartrefu nhw. Doeddan nhw ddim yn eich gwersyll chi'n hir felly?

Emyr Na, doeddan nhw ddim i fod acw'n hir, ond roedd gynnon ni boblogaeth o 6000–7000 oedd angen eu bwydo, a'u dilladu a'u symud, a honno oedd y broblem fwya.

Arwel Sut wnaethoch chi ddathlu diwedd y rhyfel?

Emyr Do'n i byth yn cymryd rhan mewn dathliadau felly – roedd hi chydig bach yn anodd fel gwrthwynebwr cyd-wybodol. Roedd y milwyr isio mynd adra, ond roeddan ni isio aros yno i orffen y gwaith. At ei gilydd ro'n i wedi mynd yn frodorol (*gone native*), achos ar wahân i Cyrnol Yeo, do'n i'n gweld dim o'r fyddin o gwbl, ond mi roeddan ni'n gweld lot fawr o fywyd yr Eidal. Er enghraifft, roedd gwŷr rhai o'r merched oedd yn gweithio i'r *Croce Rossa* yn garcharorion rhyfel oedd yn perthyn i hen deuluoedd Fflorens, ag enwau fel Pucchi ac Alemanni. Roeddan ni'n mynd â nhw i weld eu gwŷr. Roedd y rhain yn cael eu cadw mewn cewyll, yn union fel llewod, er mwyn hwylustod ac er mwyn iddyn nhw gael lle i ymarfer heb fedru ffoi; doedd y gwragedd dim ond yn medru siarad efo'u gwŷr trwy'r bariau.

Roedd hwn yn gyfnod ffantastig. Ro'n i'n cael byw yn Rhufain a Fflorens pan oeddan nhw'n wag ac wrth gwrs ro'n i wedi cael byw yn Llundain pan oedd honno'n wag hefyd. Roedd y bomiau chydig bach o boen ond roeddach chi'n medru cerdded ar draws Hyde Park neu rywle felly heb weld neb, roedd hi'n hyfryd. Roedd y gwersyll yn Fflorens yng nghanol y ddinas, *Caserma*, baracs y fyddin, ac erbyn heddiw mae hi'n brif faracs y *Carabinieri* yn Fflorens. Ro'n i yno rai blynyddoedd yn ôl yn sbïo arno fo. Roedd hwnnw'n haf arbennig iawn. Roedd hi'n adeg reit neis ar un wedd.

Arwel Rydach chi'n mynd a dod i'r Eidal byth ers hynny.

Emyr Ydan. Mae'r Eidal yn agos at fy nghalon i. Fan'na baswn i'n byw taswn i ddim yn Gymro.

Ond mi ddois i'n ôl a phriodi. Ro'n i mor awyddus i briodi fe gymerais i swydd ddigon gwirion – hanner efo'r Urdd a hanner efo rhyw fath o wasanaeth newydd oedd wedi codi, Gwasanaeth Ieuenctid Sir Drefaldwyn. Yn Llanfyllin roeddan ni'n byw pan briodon ni gyntaf, ym Mhlas Bodfach, plas oedd wedi cael ei droi'n westy. Mae o'n dal yn westy, ac mae ei hanes o'n ddiddorol dros ben achos fod y beirdd yn arfer canu i'r teulu oedd yno yn y bymthegfed ganrif. Mi gawson ni fflat yn yr atig ac i fan'no daeth R. S. Thomas a Keidrych Rhys i edrych amdanan ni. Nhw oedd ein hymwelwyr cyntaf ni. Roedd R.S. yn gyrru Austin Seven oedd yn perthyn i'w wraig, dau ddyn mawr mewn un car bach. Roedd Keidrych Rhys yn rhedeg y cylchgrawn *Wales* ac isio mynd i ymweld â phawb oedd yn cyfrannu iddo fo. Yr un peth mawr dwi'n gofio am yr ymweliad oedd mor dawedog oedd R.S., ddeudodd o ddim llawer mwy nac 'ia' neu 'na' drwy'r dydd, Keidrych Rhys oedd yn siarad, roedd o'n ddyn reit bwerus yn y dyddiau hynny. Dyna sut y daeth R.S. a finnau i adnabod ein gilydd, hwnnw oedd y cyfarfyddiad cyntaf, ac mi rydan ni'n gyfeillion ers hanner can mlynedd erbyn hyn. Wrth gwrs rydan ni'n dau yn edmygwyr mawr o Saunders Lewis ac mae'r edmygedd yna wedi bod yn ddolen gyswllt ar hyd yr amser. Wnes i ddim llwyddo i'w ddenu o i sgwennu drama pan o'n i'n gweithio i'r BBC, ond mi wnes i ffilm o'i gerdd o *The Airy Tomb* pan oedd o'n byw yn Eglwys Fach. Roedd y lleoliadau ym Mhontrhydfendigaid ac ar dir ystad Dinefwr. Cyn belled ag mae Keidrych Rhys yn y cwestiwn mae'r stori'n cychwyn cyn hynny. Roedd arnon ni ddyled iddo fo, Elinor a finnau, achos yn ei fflat o yn Llundain ddaru ni dreulio rhan o'n mis mêl. Roedd o'n briod â Lynette Roberts ar y pryd oedd yn fardd ac yn arlunydd.

Mi fuodd mam Elinor farw ryw chwe wythnos ar ôl i ni briodi ac roedd hi isio edrych ar ôl ei thad. Aethon ni i fyw i Bontnewydd ac mi ges i symud i edrych ar ôl yr Aelwyd yng Nghaernarfon. Ro'n i'n gweithio efo'r Aelwyd am ryw saith neu wyth mis cyn mynd i wneud y cwrs coleg.

Un peth sy'n reit ddiddorol, roedd Basil yn dweud wrtha'i y tro diwethaf bues i'n edrych amdano fo yn Klagenfurt, yn yr Awstria, ei fod o wedi gweld fan Cronfa Achub y Plant yn lled ddiweddar. Roeddwn i ac R. E. Griffith, oedd yn drefnydd yr Urdd yn y cyfnod hwnnw, wedi cael pobl i gyfrannu at ryw fath o fan neu ambiwlans oedd â 'Cronfa Achub y Plant' wedi ei sgwennu arni yn Gymraeg. Mae'n debyg fod honno wedi bod mewn cae yn Klagenfurt tan yn ddiweddar iawn. Mi aeth â fi i'w gweld hi, ond wrth gwrs roedd hi wedi mynd. Ond roedd hi wedi bod yno am flynyddoedd, bron i hanner canrif. Mae'n rhaid ei bod hi wedi bod mewn iws, yn cadw ieir, ella, ac wedi bod yn llwyddiant mewn rhyw ffordd cyn hynny.

Arwel Yn ôl i'r coleg aethoch chi ar ôl bod efo'r Aelwyd yng Nghaernarfon.

Emyr Ro'n i yn ôl o'r Eidal ym mis Ionawr ac roeddan ni'n priodi ym mis Ebrill. Do'n i ddim isio mynd yn hen heb briodi. Ro'n i'n meddwl y baswn i'n hen fel Methiwsela, wedi'r cwbl ro'n i'n chwech ar hugain oed! Es i i Fangor wedyn ar ôl bod wrthi'n gweithio am sbel efo'r busnes ieuenctid 'ma.

Arwel Roedd yna drefniadau arbennig i bobl fynd yn ôl i'r coleg ar ôl y rhyfel?

Emyr Mi ges i grant. Ro'n i'n gymwys i gael £200 am flwyddyn golegol. Wedyn mi ges i swydd yn syth bin, ro'n i'n lwcus mewn ffordd. Mae'n rhaid fod yna brinder ofnadwy. Mi es i'n syth o'r coleg i swydd ddysgu yn Wimbledon. Roedd y prifathro yno yn ddyn ofnadwy o oleuedig ac fe ddeudodd o, 'dechreuwch rwan ac wedyn mi gewch chi gyflog dros y gwyliau'. Doedd o'n ffeind?

Arwel Pryd wnaethoch chi gwblhau'ch gradd?

Emyr Wnes i ddim. Roedd milwyr, a rhyw bobl od fel fi, yn cael rhyw fath o radd mewn dwy flynedd. Ro'n i wedi gwneud dwy yn Aber ac un ym Mangor yn gwneud tystysgrif athro. Do'n i ddim isio mynd yn ôl i wneud gradd anrhydedd lawn, ro'n i'n teimlo'n rhy hen ac roedd gen i lyfrau i'w sgwennu.

Arwel Sut awyrgylch oedd yna yn y coleg yr adeg hynny?

Roeddach chi ysgwydd wrth ysgwydd efo cyn-filwyr wrth gwrs?

Emyr Ia, cyn-filwyr oedd y mwyafrif ym Mangor, Aled Eames oedd y llywydd – roedd gynno fo farf ar ôl bod ar y môr. Hen foi clên oedd Aled. Ro'n i mewn cydymdeimlad mawr efo'r comiwnyddion ar y pryd a dwi'n cofio fy mod i'n teimlo ymhell i'r chwith o fy nghyd-fyfyrwyr.

Arwel Sut berthynas oedd rhyngoch chi a'r rhai oedd wedi bod drwy'r brwydro? Oedd yna wrthdaro?

Emyr Na, i ddweud y gwir. Mi gollais i rai cyfeillion unwaith ac am byth, y rhai a laddwyd, ond am fy ffrindiau oedd wedi bod yn filwyr, wnaeth o ddim gwahaniaeth. Roedd yr Ail Ryfel Byd llawer mwy gwareiddiedig na'r Cyntaf yn hynny o beth achos fod pawb yn dioddef. Ro'n i'n teimlo fy mod i wedi cyrraedd y gymdeithas fwyaf rhyddfrydol ro'n i wedi dod ar ei thraws hi erioed yn Llundain yr haf hwnnw yn ystod y rhyfel. Ro'n i'n ffrindiau mawr efo gwrthwynebwyr cydwybodol fel yr arlunydd Patrick Heron a'i ffrind, Huw Adams, fu farw o asma yn union ar ôl y rhyfel, ar ôl bod yn y *Friends Ambulance Unit* am gyfnod hir. Roedd gan Emyr Currie gysylltiadau mawr â'r Blaid Lafur a'r chwith, ond doedd o ddim yn agos ddigon eithafol gen i. Os chwith, chwith go iawn. Ond roedd o'n ffrindiau efo Jane Cole, merch G. D. H. Cole, sosialydd, oedd yn enwog am fod yn rhyw fath o sgwennwr Fabian. Roedd sosialaeth yn ffasiynol iawn yn y cyfnod hwnnw.

Arwel Roedd cenedlaetholdeb yn air budr yn y cyfnod ar ôl y rhyfel. Newidiodd hynny eich ffordd chi o feddwl o gwbl?

Emyr Erbyn i mi briodi a chael tystysgrif athro a mynd i ddysgu i Wimbledon, ro'n i mewn cydymdeimlad mawr â'r comiwnyddion, achos yn yr Eidal y nhw oedd y bobl orau o ddigon. Roedd 'na ryw gyfnod, ryw flwyddyn neu ddwy neu dair, pan o'n i'n teimlo ymhell i'r chwith. Ond mi aeth hwnnw heibio.

Arwel Sut effeithiodd hynny ar eich perthynas chi â'r Blaid?

Emyr Ro'n i'n dal i fod yn gefnogol i'r Blaid. Wnes i erioed lithro o afael y Blaid yn llwyr, ond mi ro'n i wedi mynd ymhell i'r chwith o Saunders, a fo oedd y cwmpawd oedd yn rheoli. Wedyn yn Llundain mi ddois i i gysylltiad efo pobl fel Patrick Heron a Graham Greene a dechrau gweld bod posibilrwydd i mi allu cael gyrfa fel nofelydd, aeth hynny â fy mryd i'n llwyr a doedd dim ots gen i am ddim byd arall wedyn.

Arwel Oedd yna dynfa yn ôl i Lundain felly?

Emyr Oedd. Ond o sbïo yn ôl ar gymhellion cudd rhywun, ro'n i'n gweld cyfle i gael swydd. Roeddan ni wedi priodi ac roedd gynnon ni fab a'r nod oedd byw fel roeddan ni yng nghanol Llundain a mynd allan i weithio, ac mi ges i swydd yn Wimbledon. Ro'n i'n cael y fraint bob bore, wrth fynd ar y tiwb, o weld yr holl bobl oedd yn mynd i mewn i Lundain. Roedd eu tiwb nhw yn orlawn ac fy un i, oedd yn mynd allan, yn wag. Ro'n i'n meddwl fy mod i'n gwneud peth reit ddoeth yn hynny o beth, gweithio allan a byw i mewn. Ond hefyd wrth fyw i mewn ro'n i'n medru cadw cysylltiad efo pobl fel Patrick Heron oedd yn byw jyst i lawr y lôn. Ro'n i'n symud ymysg rhyw fath o *bohemia* neu'n hytrach pobl oedd yn ymddiddori yr un fath â fi fy hun, awduron ac artistiaid. Roedd Pamela Hansford Johnson yn byw yn ymyl, er enghraifft – roedd hi'n adnabyddus iawn yn ei dydd, erbyn hyn mae hi'n enwog am fod yn gariad i Dylan Thomas. Roedd T. S. Eliot yn byw yn Carlyle Mansions yn y cyfnod hwnnw. Roedd yna lot o fywyd diddorol iawn yn y cylch ac ro'n i'n ddigon cyfeillgar efo Pamela Hansford Johnson i fynd i'w phriodas hi â'r nofelydd enwog, C. P. Snow.

Mi es i'r briodas, oedd yng Ngholeg Crist, Caergrawnt, a dwi'n meddwl fy mod i'n un o'r ychydig bobl yno oedd yn medru canu'r emynau – roedd y rhan fwyaf ohonyn nhw'n fud. Wrth gymysgu yn y briodas honno mi ddois i adnabod mwy o bobl. Roedd hi'n braf iawn bod yn Gymro achos roeddwn i ar yr ymylon yn edrych i mewn, ac fel mae pobl sy'n ista mewn drama lle mae'r perfformiad mewn cylch, ro'n i'n medru cael golwg reit dda ar bob dim oedd yn digwydd. Doedd Graham Greene a C. P. Snow ddim yn licio'i gilydd o gwbl. Yn un peth, roedd Greene yn Babydd a Snow yn wyddonydd di-Dduw, ac ar wahân i hynny roedd eu dull nhw a'u ffordd nhw o edrych ar lenyddiaeth yn hollol wahanol. Erbyn diwedd y 1950au fe gododd ffrae enwog iawn rhwng

Snow a F. R. Leavis, oedd yn ddyn dylanwadol iawn yn yr oes honno. Ro'n i'n digwydd adnabod ei ferch o drwy ffrind i mi. *The Two Cultures* oedd y peth – y gwyddonydd a'r dyneiddiwr am wn i. Mi aeth yn ffrae gas, fel mae ffrae yn medru mynd yn Lloegr, achos maen nhw'n waeth o lawer na ni, maen nhw'n ddidrugaredd. Roedd hi'n reit ddiddorol clywed pob dim yn fan'no, y ddwy ochr i'r ffrae. Roedd hi'n ddadl chwerw iawn ac mae hi'n dal i adleisio. Mae pobl yn cofio'r ffrae honno, y ddau ddiwylliant, yn fwy na maen nhw'n cofio am nofelau C. P. Snow.

Yn yr un cyfnod roedd Anthony Powell yn sgwennu *Dance to the Music of Time* ac roedd o a Snow mewn cystadleuaeth unwaith eto ynglŷn â phwy oedd yn mynd i sgwennu'r nofelau hir mwyaf nodedig yn Saesneg.

Fel nofelydd ro'n i'n mwynhau cwmni'r bobl yma. Ro'n i wedi cael blas ar sgwennu nofelau ac yn meddwl, 'dwi cystal â'r rhain, fedra i wneud cystal, a fa'ma ydi'r lle i'w wneud o'. Roedd hynny'n iawn nes i ni gael plant. Hwnnw oedd y trobwynt. Roeddan ni'n iawn efo Dewi, ond wedyn fe ddaeth Mair. Roeddan ni'n dal i fyw yn Chelsea ond erbyn hynny roedd magu dau o blant mewn fflat, er ei fod o'n fflat fawr, yn broblem. Roedd yna ryw fath o drobwynt. Sut roeddan ni'n mynd i'w magu nhw? Oedden ni'n mynd i'w magu nhw'n Gymry neu beth? Roedd rhaid gwneud penderfyniad. Roedd Dewi'n dair neu bedair oed erbyn i ni adael Llundain ac roedd Elinor yn poeni am ei thad, roedd hi'n edrych ar ei ôl o, a finnau yn Llundain ar fy mhen fy hun am gyfnod. Unwaith mae gynnoch chi deulu mae'n rhaid i chi benderfynu, fedrwch chi ddim gwneud fel liciwch chi wedyn. Yn y diwedd, yr ateb i'r broblem oedd symud i fyw i Bwllheli.

Arwel Ond roedd y cyfnod yna yn Llundain yn gyfnod pwysig?

Emyr Oedd, roedd o'n gyfnod difyr iawn a chyfnod hawdd iawn hefyd. Nid yn unig roedd o'n gyfnod rhyddfrydol ond roedd yna ryw fath o athroniaeth o gyfartaledd yn perthyn i'r cyfnod. Roedd dogni yn dal mewn grym, er enghraifft, a phawb, dim ots pwy, yn cael yr un fath; ro'n i'n licio hynny'n fawr iawn. Dwi'n gweld dim byd o'i le ar ddogni, pan ydach chi'n ifanc beth bynnag. Dydach chi ddim yn teimlo eich bod chi'n cael dim byd gwell na neb arall. Pawb yn cael yr un peth. Wrth gwrs y cysylltiad Cymraeg yn Llundain oedd y capel. Roeddan ni'n aelodau yn Radnor Walk, capel Cymraeg yr Annibynwyr yng nghanol Chelsea, a'r gweinidog oedd Cyril Williams – pregethwr ac ysgolhaig gwych a aeth yn athro yng Ngholeg Prifysgol Llanbedr Pont Steffan wedyn. Roedd cymdeithas Gymraeg fywiog a phrysur yn troi o gwmpas y capel yn yr oes honno.

Arwel Ond mi roddodd y cyfnod hwnnw yr hyder i chi eich bod chi gystal â'r lleill?

Emyr Fel nofelydd yn yr iaith Saesneg, do.

Arwel Sut roeddan nhw'n eich gweld chi?

Emyr Ro'n i'n cael adolygiadau gwell o lawer amser hynny. Mae o'n beth ofnadwy i'w ddweud rwan, ond ro'n i'n cael lot o bleser allan o'r peth. Roedd pobl ddifyr fel John Betjeman, Daniel George ac F. V. Morley, yn mynd â fi allan i gael bwyd a phethau felly. Lot o bobl sydd wedi mynd yn angof erbyn hyn, ond ambell un fel Betjeman neu Graham Greene neu Douglas Jerrold, sy'n dal yn enwau cyfarwydd. Roeddan ni'n cael mynd i glybiau fel y Garrick neu'r Saville. Roedd o'n rhyw fyd hudolus, byd braf ar un wedd. Mae'r Saeson llenyddol yn ei chael hi'n braf, maen nhw'n gwybod sut i fyw. Roedd yna ddigon i'n cadw ni'n brysur yn Llundain.

Arwel Felly penderfyniad o ran magu teulu oedd dod yn ôl i Bwllhelli?

Emyr Ia, a Taid hefyd. Efo ni y buodd o'n byw am weddill ei oes, am un mlynedd ar bymtheg ar ôl colli ei wraig. Am gyfnod, tra oeddan ni yn Chelsea, mi fyddai'n dod i aros efo ni neu fe fyddai gynno fo howscipar – ond erbyn iddo fo ymddeol allai o ddim fforddio cadw un. Yr unig beth rhesymegol i'w wneud oedd i ni i gyd fynd i fyw at ein gilydd. Roedd o'n ddyn hawdd iawn i fyw efo o. Roedd cael rhywun sefydlog yn y tŷ yn ddylanwad da ofnadwy ar y plant pan oeddan nhw'n tyfu. Roedd taid yn rhan bwysig iawn o'u bywydau nhw. Fel rheol roeddan ni'n trio cael tai digon mawr i'n cynnal ni i gyd achos roedd o'n llyfrbryf, yn cario stôr o lyfrau efo fo i bobman.

Arwel Yn nhref Pwllheli roeddach chi'n byw.

Emyr Ia i ddechrau. Ar y pryd ro'n i'n meddwl mai tref Pwllheli oedd un o'r llefydd mwyaf *boring* greodd Duw erioed ond ymhen amser mi ddois i'n hoff iawn o'r lle. Roeddan ni'n byw yng nghanol Pwllheli, yn South Beach, ond Port oedd yn tynnu, a Wil Sam yn Llanystumdwy wrth gwrs. Roedd hi'n fraint aruthrol bod yno, ond damwain hollol oedd hi fy mod i wedi landio yn fan'no o gwbl.

Arwel Sut ddigwyddodd hynny?

Emyr Trwy ryw drugaredd go fawr, mi wnaeth taid Angharad Tomos, R. E. Hughes, oedd yn brifathro Ysgol Sir Pwllheli, sgwennu ata'i i ddweud fod 'na swydd yn mynd yno, a bod hen gyfaill i mi, Alwyn Griffith, yn awgrymu y byddai gen i ddiddordeb dod yn ôl i Gymru. 'Dwi'n adnabod eich tad-yng-nghyfraith,' medda fo, 'dwi'n gwybod amdanoch chi, ac os ydach chi isio'r swydd mae croeso i chi wrthi.' A dyna beth wnaethon ni – dod yn ôl i Bontnewydd at fy nhad-yng-nghyfraith oedd yn dal i fod yn weinidog yno. Wedyn mi wnaeth o ymddeol yn chwe deg pump neu chwe deg chwech oed ac mi aethon ni i gyd i Bwllheli i fyw ac er nad oeddan ni ddim ym Mhwllheli yn hir iawn, ryw dair blynedd a hanner ella, mi wnaeth argraff fawr iawn arnon ni i gyd. Roedd hyn yn agor drws i fyd hollol newydd eto.

Mae Pwllheli wedi bod yn rhyw fath o ganolfan yn fy meddwl i byth ers hynny, dwi'n cyfeirio yn fy nofelau at le o'r enw Pendraw, rhywle sy'n debyg ofnadwy i Bwllheli. Dyna lle dois i i adnabod Wil Sam, trwy ei frawd, Elis Gwyn, oedd yn dysgu arlunio yn yr ysgol ym Mhwllheli. Roedd yna lawer o bobl hyfryd iawn yno, John Newman yr athro cerdd yn un arall. Roedd yna do ohonon ni tua'r un oed, yn cymysgu efo'n gilydd ac yn cael amser reit braf. Ac wrth gwrs, roedd R. E. Hughes, y prifathro, yn ddelfrydol, roedd o'n ddyn gwych iawn.

Arwel Cylch o ffrindiau newydd, yr un mor ddiwylliedig ond yn hollol wahanol i'r criw yn Llundain?

Emyr Roedd hi'n fraint cael dod i adnabod pobl fel Wil Sam a Jac Pigau'r Sêr – brawd Robin Williams – Jac oedd yn dysgu gwaith coed. Dyna chi Alwyn Griffith wedyn, ro'n i wedi bod dros y môr efo hwnnw, roedd o'n wrthwynebwr cydwybodol, ac wedi bod yn Iwgoslafia am ddwy flynedd, a chael amser caled iawn. Roedd hi'n gymdeithas braf iawn. Ond roedd yna bobl od yn eu mysg nhw, pobl fel Mabli Owen, a thrwy Elis Gwyn a Mabli Owen y dois i i adnabod Clough Williams-Ellis a chylch rhyfedd arall, ond cymdeithas hyfryd iawn. Roedd Porthmadog bob amser yn lle deniadol iawn am ryw reswm – dwi ddim yn gwybod pam.

Arwel Oeddach chi'n mwynhau dysgu?

Emyr Ro'n i'n mwynhau dysgu ond fod yna un peth ro'n i'n gasáu tu hwnt i eiriau, a marcio oedd hynny, achos ei fod o'n mynd â fy amser sgwennu i. Roedd marcio'n benyd. Ar wahân i hynny roedd bod efo plant ac ati yn ddifyr iawn. Roedd o'n gyfnod reit braf. Fues i ddim yno'n hir ond mae o wedi gwneud argraff fawr arnon ni fel teulu achos mi rydan ni'n sôn am Bwllheli fel tasa fo'n nefoedd erbyn hyn.

Arwel Roeddach chi'n troi yn fan'na efo pobl yr un mor llengar a darllengar â phobl Llundain. Erbyn hyn roeddach chi wedi dechrau ennill gwobrau ac roedd eich proffeil chi yn go uchel, sut roeddan nhw'n eich gweld chi ym Mhwllheli a sut roedd pobl Llundain yn eich gweld chi, wedi ennill parch a bri ac yn dewis mynd i fyw i ben draw'r byd?

Emyr Dwi ddim yn cofio. Erbyn hyn roedd lot o'r cysylltiadau yn Llundain wedi symud. Roedd Graham Greene wedi gadael, wedi mynd i fyw i Ffrainc, ac roedd yna ryw fath o chwalfa wedi bod. Ond mi wnes i gadw cysylltiad agos efo Pat Heron, er iddo fo symud i fyw i St Ives, yng Nghernyw.

Arwel Ddaethoch chi'n ôl i mewn i wleidyddiaeth o gwbl yn y cyfnod yna? Pan adawoch chi, roeddach chi'n weithgar iawn efo'r Blaid.

Emyr Un peth mae gen i gywilydd ei gyfaddef, ac mae o'n pigo fy nghydwybod i bob tro dwi'n meddwl am y peth, ydi'r hen J.E. yn gofyn pan ddaeth *The Little Kingdom* allan, ac wrth gwrs roedd hwnnw'n gysylltiedig mewn ffordd â'r Ysgol Fomio, 'beth ydach chi'n mynd i'w wneud nesa?' Roeddan ni ar y býs yn mynd i rywle. 'Dwi ddim yn meddwl y sgwenna i nofel am

Gymru byth eto', medda fi wrtho fo ac mae gen i gywilydd meddwl am y peth. Ond mae o'n reit ddigri o edrych yn ôl! Mae'n rhaid ei fod o wedi'i siomi achos mi wnes i weld ei wyneb o'n disgyn.

Ro'n i wedi gwneud amryw byd o ryw jobsys bach i'r Blaid – ro'n i wedi cyfieithu dwy neu dair o bamffledi. Roedd Saunders wedi sgwennu un, *Cymru Wedi'r Rhyfel* ac fi gyfieithodd honno, felly mae'n rhaid bod fy Nghymraeg i'n reit dda erbyn hynny. Roedd hynny pan o'n i yn Llanfaglan, cyn i mi fynd i ffwrdd.

Arwel Y cam mawr nesa oedd symud i lawr i Gaerdydd o Bwllheli i weithio i'r BBC.

Emyr Mi ddigwyddodd pethau mawr i ni wedyn. Mi wnes i ennill y *Somerset Maugham Award*, ac wedyn roedd rhaid – wel doedd dim rhaid, wnaeth Kingsley Amis ddim – ond mi roedd Somerset Maugham yn dal yn fyw, ac roedd o'n disgwyl i'r enillwyr fyw dros y môr er mwyn trio ehangu meddwl Prydeinwyr, am wn i, a'u gwneud nhw'n fwy agored i dderbyn diwylliant y Cyfandir. Mi gymerais i'r peth yn llythrennol ac mi wnaeth Basil, fy nghyfaill, drefnu i ni gael rhyw *villa* bach yn ymyl Klagenfurt, lle delfrydol heb fod cweit ym Môr y Canoldir ond eto'n ddigon agos, wrth ochr llyn a dim byd i'w wneud trwy'r dydd ond sgwennu. Felly dyma fi'n codi pac, gadael taid yn y tŷ ym Mhwllheli, rhoi Elinor a thri o blant yn y car, a mynd am Awstria, yn 1953.

Arwel Oeddach chi wedi gadael eich swydd?

Emyr Na, ro'n i wedi cael blwyddyn i ffwrdd heb gyflog er mwyn cyfarfod ag amodau'r gystadleuaeth megis. Roedd o'n beth hollol hurt i'w wneud efo tri o blant bach ac unwaith cyrhaeddon ni mi gafodd Dewi *peritonitis* ac fe fuodd o mewn ysbyty am wythnosau mewn gwlad dramor. Y gair cyntaf ddysgodd o yn Almaeneg oedd *schmerz*, sy'n golygu poen. Fan'na fuodd o, ac Elinor a finnau'n teithio'n ôl ac ymlaen am chwe wythnos rhwng yr ysbyty a'r *villa* ac wrth gwrs roedd yr arian i gyd yn mynd, oherwydd roedd yn rhaid i ni dalu am y triniaethau. Roedd hi'n reit anodd ond roedd Basil yn ardderchog, fo a'i wraig Inge, a fan'na buon ni tan Dolig.

Ro'n i wedi gadael Pwllheli ym mis Gorffennaf, ac ro'n i'n ôl erbyn Dolig wedi rhedeg allan o bres. Yn y cyfamser mi ges i ysgoloriaeth fach arall i fynd i Leopoldskron i ryw gynhadledd, i'r *Salzburg Seminar.* Roedd hi'n cael ei chynnal mewn rhyw blasty lle'r oedd Max Rheinhart wedi bod yn byw. Fan'na oedd y *Gauleiter* yn amser Hitler, hen blas yr archesgob lle'r oedd Mozart yn chwarae, lle hyfryd iawn. Mae'r gynhadledd yn dal i fynd – mi fues i yno y tro diwethaf ro'n i yn Awstria, ac mi ges i groeso mawr fel cyn-gymrawd hen a pharchus. Beth bynnag, mi fues i'n fan'na am chwe wythnos neu ddau fis ac wedyn mi es i'n ôl i Bwllheli i ddysgu achos ro'n i angen y pres. Tra oeddan ni yn Awstria, oherwydd ein cysylltiadau efo Cronfa Achub y Plant lle roedd Basil yn dal i weithio, roedd gynnon ni gerdyn i fynd i brynu pethau yn y *Naffi*. Beth welodd Elin rhyw ddiwrnod pan oedd hi wedi mynd i siopa ond hysbyseb yn y *New Statesman* am gynhyrchydd drama i'r BBC yng Nghymru, a dyma hi'n dweud 'pam na wnei di drio am hon, dwyt ti ddim isio mynd yn ôl i'r ysgol', mi wnes i ac mi ges i'r swydd. Es i'n ôl i'r ysgol ar gyfer tymor yr haf ond ro'n i'n dechrau yn y BBC ar y cyntaf o Ionawr 1955.

Arwel Oedd hwnnw'n gyfnod cyffrous i fod i lawr yng Nghaerdydd?

Emyr Ro'n i wrth fy modd yno. Ro'n i'n cael gweithio efo actorion, llenorion, sgwennwyr, roedd o'n fyd braf iawn. Mi wnes i ddechrau efo radio, yn Park Place, reit gyferbyn â'r Brifysgol bron. Erbyn i mi fynd yno doedd dim swyddfa i mi, felly mi ges i ddefnyddio swyddfa cadeirydd y BBC. Ro'n i'n dechrau efo dim ac yn ista yno'n pendroni heb fawr o ddim i'w wneud. Roedd Dafydd Gruffydd, fy rhagflaenydd, mab W. J. Gruffydd, wedi ffoi i fyd y teledu a gadael y cwpwrdd yn hollol wag, doedd 'na ddim byd yno, dim sgript na dim byd.

Arwel Roedd o'n siwr o fod yn beth braf i ryw raddau.

Emyr Oedd, achos y peth cyntaf wnes i oedd mynd i chwilio am Saunders Lewis.

Arwel Mi wnaethoch chi addasu cryn dipyn o waith Saunders ar gyfer radio a theledu yn y cyfnod yna.

Emyr *Siwan* wnes i gyntaf, wedyn mi wnes i'r cwbl am wn i; *Gymerwch Chi Sigaret?*, *Brad*, *Esther*. Ro'n i'n gwneud y rhain i gyd yn Saesneg ar gyfer teledu ond pan o'n i'n eu gwneud nhw ar gyfer radio ro'n i'n eu gwneud nhw yn Gymraeg ac yn Saesneg, ac os yn bosibl efo'r un bobl.

Arwel Chi fyddai'n cyfieithu bob tro?

Emyr Na, roedd yna ddyn arall y bûm i'n ddigon cyfrwys i ofyn iddo, sef Elwyn Jones, dyn y *Softly, Softly*. Dwi'n meddwl mai fi oedd y cyntaf i ofyn iddo fo sgwennu. Roedd o'n rhyw fath o *hatchet man* yn yr adran ddrama yn Llundain. Roedd byd y teledu yn fyd pwerus iawn a rhyw ddyn neis ofnadwy oedd y pennaeth, felly Elwyn oedd yn gwneud y pethau cas, a'r pennaeth, dyn o'r enw Michael Barry, oedd yn gwneud y pethau mwyn. Fe ddeudis i wrtha fi fy hun, 'mae'r Elwyn Jones yma'n cymryd arno ei fod o'n Gymro a'i fod o'n medru siarad Cymraeg', ac mi roedd o'n medru ond nad oedd o ddim yn dda iawn, felly dyma fi'n dweud, 'pam na wnewch chi gyfieithu *Brad* ac mi gewch chi ddod acw am benwythnos, wedyn os fedra'i fod o help i chi . . .'. Wrth gwrs roeddan ni'n cael mynd ar y rhwydwaith ar unwaith achos roedd o'n cael yr enw o fod yn gyfieithydd a dyna sut ddechreuodd o sgwennu!

Fo gafodd yr enw am gyfieithu *Brad*, ond dwi'n meddwl mai fi wnaeth y rhan fwyaf o'r gwaith, a dwi'n meddwl fy mod i wedi helpu lot efo *Esther* hefyd. Wnaethon ni ddim cyfieithu *Gymerwch Chi Sigaret?* dim ond ei gwneud hi yn Gymraeg. O hynny ymlaen roedd o'n teimlo fod gynno fo'r ddawn i wneud ac mi wnaeth yn dda iawn. Mi fuodd o'n sgwennu ar gyfer y gyfres *Softly, Softly* am flynyddoedd.

Arwel Yn y cyfnod yna daethoch chi i adnabod Saunders Lewis yn iawn felly?

Emyr Ia, fel dyn ac nid fel duw! Fe ddaeth i'r adwy pan oeddan ni'n chwilio am dŷ hyd yn oed. Roeddan ni angen tŷ mwy achos ein bod ni'n deulu go fawr i fod mewn tŷ teras. 'Mi wn i am yr union le i chi,' medda fo, 'mae 'na dŷ bach hyfryd iawn, y tŷ hynaf ym Mhenarth.' A dyna lle buon ni, a fo ddeudodd wrthon ni am y lle.

Roeddan ni'n mynd i lawr am fwyd i'r Windsor yn reit aml ac roedd 'na ryw le Ffrengig yn y dociau yr oeddan ni'n mynd iddo fo hefyd. Mi wnes i gyfarfod lot o bobl drwyddo fo – dyna sut ddois i adnabod Alun Hoddinott, roedd o'n digwydd bod yn cael bwyd yn y Windsor yr un pryd â ni. Trwy Saunders hefyd y dois i i adnabod Richard, Arglwydd Dinefwr, oedd isio cyhoeddi cyfieithiadau o waith Saunders. Mi gafodd Saunders ddylanwad aruthrol. Dyna beth sydd gan R. S. Thomas a finnau'n gyffredin – ein hedmygedd o'r hen arwr yma.

Arwel Roeddach chi'n sôn eich bod chi wedi ei adnabod o fel dyn yn hytrach na duw. Oedd o'n un anodd? Ydach chi'n awgrymu fod yna ffaeleddau iddo fo yn ogystal â rhinweddau?

Emyr Chydig iawn, dim bron. Roedd o'n ddyn cwbl ddi-ymhongar a llon. Doedd dim math o chwerwder yn perthyn iddo fo o feddwl y math o fywyd roedd o wedi'i gael. Ei wraig o oedd yn teimlo braidd yn siomedig. Gweld y Cymry'n araf i weld ei werth o a derbyn ei arweiniad. Roedd hithau'n Wyddeles gadarn wrth gwrs.

Wrth edrych yn ôl hawdd iawn ydi gweld y bylchau a'r diffygion sydd yn rhwym o ddigwydd pan mae un dyn bach yn cymryd arno'r baich o fod yn arweinydd cenedl a llenor creadigol – gwleidydd a dramodydd. Mae'r gwleidydd craff a chyfrwys yn tywys ei bobl trwy'r anialwch gyda chymysgedd cyfrwys o drais ac abwyd, bygwth a llwgrwobrwyo. Ar y llaw arall hanfod mawredd llenor a dramodydd yw dweud y gwir plaen cignoeth a chymryd y canlyniadau. Anffawd Saunders Lewis oedd gorfod ymgymeryd â'r ddau ddyletswydd mewn cyfnod pan oedd y gymdeithas Gymraeg yn gwegian: adeg o gyni economaidd, colli ffydd a rhyfeloedd di-dostur. Fy ngobaith i yw y bydd ei fethiant tymor byr yn troi'n llwyddiant tymor hir ysgubol.

Arwel Un arall gwnaethoch chi lot fawr efo fo yn y cyfnod yna oedd John Gwilym Jones.

Emyr Ia, yn yr un modd yn union. Gwneud *Y Tad a'r Mab, Y Gŵr Llonydd, Lle Mynno'r Gwynt, Barcud yn Farcud Fyth, Pry Ffenest,* rhyw bump i gyd, a'r rheiny fel rheol yn Gymraeg ac yn Saesneg, ar y teledu ac ar y radio. Unwaith i chi gael rhywbeth gwerth ei wneud, waeth i chi ei wneud o ym mhob un cyfrwng posibl ddim. Roedd o'n lleihau rhyw gymaint ar eich baich chi hefyd.

Arwel Un peth dwi wedi sylwi arno fo ydi'ch bod chi'n hoff iawn o ailgylchu syniadau, defnyddio'r un un ar gyfer sgript a stori fer neu gerdd.

Emyr A dweud y gwir dydw i ddim yn ofnadwy o wreiddiol. Does gen i fawr o ddychymyg. Dwi ddim yn un da iawn am gynlluniau a dwi'n cenfigennu wrth bobl sy'n medru cynllunio *plots* ac yn y blaen – dwi braidd yn wan ar hynny. Ac yn aml iawn mewn gwlad ddwyieithog mae angen dweud yr un peth mewn dwy ffordd wahanol yn hytrach nag ailadrodd. Beth sy'n fy ysgogi i ydi'r berthynas rhwng bywyd go iawn, rhwng realiti a'r dychymyg yn hytrach na chreu rhywbeth cwbl ddychmygol. Mae'n well gen i bysgota na thrwsio rhwydi.

Arwel Ella mai un o'r partneriaethau rhyfeddaf oedd yr un efo Wil Sam. Roedd o'n greadur digon unigryw ar y pryd, yn gymaint â'i fod o wedi ymwrthod â'i waith ac ymroi i sgwennu.

Emyr Oedd yn ddiweddarach. I Elis Gwyn gwnes i ofyn gyntaf ac mi sgwennodd o ddau beth. Mi wnaeth o rywbeth disglair iawn ar gyfer radio a does neb wedi'i wneud o byth wedyn. Fe gymerodd o'r syniad fod petrol yn colli'i rin, 'Petrol yn Darfod' oedd enw'r peth. Wedyn mi wnes i ofyn i Wil. Dwi ddim yn cofio beth oedd y peth cyntaf wnaethon ni efo Wil, dwi'n meddwl mai 'Dyn Swllt' oedd o, neu ella'n bod ni wedi gwneud pethau cyn hynny hefyd. Ond mi wnaethon ni amryw byd o bethau efo Wil wedyn. Beth ddigwyddodd efo'r 'Dyn Swllt' oedd fod Wil yn byw yn y gogledd a finnau'n byw yng Nghaerdydd a ro'n i wedi dweud wrtho fo am drio gwneud pethau ym Mangor. Ond fe wrthododd Wilbert Lloyd Roberts y 'Dyn Swllt', felly roedd rhaid i mi wneud honno hefyd.

Roedd Wil wedi trwsio fy nghar i fwy nag unwaith yn y cyfnod pan oeddan ni'n byw ym Mhwllheli. Mi dorrodd y car i lawr yn union y tu allan i'r garej unwaith fel tasa fo'n gwybod ei fod o adra. Mi drwsiodd Wil o efo darn o linyn, medda fo. Ond wedyn mi wnaeth o roi'r gorau i'r Crown pan ddaru o benderfynu prynu Tyddyn Gwyn, lle mae o'n byw rwan. Roedd hynny'n siwr o fod rai blynyddoedd wedyn, achos dwi'n cofio mynd i'r Crown yn reit aml cyn gadael am Gaerdydd efo'r gwaith. Mae Wil yn parhau i ysbrydoli'r naill genhedlaeth ar ôl y llall gyda'i weledigaeth a'i ffraethineb sy'n ymestyn cymaint ar bosibiliadau'r iaith lafar.

Arwel Fe gaethoch chi sawl cynnig i adael Caerdydd.

Emyr Do, mi ges i sawl cynnig, a dwywaith mi ges i fwy o gyflog am aros! Ro'n i'n medru dweud wrth Alun Oldfield Davies, 'dwi wedi cael cynnig, beth wna i?'. Ac yntau'n dweud, 'mi ro i fwy o gyflog i chi os arhoswch chi'.

Arwel Ond yr un penderfyniad oedd o i adael Llundain yn y lle cyntaf ac i beidio dychwelyd yno.

Emyr Ia. Dwi ddim yn meddwl fod yr hanner arall i'r bartneriaeth isio mynd yn ôl i Lundain. Roedd gynnon ni dŷ braf, hen dŷ fferm ynghanol Penarth efo digon o le i ni i gyd. Roedd 'na saith ohonon ni erbyn hynny.

Arwel Oeddach chi'n gweld cyfle wrth adael y BBC i wneud mwy o waith sgwennu 'ta oedd y tŵr ifori ym Mangor yn atyniad go iawn?

Emyr Na, ro'n i wedi cael chwe mis o wyliau di-dâl gan y BBC ddwywaith – unwaith i sgwennu *The Gift* a'r tro arall i sgwennu *Outside the House of Baal*. Dyna pam es i o'r BBC. Roedd Hywel Davies yn Bennaeth Rhaglenni da iawn a ro'n i wedi awgrymu iddo fo y gallwn i weithio chwe mis efo'r BBC a chwe mis ar fy liwt fy hun, yn rheolaidd. Fe ddeudodd o y basa fo'n ystyried y peth ac er bod gynno fo gydymdeimlad mawr fedra fo ddim cael dyn hanner i mewn a hanner allan. Dyna'n bennaf pam gwnes i adael. Wedyn mi fues i am gyfnod heb waith cyn mynd i Fangor, dyna pryd gwnes i orffen *Outside the House of Baal*. Wedyn mi wnaethon ni redeg allan o bres ac fe fuo rhaid i mi droi am Fangor.

Ond mi ges i siomedigaeth. Caerwyn Williams ofynnodd i mi gynnig am y swydd ym Mangor, ond erbyn i mi gyrraedd yno, yr Athro Saesneg, Danby, oedd yn penderfynu fy nhynged i.

Doedd y job ddim yn mynd i fod oni bai ei bod hi yn yr Adran Saesneg. Mae'n amlwg fod Caerwyn wedi colli'r frwydr ynglŷn â lleoliad yr Adran Ddrama. Felly roeddwn i wedi cael fy ngwadd gan yr Adran Gymraeg i gymryd swydd oedd yn perthyn i adran arall. Felly roedd rhaid i mi gael cyfweliad efo rhyw ddau arall, oedd yn sioc achos ro'n i'n meddwl eu bod nhw'n mynd i gynnig y swydd i mi. Gofynnodd un dyn ar y pwyllgor, 'tell me Mr Humphreys, have you had your matric?'. Wedyn wnaethon nhw ddim penderfynu y dwthwn hwnnw. Roedd y tri ohonon ni'n mynd adra heb wybod pwy oedd wedi cael y swydd. Roedd o llawer iawn mwy amrwd a chignoeth nag o'n i erioed wedi'i ddisgwyl.

Arwel Ond mi roedd y cyfnod dreulioch chi yno'n gyfnod cyffrous iawn o ran gwleidyddiaeth. Roedd 1965–72 yn gyfnod gwych i fod yng nghanol myfyrwyr. Oeddach chi'n cael eich tynnu i mewn o gwbl?

Emyr Oeddwn. Ac erbyn hynny roedd busnes Alwyn D. Rees a Tudur ar droed, yr ymgyrch i beidio talu trwydded car. Hwnnw oedd y tor-cyfraith torfol cyntaf i gynnwys hen bobl fel fi yn ogystal â myfyrwyr. Roeddwn i'n protestio'n llawn amser wedyn, rhywffordd neu'i gilydd.

Arwel Wnaethoch chi lwyddo i gael mwy o amser i sgwennu?

Emyr Naddo. Wnes i ddim rhyw lawer iawn yno, *Natives,* dwi'n meddwl, a *National Winner* oedd yr unig rai. Roedd yn rhaid paratoi cyrsiau a darlithoedd ac roedd o'n lot mwy o waith nag o'n i wedi'i ddisgwyl. Ond mi ddaru mi fwynhau o tra oeddwn i yn ei ganol o. John Gwil oedd brenin y ddrama Gymraeg wrth gwrs, felly roedd rhaid i mi beidio â sathru ar ei gyrn o. Mi wnaeth Wil a fi sgwennu *Dinas* i blesio John, a John gynhyrchodd hi. 'Ti'n gwybod ffordd dwi'n mynd i gwneud hi yn dwyt boi?' medda fo wrtha i, 'ffars!', medda fo.

Arwel Ro'n i'n cael yr argraff eich bod chi'n meddwl fod y cam i Fangor yn gyfle i sgwennu rhagor.

Emyr Oeddwn. Ond camgymeriad mawr oedd hynny. Unwaith rydach chi'n dechrau ar rywbeth mae'n rhaid ei wneud o'n iawn. Dyna ydi'r anhawster – wn i ddim ydi o'n nodweddiadol o genhedloedd bychain, fod dynion yn trio cyflawni gormod. Mewn ffordd mae 'na draddodiad yn y Gymru Gymraeg o fod yn fardd bregethwr, ond y gwir ydi mi allwch chi fod yn bregethwr da neu'n fardd da, ond fedrwch chi ddim bod y ddau heb hunanaberth arallfydol! Mae 'na duedd ynon ni i wneud gormod. Ro'n i wrth fy modd yn sgwennu a darlithio am bethau ro'n i'n hoffi, ond ar y llaw arall dydi o ddim yr un fath a mynd ati i sgwennu eich pethau eich hun. Roedd 'na wrthdaro yn hynny o beth.

Arwel O fan'no aethoch chi ymlaen i sgwennu'n llawn-amser i bob pwrpas . . .

Emyr Do, ro'n i wedi penderfynu erbyn bod y plant wedi gorffen eu haddysg neu fod y diwedd yn y golwg, nad oedd y cyfrifoldeb yna ddim yn aros ar fy ysgwyddau i ac roedd dechrau'r saithdegau yn gyfnod mor gynhyrfus, roedd protestio wedi mynd yn waith caled. Roedd yna amryw byd o bethau'n codi, ac wrth gwrs, ro'n i mewn cysylltiad reit agos efo Tudur amser hynny ac roedd Alwyn D. Rees yn rhedeg y brotest trwyddedau ceir. Roedd 'na bob math o brotestiadau, roedd hi wedi mynd yn ben-set ar ddiwedd y chwedegau. Ond do'n i ddim yn hapus yn y coleg chwaith achos ro'n i wedi cael ffrae efo'r athro Saesneg a'r sefydliad. Ro'n i wedi mynd i Fangor i gychwyn yr adran newydd yma ar y cyfryngau ar y ddealltwriaeth fy mod i'n gweithio hanner fy amser yn yr Adran Gymraeg a hanner yn yr Adran Saesneg. Ond yn lle hynny ro'n i wedi landio ar fy mhen yn yr Adran Saesneg. Roedd hynny'n iawn am dipyn bach ond fe gododd problemau pan oedd angen penodi pobl i ddysgu yn yr adran a finnau isio pobl oedd yn medru Cymraeg ac yn cyfri hynny'n bwysig iawn fel cymhwyster angenrheidol ar gyfer y swydd. Roedd yna ddau neu dri o benodiadau nad o'n i ddim yn cytuno efo'r athro Saesneg ynglŷn â nhw ac felly roedd hi'n hwyr glas gen i adael achos ro'n i'n wastio fy amser mewn pwyllgorau yn ffraeo a dadlau ynglŷn â swyddi a finnau'n gweld ei bod hi'n bosib i ni fedru byw ar sgwennu. Mi rois i ryw fath o ddarlith gyhoeddus ar y busnes teledu 'ma, 'Diwylliant Cymru a'r Cyfryngau Torfol', a dyna'r peth olaf wnes i yno, yr 'Amen', fel petai. Beth bynnag, pwyllgorddyn sâl yw nofelydd ar y gorau.

Arwel Fe wnaethoch chi safiad arall yn y cyfnod yna a gwrthod llenwi'r cyfrifiad ym 1971. Beth oedd cefndir y brotest yna a beth yn union ddigwyddodd? Oedd hwnna'n safiad go unig onid oedd?

Emyr Fy nghwyn i oedd nad oeddan nhw'n cyfri faint o bobl yn Lloegr oedd yn siarad Cymraeg ac roedd hynny'n golygu nad oedd pobl yr un fath â Saunders Lewis a phawb arall oedd wedi eu geni yn Lloegr yn cael eu cyfri fel Cymry Cymraeg os oeddan nhw yn dal i fyw dros y ffin. Roeddwn i'n gweld hefyd fod y ffurflen yn gwbl ffug oherwydd ei bod hi'n dweud *M/F* yn lle gwryw/benyw, er enghraifft. Roedd y system o gyfri yn gwneud cam â'r Gymraeg mewn sawl ffordd. Dyna oedd y tir ro'n i'n sefyll arno fo ac mi wnes i wrthod ei llenwi hi, ond ches i mo fy nghosbi. Mi gafodd dyn o Loegr, Alan Sillitoe, awdur *The Loneliness of the Long-Distance Runner,* ddirwy o £200, oedd yn dipyn o bres amser hynny, ar y sail ei fod wedi dweud pethau gwirion wrth lenwi'r ffurflen. Ond chosbwyd mohona i o gwbl ac mae hynny'n rhyfeddod. Mi fuon nhw'n glên gynddeiriog yn anwybyddu'r peth am wn i! Ella fod rhai eraill wedi gwneud yr un peth ond doedd o ddim yn beth torfol iawn, ella am mai pobl hŷn oedd yn tueddu i fod yn gyfrifol am eu llenwi nhw.

Arwel Roeddach chi wedi ymroi i sgwennu erbyn hyn. Oeddach chi wedi cael addewidion o waith cyn gadael y coleg?

Emyr Roedd *Flesh and Blood* wedi'i dechrau ac fe aeth Elinor a finnau at fy mrawd i Bortiwgal a'i gorffen hi yn fan'no. Wedyn pan ddaethon ni yn ôl mi wnes i ofyn am gael cyfarfod efo Aled Vaughan oedd yn bennaeth HTV ac efo Owen Edwards o'r BBC. Ches i byth ateb gan Owen Edwards ond mi gynigiais i res o raglenni Cymraeg i Aled – rhai ro'n i'n meddwl y dylid eu gwneud. Y gyntaf ar y rhestr oedd 'Y Gwrthwynebwr' a honno wnaethpwyd.

Roedd honno'n gyfres hir, wyth rhaglen dwi'n meddwl. Ro'n i wrth fy modd efo hi. Lot mwy difyr na gweithio yn y coleg. Mae bywyd darlithydd yn yr oes hon yn enbyd o galed. Ro'n i'n cael cydweithio efo lot o bobl, yn creu, ac yn sgwennu fy hun neu yn helpu rhywun arall i sgwennu. Dwi'n cofio gwneud rhaglen ar Bonhoeffer efo Rhydwen Williams. Roedd o'n llawn brwdfrydedd ond ei fod o ar hyd ac ar led braidd, felly ro'n i'n cael corlannu ei ddefaid o i ryw fath o siâp. Roedd o'n waith difyr iawn, iawn. Mi ges i Tudur Jones i sgwennu sgript ar John Penry. O'r holl bethau sgwennodd o dyna'r unig dro iddo fo sgwennu sgript. Roedd o'n andros o dda, cystal os nad gwell na'r rhan fwyaf ohonyn nhw – yn gryno ac yn dwt, roedd o'n bwnc oedd wrth fodd ei galon o wrth gwrs, roedd o wedi byw John Penry ar hyd ei oes. Wedyn mi sgwennodd Gareth Miles ar Trotsky, roedd Gareth yn dda iawn ac yn cadw at ei grefydd yntau. Aeth y math yna o waith ymlaen am flwyddyn o leiaf.

Wedyn, es i i Gregynog. Ges i gynnig mynd yno fel cymrawd a thra o'n i yno mi gafodd Aled Vaughan a Huw Davies y syniad o wneud cyfres ar America a nghael i i fod yn gyfrifol amdani. Gyda fy mod i wedi gorffen yng Ngregynog mi fues i am flwyddyn a hanner o leiaf yn gweithio ar y gyfres ddwyieithog 'ma ar America, *Y Baradwys Bell* yn Gymraeg ac *Our American Dream* yn Saesneg. Roedd hynny'n ddifyr iawn. Mi fuon ni yn America am ryw fis y tro cyntaf ac wedyn am gyfnod o wyth wythnos. Roedd o'n waith difyr ac ro'n i'n mwynhau. Do'n i ddim yn meddwl fod beth wnaethon ni yn y diwedd gystal ag y dylai o fod – roedd o'n rhy gywasgedig. Dwi'n dal i feddwl mai gwaith cynhyrchydd a phobl y cyfryngau ydi arwain y ffordd a thywys y gynulleidfa, ond roedd hwn yn enghraifft reit dda o roi gormod yn eu boliau nhw ac mi roeddan nhw'n cael camdreuliad weithiau!

Ond roeddwn i wrth fy modd. Man cyfarfod ydi'r teledu yn y diwedd rhwng pethau dychmygol a phethau ffeithiol. Mae pobl yn rhedeg yn ofnadwy ar y *drama docs* yma, am nad ydan nhw'n wir y naill ffordd na'r llall, ond efo pwnc fel y Cymry yn America roedd o'n farddonol wir, ac mae o'n dal i fod wrth gwrs. Mae hi'n freuddwyd sy'n codi o hyd ac o hyd. Yn achos y cyfryngau digidol a'r cyfryngau newydd mae'r berthynas efo America ac efo Ewrop yn hanfodol i ni fel diwylliant a dwi'n gofidio'n ofnadwy bod dylanwad America ar hyn o bryd yn llawer rhy drwm a'n bod ni ddim yn tynnu digon ar y maeth sydd i'w gael yn Ewrop. Mi fydda i'n clywed pobl ifanc yn siarad am raglenni neu nofelau ac maen nhw wedi cael eu llyncu gan y pethau Anglo-Americanaidd 'ma. Dydan nhw ddim yn manteisio ar y ffaith fod yna Almaeneg, Ffrangeg, Eidaleg, Sbaeneg ac yn y blaen i gael, heb sôn am y lleiafrifoedd, sydd yn fwy gweddus i ni mewn ffordd. Mae tynfa America mor gryf, ac wrth gwrs mae Lloegr ei hun, y wladwriaeth rydan ni'n gorfod byw o dani, yn yr un cyflwr, yn od iawn. Maen nhw'n poeni mwy am beth sy'n digwydd yn America na beth sy'n digwydd yn Ffrainc ddwy filltir ar hugain dros y dŵr. Os ydi arlywydd America'n tisian, maen nhw i gyd yn dal annwyd yn Lloegr. Mae eu diwylliant nhw dan gymaint o fygythiad â'n hun ni bob tamaid a dwi'n meddwl fod y rhai mwyaf deallus yn gweld hynny.

Arwel Sut ddaethoch chi i ymwneud â'r ymgyrch dros sianel deledu i Gymru?

Emyr Dwi fel taswn i'n cofio siarad yn Steddfod Bangor (1970) mewn rhyw fath o symposiwn, fan'no dwi'n cofio cymryd rhan ymosodol am y tro cyntaf a dweud bod isio gorfodi HTV a'r BBC i gydweithredu – dyna'r tro cyntaf erioed i hynny gael ei grybwyll. Dwi'n cofio Merêd oedd yn gweithio efo'r BBC ar y pryd yn holi, 'sut fedrwn ni gydweithredu efo corff masnachol? Rydan ni'n wasanaeth cyhoeddus'. Ond roedd yr offer gynnyn nhw dros ben. Ro'n i'n digwydd bod yn gwybod bod 'na faniau *O.B.* – darlledu allanol – yn segur gan y naill ochr a'r llall ar y pryd, yr holl offer drud yna'n sefyll a dynion yn cael eu talu gan y ddau gwmni. Pam ar y ddaear na fedran nhw gydweithredu i gynhyrchu rhaglenni? Roedd o'n cael ei gyfri'n beth cwbl amhosibl yn y cyfnod hwnnw, ond yn y diwedd wrth gwrs, dyna ddigwyddodd. Dydan nhw ddim yn ei wneud o efo'i gilydd ond mae'r ddau gwmni'n cyfrannu i'r Sianel.

Dwi'n cofio – ac mi rydan ni'n neidio rhyw ddeng mlynedd rwan – fy mod i'n bersonol yn erbyn i'r BBC gael gwneud y newyddion achos ro'n i'n gwybod mai'r cwbl gaech chi oedd ail-bobiad a chyfieithiad o beth maen nhw'n fwydo allan o Lundain. Ond mi gollais i'r ddadl honno ar dir arian. Basa isio mwy o bres i ariannu gwasanaeth annibynnol, ond ar y pryd roedd HTV yn gwneud rhaglenni dyddiol, newyddiadurol, o Gymru oedd cystal, os nad gwell, na'r BBC.

Arwel Cyn hynny roeddach chi wedi gwrthod talu'r drwydded wrth gwrs?

Emyr Fe fuon ni heb deledu am yn hir iawn ac wedyn mi wnaethon ni ryw drefniant i'w rhwystro nhw rhag atalfaelu fy eiddo i – fod y car, er enghraifft, yn mynd yn eiddo i Elinor. Wedyn roedd yn rhaid iddyn nhw fynd â fi i'r carchar er eu bod nhw'n pwyso arna'i tan y funud ola i beidio â mynd.

Arwel Yn aml iawn mi welwch chi mewn cyfnodau felly, unigolion tebyg i chi yn cael eu tynnu i mewn o'r tu allan i ymgyrchoedd Cymdeithas yr Iaith, ond roeddach chi'n rhan go ganolog o bethau ar y pryd yn cymryd rhan mewn gwahanol gyfarfodydd cyhoeddus a chyhoeddi taflenni ac yn y blaen. Ydi hynny'n iawn?

Emyr Ydi. Roedd Tudur a finnau wrthi'n reit gyson efo'r Gymdeithas. Roedd o'n well na fi achos roedd o'n siaradwr cyhoeddus mor dda. Roedd o'n areithydd ysgubol a phan oedd y gwynt yn ei hwyliau fo roedd y ddadl yn dod allan yn baragraffau. Dwi'n cofio mynd i ambell i Ysgol Basg a Chyfarfod Cyffredinol – roedd Meg Elis yn ysgrifenyddes yn y cyfnod hwnnw. Oeddan, roeddan ni mewn cysylltiad reit agos ar y pryd. Roedd ein plant ni'n dau yn ei chanol hi hefyd wrth gwrs, y Tuduriaid, Rhys a Geraint; a Siôn a Robin fy meibion innau. Mi gafodd Robin gweir gan yr heddlu, mae'r marc ar ei gefn o byth ers hynny.

Arwel Ble oeddach chi'n byw adeg eich achosion llys?

Emyr Roeddan ni'n dal i fod ym Marian-glas, yn Sgubor Fawr. Wnaethon ni ddim gwerthu Sgubor Fawr a phrynu tŷ yng Nghaerdydd nes i mi fynd i America.

Arwel Faint o garchar gafoch chi yn y diwedd?

Emyr Ro'n i fod i fynd i Walton am fis. Es i i mewn ar yr un pryd â hogyn o Sir Fôn, ond mi gaethon nhw hyd i bres yn fy mhoced i. Roeddach chi'n gorfod tynnu amdanoch a rhoi eich dillad i gyd mewn bocs wrth y dderbynfa. Roedd yna ddyn o fy mlaen i yn mynd i mewn am naw mlynedd. Roedd o'n gwisgo *flairs* ac ati, roedd o'n chwerthin wrth feddwl be fyddai'r ffasiwn pan ddeua fo allan! Wedyn roeddach chi'n mynd i mewn i ryw gafn o ddŵr, fel cafn dipio defaid, ac allan yr ochr arall, ac yn fan'no roedd yna ryw dwmpath o ddillad carchar. Ar ôl i mi fod yno am wythnos mi wnaeth y swyddog prawf ddod o hyd i bres yn fy mhoced i, a dalodd y ddirwy mwy neu lai. Fy ffêr i adra ar y trên oedd y pres. Mi ddaru nhw gymryd hwnnw a'm lluchio i allan. Mi ddaru'r swyddog ffonio Elinor, *'you know your husband is in Walton, if you'd like to come outside the gates at eight o'clock on Sunday morning he'll be out'*. Roedd o'n brofiad diddorol iawn. Faswn i ddim wedi licio bod yno am fis, ond mae'n debyg mai'r wythnos gyntaf ydi'r waethaf. Beth o'n i'n dod ar ei draws o oedd olion Ffred Ffransis. Roedd Ffred wedi bod yn rhyw fath o lyfrgellydd yno. Roedd 'na ryw fath o drefn ar y llyfrau roedd o wedi bod yn gofalu amdanyn nhw.

Do'n i ddim yno am ddigon o amser i fod yn *bored* mewn gwirionedd, ro'n i'n dal i gwrdd â phob math o bobl ddiddorol. Ro'n i'n reit lwcus, achos mae yna gymeriadau cas i'w cael ond ddois i ddim ar draws y rheini o gwbl. Ro'n i'n lwcus iawn, cymeriadau brith, twyllwyr ac ati welais i. Roedd 'na un dyn oedd wedi bod yn y fyddin ond wedi methu dygymod â'r byd mawr tu allan ac wedi cymryd at ladrata. Mi ddeudodd o wrtha'i mai'r lle hawsaf i ddwyn ohono fo ydi clwb golff ar fore dydd Sul achos fod pawb yn feddw gaib a does neb yn gwybod beth ydach chi'n ei wneud. Roedd o'n ei ganmol ei hun fel hyn. Roedd o'n defnyddio sach ac roedd hynny'n wedi fy ngoglais i. Roedd o wedi bod yn rhyw glwb golff ar y Wirral yn rhywle ac wedi llenwi'r sach yma efo cwpanau a phob math o bethau nes bod y sach yn rhy drwm, felly fe ffoniodd o am dacsi. 'Beth ddigwyddodd wedyn?' meddwn i, *'the bugger shopped me!*, medda fynta. Roedd o i fewn am ryw dri neu bedwar mis, hen foi siriol iawn ond fod gynno fo broblemau mawr.

Arwel Mae'n bosib eich bod chi wedi cael mwy o sylw na llawer iawn o bobl oedd wedi mynd i garchar achos eich bod chi'n adnabyddus. Oeddach chi'n ymwybodol o hynny? Sut roedd pobl yn ymateb i chi, ar ôl i chi ddod allan?

Emyr Fe ddywedodd un o'r carcharorion wrtha'i, *'you'll go to the Eisteddfod and get a bloody laurel leaf'*, achos fy mod i yn y carchar dros yr iaith. Roedd achosion yr iaith yn gwbl annealladwy iddyn nhw, cwbl annealladwy. Roedd lot o fy mherthnasau i â thipyn o gywilydd ohona'i. Roedd cyfnither i mam, dynes bwysig ar Gyngor Sir Drefaldwyn, Rachel

Roberts, oedd ei henw hi, wedi dweud fod ganddi gywilydd ohona'i! Roedd pobl wedi gweld pethau yn y papurau – roedd yna ryw baragraff bach yn y *Daily Telegraph,* er enghraifft – ella na fyddai pawb wedi cyrraedd fan'no o bosib!

Dwi'n cofio Graham Greene yn dweud ymhen ychydig o flynyddoedd wedyn fod yr holl beth yn syniad da iawn am nofel. Roedd gynno fo ryw jôc – boi oedd wedi sgwennu nofel Gymraeg ac wedi mynd i ffraeo efo'r cyhoeddwr ar gownt y ffaith ei fod o'n mynnu ei sgwennu hi yn Gymraeg – roedd o'n achos *obscure* iawn i'r ffordd yr oedd o'n gweld pethau. *'Nicaragua is more important to you'*, meddwn i wrtho fo. *'Yes I suppose it is'*, medda fynta. Dydi Cymru ddim yn cyfri rhyw lawer yng ngolwg Saeson Llundain.

Dwi'n cofio Richard Dinefwr yn dweud pan oedd o'n cyhoeddi *The Taliesin Tradition* nad oedd o erioed wedi sylwi fod yna gymaint o ragfarn yn erbyn Cymru a'r Gymraeg. Mae o'n dal i fod yn gryf iawn wrth gwrs. Mae o'n rhyfedd mai dyna sy'n gwneud i mi edmygu Lloyd George, yn groes i'r graen, achos mi wnaeth o ymladd yn erbyn hynny'n gyson, a llwyddo. Yr unig ddrwg ydi ei fod o wedi llwyddo trwy ddweud, 'alla i fod yn well Sais na chi!'. Maen nhw'n fodlon iawn i chi wneud hynny.

Os ydach chi isio mesur mawredd Cymro, i mi y gwrthgyferbyniad sylfaenol ydi Saunders Lewis a Lloyd George. Mae'r ddau wedi dod o Loegr, un o Fanceinion, ar llall o Wallasey, y ddau yn Gymry pybyr, ond fod un wedi dewis y llwybr anodd a'r llall y llwybr hawdd. Mae'r naill a'r llall yn gawr. Maen nhw'n batrymau o'r ddau begwn, ac yn dal i fod felly. Yr artist yn meithrin meddwl clir a'r gwleidydd yn corddi teimladau: y gwahaniaeth rhwng y Tân yn Llŷn a thân siafins.

Arwel Mi roedd ennill y Sianel yn fwy na buddugoliaeth wleidyddol; roedd hi'n fodd o ennill bywoliaeth i chi hefyd fel i nifer fawr o bobl wrth reswm.

Emyr Ddyliwn i ddim cwyno gormod am S4C achos dwi wedi cyfrannu tua ugain o raglenni iddyn nhw. Faswn i rioed wedi cael y cyfle i wneud hynny dan yr hen drefn. Rydan ni yma i bigo beiau ond rydan ni yma i fod yn ddiolchgar hefyd.

Dwi wedi sgwennu un ar hugain o nofelau, ond ychydig iawn sydd wedi cael sylw gan BBC Wales erioed. Y drws sydd wedi agor ydi'r drws Cymraeg. Ella mai fy newis i ydi hynny i raddau, ond ar y llaw arall rydan ni'n byw mewn gwlad sy'n ymfalchïo mewn bod yn ddwyieithog!

Rydan ni'n gorfod bod yn ddwyieithog, ond dydi'r di-Gymraeg ddim – ychydig iawn o ymdrech maen nhw'n ei wneud yn fy mhrofiad i beth bynnag. Mae 'na ryw resymeg od iawn yn perthyn i'r busnes dwyieithrwydd yma. Dwi'n dal i deimlo ein bod ni mewn dyfroedd dyfnion iawn. Mae'r holl fusnes digidol yma yn fy nychryn i. Mi ddarllenais i yn *The Western Mail* fod Euryn Ogwen Williams wedi rhoi rhyw ddarlith ar bwysigrwydd y chwyldro digidol, ond dwi'n meddwl ei fod o'n gorbwysleisio'r holl beth. Eu dadl nhw, fwy neu lai ydi, os ydach chi'n sefyll yng nghanol y lôn ac mae'r *steamroller* yn dod tuag atoch chi, rhaid i chi neidio ar y *steamroller* neu gael eich gwasgu i'r llawr. Dwi ddim yn derbyn y ddadl yna o gwbl, achos dwi'n siwr ei fod o'r un mor bwysig i fuddsoddi mewn cynnwys ag ydi o mewn cyfrwng. Os ydach chi'n mynd i ddweud mai'r cyfrwng, y *steamroller,* yn unig sy'n bwysig mae hi wedi canu arnoch chi, achos mae hi'n broblem fyd-eang, nid yn unig i leiafrifoedd a diwylliannau lleiafrifol, ond i unrhyw fath o ddiwylliant. Os ydach chi'n mynd i adael i'r peiriant redeg y sioe, rydach chi'n mynd i fod yn uned ac nid yn berson, ac mae'r un peth yn wir am ddiwylliant. Mae'r cyfryngau yno i redeg y dŵr trwyddyn nhw, ond nid y beipen ydi'r dŵr. Os nad oes gynnon ni rywbeth i'w ddweud sy'n werth ei ddweud, ac os nad oes gynnon ni rywbeth i'w ddweud sy'n deilwng o beth sydd wedi cael ei ddweud yn y gorffennol, ac sydd yn debyg o fod yn dir ffrwythlon ar gyfer tyfiant yn y dyfodol, os mai dim ond gwneud sŵn digidol rydan ni, rydan ni'n wastio'n hamser. Mae hon yn broblem oesol, mae hi wedi codi yn y chwedegau, yn y saithdegau ac rwan mae hi'n ailgodi ei phen unwaith eto, dydi'r frwydr byth yn gorffen, ac mae hynny'n beth da. Y munud rydach chi'n dweud bod y frwydr wedi'i hennill rydach chi yn y fynwent.

Arwel Mae o wedi fy nharo i hefyd, o ran y Blaid ac o ran sawl peth arall tebyg i Gyngor y Celfyddydau, er enghraifft, nad ydach chi erioed wedi cael eich tynnu i mewn yn ormodol i fod yn bwyllgorddyn, er eich bod chi wedi gwneud eich siâr.

Emyr Dwi'n cofio cyfaill i mi o Ddenmarc, y nofelydd a'r cyfarwyddwr ffilm, Anton Kjaedegaard, yn dweud, *'Don't go to committees, they're death.'* Roedd Elinor yn mynnu ar un adeg, pan o'n i yn y coleg, fy mod i'n dengyd i Gaerdydd yn or-reolaidd i osgoi pwyllgorau. Roedd hi'n iawn ar y naill law ond ar y llaw arall, mae'n rhaid i chi wneud weithiau. Ond at ei gilydd, mae'n rhaid cyfaddef, nad oes dim math o ddemocratiaeth yn perthyn i'r byd creadigol. Unben unig ydi'r awdur, teyrn dros bapur gwag. Pan mae hi'n dod yn fater o ddweud beth sy'n dda a beth sydd ddim yn dda, does yna ddim cyfaddawdu i fod. Mae'n rhaid i chi fod yn feirniad caled arnoch chi'ch hun, ond mae hynny'n golygu eich bod chi'n feirniad caled ar bawb arall hefyd. Yn fy achos i mae o'n beth sy'n perthyn i fyd yr isymwybod, achos fod cyfaddawdu yn rhan o fy natur i, dwi ddim mor unplyg â dylwn i fod.

Arwel Mae'n debyg fod eich asiant wedi chwarae rhan go bwysig yn eich bywyd chi dros y blynyddoedd. Pwy'n union sydd wedi'ch cynrychioli chi?

Emyr Mae cael asiant yn bwysig yn y byd proffesiynol sydd ohoni. Gyda threigl y blynyddoedd a diwydiannu'r hen fasnach fonheddig o gyhoeddi llyfrau mae swydd yr asiant wedi chwyddo'n aruthrol mewn pwysigrwydd. Ond fel arall y bu hi yn fy achos i, yn ôl yn yr oesoedd tywyll, mi ges i gyhoeddwr ymhell cyn cael asiant, ond roedd hi'n adeg rhyfel ac fe anfonwyd Graham Greene i Orllewin Affrica. Ar ôl iddo fo fynd mi wnes i sylweddoli fod Eyre and Spottiswoode yn cael ei redeg gan babyddion adain dde eithafol – yn wahanol iawn i Graham oedd yn babydd adain chwith megis. Roedd y pennaeth, Douglas Jerrold yn un o'r tri a dalodd am yr awyren gludodd y Cadfridog Franco yn ôl o'i alltudiaeth i gychwyn y Rhyfel Cartref yn Sbaen. Fe fuodd o'n ddigon unplyg wrth ddelio efo mi (fedra fo ddim bod fel arall, y creadur, gan ei fod o'n gwisgo dyfais i sythu ei asgwrn cefn ar ôl cael ei glwyfo yn y Rhyfel Byd Cyntaf) yn mynnu fod rhaid i mi gael asiant a chymeradwyo Curtis Brown gan fod gynnyn nhw gysyllt-iadau Americanaidd hefyd. Ond ches i ddim fy nghyhoeddi yn America tan *Hear and Forgive* a hynny, mae'n debyg, am i'r gyfrol honno ennill y *Somerset Maugham Award*. Erbyn hynny roedd Graham Greene wedi gadael Eyre and Spottiswoode ac wedi symud i fyw i dde Ffrainc a minnau wedi symud at gyhoeddwr arall, Victor Gollancz. Cyhoeddwr rhyfedd o anghonfensiynol, ac asiant ecsentrig hefyd o'r enw David Higham. Fo oedd asiant a sgutor llenyddol Dylan Thomas ac roedd o wedi gwirioni cymaint ar y bardd mi wnaeth o sgwennu nofel amdano fo. Roedd David yn llwyrymwrthodwr, peth prin iawn ym myd cyhoeddi. Roedd o wedi bod yn beilot yn y *Flying Corps* yn ystod y Rhyfel Byd Cyntaf ac yn cymryd mwy o ddiddordeb mewn cerddoriaeth nag mewn llyfrau. Roedd o'n smygu'r cetyn mwyaf welais i erioed ac yn diflannu o'r golwg mewn cwmwl o fwg pan oeddach chi'n trio trafod telerau efo fo. Roedd gynno fo bartner ifanc o'r enw Paul Scott, ddaeth yn nofelydd enwog iawn yn ddiweddarach. Paul oedd yn gwneud y gwaith caled yn y swyddfa. Dwi'n ei gofio fo'n dweud wrtha'i ar ddiwedd y pumdegau fod David newydd ddarllen *A Man's Estate* a'i chael hi'n nofel ddifyr iawn. Roedd o wedi ei gwerthu hi yn America a Sweden flynyddoedd ynghynt heb hyd yn oed ei darllen hi! Mi adawodd Paul y swydd i ganolbwyntio ar ei waith ei hun. Ar ddiwedd y chwedegau mi gefais fy hun yng nghanol cyfres o newidiadau daeargrynfaol ym myd cyhoeddi. Y naill gyhoeddwr yn cael ei lyncu gan y llall ac amryw ohonyn nhw, Eyre and Spottiswoode yn eu mysg, yn diflannu oddi ar wyneb y ddaear. Fe fyddai'n rhy gymhleth i fanylu ar helyntion y cyfnod hwnnw, ond yr unig beth i'w wneud oedd troi at asiant newydd fel porthladd tawel rhag y storm – a dyna wnes i. Dyn diwylliedig iawn oedd Richard Scott Simon, trwyddo fo ces i fynd at Hodder and Stoughton lle roedd Cymraes alluog o'r enw Margaret Body yn gweithio fel golygydd. Hi fu'n edrych ar ôl fy ngwaith i yn ystod y saithdegau. Wedyn daeth daeargryn fasnachol ddiwydiannol arall. Mi gafodd Richard Scott Simon M.E., a mynd i fyw i bellafoedd gogledd yr Alban. Diflannodd Hodder and Stoughton i grombil corfforaeth Americanaidd a gadawyd fi yng ngofal fy asiant presennol – cyn-ysgrifenyddes i Richard Scott Simon – gwraig weithgar o'r enw Vivien Green sydd hithau yn ei thro wedi cael ei 'chymryd drosodd' gan gwmni mwy Shiel Land – pobl nad oes gynnyn nhw fawr o amser i boeni am awduron anfasnachol sy'n sgwennu gormod am Gymru.

Arwel Ro'n i'n sôn reit ar y cychwyn fy mod i wedi sbïo ar eich bywyd chi i ryw raddau fel cyfres o gyfnodau penodol. Mae o'n fy nharo i rwan mai'ch cyfnod chi o 'ymddeoliad', neu o beidio â bod mewn sefydliad yn gweithio, yw'r cyfnod hiraf, deng mlynedd ar hugain a rhagor.

Emyr Mae hynny'n ffaith, mae gen i gymaint o nofelau ar ôl gadael fy swydd yn y coleg ag sydd gen i cyn gadael, mwy na'u hanner nhw wedi'u cyhoeddi ar ôl i mi 'ymddeol', heb sôn am yr holl raglenni teledu, ro'n i wedi synnu fod yna gymaint. Mae gen i fwy o feddwl ohonyn nhw na neb arall! Ro'n i wedi gwneud rhyw chydig cyn dyddiau S4C, efo Wil Sam, 'Dinas' a'r 'Dyn Swllt', ond yn ôl ethos y BBC yn y cyfnod hwnnw, doedd cynhyrchydd ddim i fod i gynhyrchu ei waith ei hun ar unrhyw gyfrif, ond mi aeth y rheol honno i'r gwellt flynyddoedd yn ôl.

Arwel Mae yna newid aruthrol wedi bod rhwng llosgi'r Ysgol Fomio yn 1936, pryd, yn ôl eich tystiolaeth eich hun, y crisialwyd eich syniadau gwleidyddol chi, a'r cyfnod newydd yma, cyfnod y Cynulliad Cymreig. Sut ydach chi'n gweld y newidiadau yma?

Emyr Y gamp ydi parhau i weld eich gwlad a'ch cymdeithas mewn cyd-destun Ewropeaidd a rhyngwladol ac o safbwynt annibynnol Cymreig ar yr un pryd. Rydan ni'n cael ein trwytho'n ddyddiol yn safbwynt y wasg Seisnig-Lundeinaidd a does neb ar ôl i barhau traddodiad 'Cwrs y Byd' ar ôl colli 'Tremion' wythnosol R. Tudur Jones.

Cychwynnwyd yr Ysgol Fomio er mwyn amddiffyn yr Ymerodraeth Brydeinig rhag ei gelynion, boed y rheini'n frodorion anystywallt yn Affganistan neu Natsïaid yr Almaen neu gomiwnyddion Rwsia. Ffasgaidd neu gomiwnyddol, roedd yr unbenaethiaid oedd ar y brig yn od o debyg yn eu gallu dihysbydd i ddifa. Ond erbyn heddiw mae'r tri sefydliad imperialaidd oedd yn bygwth fy ieuenctid megis, wedi diflannu – yr Ymerodraeth Brydeinig, *Das Dritte Reich*, a'r Undeb Sofietaidd. Mae'r byd y bydd y Cynulliad newydd yn gorfod ei wynebu yn cael ei reoli gan yr imperialaeth fyd eang newydd, sef yr Unol Daleithiau. Os nad ydi'ch ymarweddiad chi'n plesio Wncwl Sam, rydach chi'n siwr o ddioddef. Fo, wrth gwrs, bwysodd ar genhedloedd gorllewin Ewrop i greu undeb economaidd a gwleidyddol o dan gysgod milwrol NATO i wynebu bygythiad yr Undeb Sofietaidd a'r Bloc Comiwnyddol yn y Dwyrain. Cystal i ni sylweddoli hefyd wrth groesawu'r Cynulliad mai i blesio'r Unol Daleithiau, yn gymaint ag i fwynhau heddwch, y mae llywodraeth Westminster yn barod i agor drysau Stormont i *Sinn Fein.*

Wrth edrych yn ôl ar hynt a helynt Cymreictod a'r iaith Gymraeg o gyfnod Penyberth drwy ddyddiau du yr Ail Ryfel Byd a thensiynau diddarfod y Rhyfel Oer a'r Oes Atomig, all parhad ein cenedl a'n hiaith fod yn ddim mwy na thestun syndod a llawenydd. Mae gofyn am gyfrol os nad cyfrolau i egluro sut y bu hyn ac y mae'n siwr o effeithio'n drwm ar waith unrhyw nofelydd neu lenor. Ella mai enw un o'r llinynnau cryfaf yn yr achubiaeth yw 'aberth'. Ac mae hynny'n gwbl briodol i genedl a'i gwreiddiau mor ddwfn yn y traddodiad Cristnogol. Heb aberth gwŷr fel y Tri, ac yn enwedig Saunders, a dyfalbarhad Gwynfor a J. E. Jones, ac aberth o'r newydd cenhedlaeth Cymdeithas yr Iaith, fyddai dim sôn am Senedd i Gymru heb sôn am adeilad yng Nghaerdydd.

Ac wrth gwrs mae'r iaith yn dal yn ganolog nid yn unig i'r hunaniaeth ond i'r amddiffyniad hefyd. Mae gweiddi croch rhai o'r gwledydd Islamaidd sy'n galw Satan a'r Wncwl Sam yn ddigri o ganoloesol. Ac eto, y tu ôl i oruchafiaeth yr Unol Daleithiau mae grymoedd annelwig economaidd sydd yn ymddangos ar dro yn oruwchnaturiol gan na fedr neb ddweud yn union pwy sydd yn eu rheoli. Faint o ffordd sydd 'na rhwng gwanc aflywodraethus am elw a phechod gwreiddiol, a'r syniad o Ddiafol. Y gobaith yw wrth lynu'n dynnach yn ein hiaith frodorol y bydd ein traed gymaint â hynny'n sicrach ar y ddaear.

Yn fy henaint dwi'n barod i weld yr iaith fel hudoliaeth fedr ein cadw ni rhag y rhesi o glefydau ysbrydol ddaw yn y ganrif nesaf. O'i defnyddio'n iawn, fel yr ieithoedd brodorol yng ngwledydd y Cyfandir, fe fydd gennym wrthglawdd hynod o effeithiol a'r defnydd crai i greu y gymdeithas wâr a fydd yn ein cadw'n gall ac yn iach yn yr ysbryd er gwaethaf y tonnau ymchwydd andwyol o *admass* Anglo-Americanaidd sydd yn bygwth ein boddi ni. Nid yr iaith yn ei hun chwaith ond nerth a grym a gwreiddioldeb ei chynnwys. Swydd ein senedd ddwyieithog fydd sianelu egnïon yr ifanc i gyfeiriad y math o deyrngarwch Gymreig a fu'n fodd i achub y genedl o ddyddiau diwygiad crefyddol y ddeunawfed ganrif i gyfnod Saunders Lewis a bron i ddeugain mlynedd o frwydr Cymdeithas yr Iaith.

Mae'r iaith a'r ieithwedd a'r pethau maen nhw'n eu cynrychioli yn newid o genhedlaeth i genhedlaeth ac mae'n bwysig eu hail-greu nhw, a'u llenwi â bywyd newydd.

Arwel Beth ydi'ch gobeithion chi'n bersonol o ran eich gwaith a hefyd yn wleidyddol, yng Nghymru, i'ch plant ac i blant eich plant?

Emyr Perthyn i genhedlaeth yr Ail Ryfel Byd y mae Elinor a finnau ac felly wedi cael ein disgyblu i fyw o ddydd i ddydd. Roedd y ddau ohonon ni'n byw yn Llundain adeg y bomio, hi fel nyrs a minnau fel gwrthwynebwr cydwybodol yn cael fy ngyrru o fan i fan a thros y môr mewn byd sigledig. Y rhyfeddod mawr i ni, hyd yn oed yn ein henaint, ydi'r ffaith i ni gael ein cadw i fagu teulu i lawenhau ein dyddiau ar hyd y daith. Trwy'r un rhyfedd ras, a hir amynedd fy nghymar, mi ges innau'r cyfle i gyfansoddi – wedi'r cwbl 'canu' ydi'r gair priodol ar gyfer pob sgwennu creadigol. Dwi ddim yn arbenigwr ar y dyfodol. Beth sy'n digwydd yr awr hon sy'n bwysig. Gweld eu plant a'u hwyresau a'u hwyrion yn cael iechyd a'r cyfle i weithio ydi llawenydd pennaf yr hen. Mae rhai beirniaid y mae gen i barch mawr i'w barn nhw yn gweld haen o besimistiaeth yn rhedeg drwy fy ngwaith i, ac ar un wedd mae'n siwr fod hynny'n wir. Maes chwarae ellyllon y fall ydi'r byd hwn yn rhy aml. Mae'r weledigaeth grefyddol yn tueddu i weld y byd fel maes y gad rhwng nerthoedd y fall ac angylion y goleuni. A beth arall, mewn gwirionedd, oedd Armagedon y rhyfel niwclear? Mewn unrhyw alwedigaeth mae 'na sôn am gostau byw a chynnal a chadw, a hyd y gwela'i pan ydach chi'n edrych i'r dyfodol ac yn disgwyl rhyw fath o gynnal a chadw, yr un egwyddorion sy'n aros i gynnal gwareiddiad – ffydd, gobaith a chariad ydi sylfaen rheiny hefyd. Maen nhw'n sylfaen i fywyd personol ac yn rhan annatod o sylfaen gwareiddiad yn gyffredinol. Rydan ni i gyd yn gwybod hynny. Rydan ni'n aros oddi fewn i'n hymwybyddiaeth bersonol ni'n hunain ac yn edrych allan ar y byd a gweld y byd yn newid a ninnau'n gorfod newid efo fo, ond ein bod ni'n gwybod yn ein hanfod fod yna berthynas rhwng ein ffordd ni o fyw yn bersonol a gobaith am y dyfodol. Camp ac uchelalwedigaeth y naill genhedlaeth ar ôl y llall ydi cael hyd i'r ffordd ragorach a'i chymhwyso ei hun i'w defnyddio hi'n iawn. Dyna'r gobaith ac mae ffydd a chariad ynghlwm wrth hynny, wrth reswm.

Pennod 2

Tir Neb

M. Wynn Thomas yn holi Emyr Humphreys am ei nofelau a'i straeon byrion

Wynn Er ichi gychwyn eich gyrfa gyda'r bwriad o fod yn fardd, erbyn hyn rŷch chi'n llawer mwy adnabyddus fel nofelydd. O edrych yn ôl, sut ddigwyddodd hynny a beth yw'ch barn chi am y newid cyfeiriad?

Emyr Dwi'n meddwl mai'r cysylltiad efo Graham Greene oedd yn allweddol. Ro'n i'n sbïo ar ryw hen ddyddiadur o gyfnod y rhyfel yn ddiweddar, ac yn sylwi mai tua 1943 gwnes i ei gyfarfod o gyntaf, pan oedd o'n olygydd llenyddol y *Spectator*. Wedyn, aeth o i ffwrdd i Affrica ac mi wnes i ei gyfarfod o eto ymhen rhyw flwyddyn; mae'n debyg mai dyna oedd y trobwynt.

Wynn Ond ro'ch chi wedi bod yn arbrofi gyda'r nofel cyn hynny, oherwydd ro'dd yr hyn a gyhoeddwyd ymhen amser fel *A Toy Epic* eisoes ar y gweill, on'd o'dd e? Fe gychwynnodd hwnnw fel barddoniaeth ond fe drodd yn rhyw fath o nofel o dan eich dwylo chi, on'do fe?

Emyr Do, mae hynny'n wir; a dwi'n cofio Graham Greene yn dweud, *'it's the poetry of a prose writer'*, ac mae'n rhaid ei fod o wedi cael effaith reit fawr arna'i, achos mi wnes i feddwl, 'os mai felly y mae hi i fod wel dyna ni'; ond erbyn hynny roedd 'na ysfa ynof i i sgwennu nofelau beth bynnag.

Wynn Beth yw'r ysfa waelodol honno? Sut fyddech chi'n ei disgrifio hi? O bryd i'w gilydd rŷch chi wedi disgrifio nofelydd fel un sy'n gweithio oddi fewn i draddodiad bwrgeisaidd o lenydda a sefydlwyd, yn ôl yr haneswyr llên, yn y ddeunawfed ganrif. Ond, bryd arall, rŷch chi wedi sôn am y nofelydd fel cyfarwydd, cysyniad henach o lawer, mor hen â'r Mabinogi. Dau gysyniad pur wahanol i'w gilydd o swyddogaeth y nofelydd.

Emyr O edrych yn ôl eto, mae'n anodd dweud yn union sut roedd rhywun yn teimlo ar y pryd, ond faswn i'n dweud bod sgwennu'n ffordd o drawsnewid profiad. Mae 'na fwy o lawer o elfennau hunangofiannol yn fy nofelau i nag o'n i erioed wedi meddwl ar y pryd. Mi ddois i o hyd i ddarn o bapur yn ddiweddar, arno fo roedd yna amlinelliad ro'n i wedi ei wneud i Graham Greene o waith yn dwyn y teitl 'The Law Within', beth ddaeth yn ddiweddarach i fod yn *The Little Kingdom*. Dwi'n siwr fod hwnnw'n 'fenthyciad' uniongyrchol oddi wrth Graham Greene ei hun, achos dwi'n meddwl ei fod o wedi sgwennu nofel efo teitl ofnadwy o debyg i hynny. Mae plot *The Little Kingdom* i'w weld yn yr amlinelliad bach yna. Do'n i ddim yn cofio fy mod i wedi'i sgwennu o hyd yn oed.

Wynn Rwy'n cofio Dyfnallt Morgan yn sôn am gyfarfod â chi yn Bari ar ddiwedd y rhyfel, a'ch bod chi wedi esbonio wrtho fe eich bod chi'n ailysgrifennu *The Little Kingdom* oherwydd eich bod chi wedi colli'r deipysgrif wreiddiol.

Emyr Ro'n i wedi sgwennu honno'n Llundain neu hyd yn oed cyn i mi fynd i Lundain, ond mi gollais i'r llawysgrif. Ro'n i'n mynd am dro efo Elinor a Basil i le o'r enw Chiselhurst lle'r oedd modryb i Basil yn byw, roedd hi'n mynd i roi bwyd i ni. Roedd y llawysgrif gen i ym mhoced fy mac ond mi gollais i'r mac a'r llawysgrif. Felly roedd rhaid i mi ailsgwennu lot fawr ohoni, ddim y cyfan, ond lot ohoni hi. John Gwilym Jones wnaeth ofalu amdani wrth iddi fynd trwy'r wasg.

Ro'n i'n nabod John Gwilym Jones o fy nghyfnod ym Mhlas Llanfaglan, roedd o wedi bod yn ffeind iawn efo fi. Doedd dim posib i mi ofalu am y nofel o Balesteina, neu lle bynnag ro'n i ar y pryd, ac mi wnaeth o. Wrth gwrs athro ysgol oedd John ac yn fwy deddfol o lawer na fi wrth ofalu fod pethau fel yr atalnodau i gyd yn iawn. Mi oedd y post yn gweithio ond roedd o'n cymryd wythnosau, felly dwi'n meddwl fy mod i wedi dweud wrth Eyre and Spottiswoode, y cyhoeddwyr, am gysylltu efo John Gwilym. Y fo ofalodd am y proflenni. Welais i mo'r nofel nes iddi ddod allan yn llyfr. Peth braf ofnadwy. O na fyddai felly o hyd!

Wynn Faint ohoni ro'ch chi wedi ei sgrifennu cyn colli'r llaw-ysgrif?

Emyr Lot fawr, ond roedd gen i lot o nodiadau wrth law, wrth lwc.

Wynn Felly wnaethoch chi ail-greu'r nofel o'r nodiadau i bob pwrpas?

Emyr Do, mae hynny'n profi fod yna elfen obsesiynol yn yr holl beth, achos mae'n rhaid ei fod o ar fy meddwl i. Yn wahanol iawn i ysgolhaig, er enghraifft, dyna'r unig beth sydd ar eich meddwl chi am gyfnod ac wedyn, ar ôl i'r sach wagio, mae o'n ail-lenwi efo rhywbeth arall.

Wynn Rŷch chi'n geni'r nofel?

Emyr Ydach, rydach chi'n chwilio am ryw rwyd i'w thaflu allan i'r môr trwy'r amser a'i thynnu i mewn eto, ryw system od, reit debyg i'r broses fiolegol o genhedlu a chreu ac o feithrin y tir.

Wynn Mae'r rheini ohonom sy'n ceisio trafod eich gwaith ar ei hyd yn dueddol iawn i ddidoli'r nofelau i gyfnodau gwahanol, gan geisio dangos eich bod chi wedi newid a datblygu ar hyd eich gyrfa. Ond sut fyddwch chi'n gweld treigl eich gyrfa wrth edrych yn ôl? Ydi'r gweithiau yn rhannu'n gyfnodau yn eich meddwl chi? Oes 'na nofelau sy'n perthyn i'r 1950au neu'r 1960au? Oes 'na nofelau sydd ynghlwm wrth ryw brofiadau arbennig yn eich hanes chi? Oes 'na batrwm yn ymddangos wrth i chi fwrw golwg yn ôl?

Emyr Mae'n siwr fod yna gysylltiad rhwng beth bynnag sy'n cael ei greu, neu'i sgwennu, a'm profiad i ar y pryd. Mae'n bosib bod y ffurfiau y mae rhywun wedi'u dethol, neu wedi'u mabwysiadu, yn ffordd o drawsfudo'r profiad, yn ffordd o wneud sens o brofiad y cyfnod hwnnw. Mae hynny'n ddigon gwir, a dwi'n meddwl ei fod o'n wir dweud fod y nofel ei hun yn ffurf mor arbennig o ffrwythlon, ac mor ofnadwy o gryf, fod rhaid i chi gael rhywbeth sy'n werth ei ddweud cyn meddwl am wneud dim byd. Mae'n rhaid eich bod chi wedi cael rhyw ffurf ar gynllun sydd yn mynd i gael gafael ar beth ydach chi'n ei deimlo ynglŷn â'ch profiad yn ystod y cyfnod hwnnw, a'i drawsfudo fo i ryw ffurf arhosol.

Wynn Mae'r cyfnod pryd yr ysgrifennwyd *The Little Kingdom* o ddiddordeb i mi yn y cyswllt hwn, oherwydd mae'n amlwg fod perthynas rhwng cynllun y stori a'r digwyddiadau ym Mhenyberth ym 1936. Ond mae hefyd yn amlwg nad ymdrech i gofnodi'r hanes yw *The Little Kingdom* ond dehongliad, neu fath o wyriad, o'r digwyddiadau hynny. Er enghraifft, mae arwr y nofel, Owen Richards, yn ymdebygu mewn ambell ffordd i arweinwyr y Blaid Genedlaethol a aeth ati i gynnau'r Tân yn Llŷn; ond erbyn diwedd y stori, mae'n amlwg ei fod e, yn wahanol iddyn nhw, yn unben trahaus. Mae'r hyn mae e'n ceisio ei wneud yn ei godi, yn ei olwg ei hun, uwchlaw moesoldeb ac uwchlaw'r gyfraith. Felly mae e'n wahanol iawn i D. J. Williams, Lewis Valentine a Saunders Lewis, yn wir, mae e'n debycach i'r ddelwedd o'r tri a fynegwyd gan eu gelynion nhw, ac eto, ro'ch chi'n gwbl gefnogol i antur Penyberth.

Emyr Mi faswn i'n tybio fod ffigwr yr arwr, Owen Richards, yn cynrychioli'r awdur; fod yr awdur yn gosod rhyw fath o broblem foesol iddo fo'i hun, sut fasa fo'n ymateb tasa fo'n berson gwahanol, a beth ydi'r gobaith o lwyddo mewn oes pan fo'r unben yn rheoli. Yr unig ffordd i gael y maen i'r wal oedd cael rhyw fath o arwr sy'n barod i ddefnyddio trais. Mae o'n dal yn wir. Dwn i ddim a ydi o'n rhywbeth sydd yn endemig yn natur y gymdeithas orllewinol. Sylwch ar beth sy'n digwydd rwan ym Mhrydain. Mae'n rhaid i Tony Blair fod yn arwr er mwyn cael y maen i'r wal, sef mynd â Phrydain i mewn i'r Undeb Ewropeaidd, mabwysiadu'r Euro ac yn y blaen. Dim ond arwr fedr lwyddo yn y diwedd, rhyw fath o ffug ymgnawdoliad o ddyheadau'r gymdeithas. Rhywbeth felly, yn fy isymwybod, mae'n siwr, oedd y syniad o Owen Richards.

Wynn Mae'r esboniad yna'n debyg i'r hyn ro'n i'n ei dybied. Yr hyn welais i oedd fod yna gyfuniad yn *The Little Kingdom* o Benyberth a ffasgaeth y tridegau a phwyslais ar arweinydd unbenaethol.

Emyr Ond mae o'r un mor wir am gomiwnyddiaeth wrth

gwrs, mae'r *Führerprinzips* ynghlwm wrth bob math o fudiadau gwleidyddol yn yr ugeinfed ganrif. Mae o'n gryfach os rhywbeth mewn comiwnyddiaeth nag ydi o mewn ffasgaeth, neu o leiaf cyn gryfed. Mae hyd yn oed y pleidiau democrataidd yn dyheu am arweinyddion cryf.

Wynn Mae'r un testun yn codi yn achos Michael yn *A Toy Epic* mewn ffordd.

Emyr Ydi. Oes yna ffordd arall o gyflawni unrhyw fath o newid mewn cymdeithas?

Wynn Ond trwy fabwysiadu trais? Mae hwnna wedi bod yn gwestiwn i chi ar hyd eich bywyd on'd yw e?

Emyr Ydi. Does 'na ddim un wladwriaeth erioed wedi cael ei sefydlu mewn unrhyw ffordd arall, mae 'na elfen o drais yn perthyn i sefydlu pob un, hyd yn oed yr Unol Daleithiau, yr un fwyaf delfrydol. Fe olygodd drais enbyd yn erbyn yr Indiaid Cochion a phawb arall yn y pen draw am wn i.

Wynn Mae'r pegynu barn sy'n digwydd yn eich nofel gyntaf, *The Little Kingdom*, yn ymddangos dro ar ôl tro yn eich nofelau chi. Am y pegwn ag Owen Richards mae Geraint, yr awdur aneffeithiol sy'n dyheu am ddianc a chilio ac ymroi'n gyfan gwbl i'w waith.

Emyr Ydi, mae hynny'n ddigon gwir, erbyn meddwl.

Wynn Ac mae'r patrwm yn cael ei ailadrodd yn eich hanes chi, i raddau. Mae e i'w weld eto yn y berthynas rhwng cymeriadau fel John Cilydd a Pen Lewis yn y gyfres honno am Amy Parry, 'The Land of the Living'.

Emyr Ydi. Ac ella ei fod o'n wir hefyd fod yr elfen weithredol wedi symud, gyda threigl amser, o'r gwryw i'r fenyw; fod yna fwy o obaith cael merched na dynion i gael trefn newydd ar gymdeithas.

Wynn Wyddoch chi pam neu pryd neu sut y digwyddodd y newid pwyslais hwnnw yn eich gwaith chi?

Emyr Dwi ddim yn siwr, ond mae o'n digwydd.

Wynn Mae e'n glir iawn erbyn i chi greu Amy Parry, wrth gwrs, achos mae hi ar ganol y darlun drwy gydol 'The Land of the Living'; o hynny ymlaen mae gan y ferch le amlwg iawn yn eich gwaith chi.

Emyr Fe fu'r ferch yn sail gadarn i gymdeithas ar hyd yr oesoedd a dros yr hanner can mlynedd diwethaf 'ma mae merched wedi dod yn fwy pwerus. Mae 'na ryw fath o newid seismig wedi digwydd yn holl siâp cymdeithas, ella bod y nofelau yn adlewyrchiad anymwybodol o beth sy'n digwydd mewn gwirionedd.

Wynn Hwyrach fod hynny i'w weld yn hanes Cymdeithas yr Iaith. Bu sawl merch ifanc yn cymryd y rhannau arweiniol yn y 1960au a dechrau'r 1970au, ac mae hynny'n cael ei adlewyrchu yng nghymeriad Wenna, yn *Bonds of Attachment*.

Emyr Mae o'n shifft reit fawr, a dwi'n ei weld o fel gŵr, fel tad ac fel taid. Rydach chi'n gweld y symudiadau a'r newidiadau yn ffordd y gymdeithas o dderbyn rhan y ferch.

Wynn Rwy'n derbyn hynny; ond ga'i fentro awgrym arall? Fe ddes i ddeall ddeng mlynedd yn ôl, pan o'n i'n paratoi rhaglen i ddathlu'ch pen-blwydd chi'n saith deg, fod eich mam chi'n gymeriad arbennig o gryf. I ba raddau, 'sgwn i, ŷch chi wedi cydnabod hynny yn eich nofelau drwy greu cymeriadau benywaidd cryf? Oherwydd, roedd eich mam yn perthyn i gyfnod arall pan ddaeth y ferch i'r amlwg.

Emyr Oedd. Mi roedd hi'n rebel mawr. Yn ddiweddar fe fuo fy mrawd yn aros efo ni ac fe aethon ni i Lanrhaeadr-ym-Mochnant i chwilio achau teulu fy mam ac fe wnaeth hynny i mi feddwl cymeriad mor gryf oedd hi. Roedd hi'n anffodus iawn, achos yn y cyfnod y cafodd hi ei magu roedd yn rhaid iddi blygu i'r drefn. Roedd hi'n mynegi ei gwrthryfel hi drwy bethau bach dibwys fel smocio. Roedd hi'n smocio a doedd ei thad hi ddim i fod i wybod, a doedd ei gŵr hi ddim i fod i wybod! Felly roedd hi'n medru smocio y tu allan i'r tŷ ond byth yn y tŷ; sydd yn beth anhygoel.

Wynn Mae hynny'n fy atgoffa i o'ch cydymdeimlad amwys chi â chymeriad beiddgar fel Lydia yn *Outside the House of Baal*, achos mae hi eto yn gwrthryfela.

Emyr Ydi, mae'n siwr ei bod hi'n debyg iawn.

Wynn Mae 'na gymeriadau tebyg yn ymddangos mewn nifer o'ch nofelau chi, ac mae'ch dull chi o'u trin nhw yn un amwys bob tro. Er enghraifft, mae Amy yn gwrthryfela, ond wrth iddi wneud hynny mae hi'n cefnu ar rai o'r egwyddorion rŷch chi'n bersonol yn credu ynddyn nhw.

Emyr Ydi, ac am wn i fod y stori, y chwedl, yn rhyw fath o adlewyrchiad patrymog o beth ydi'r profiad hanesyddol.

Wynn Profiad personol hefyd, siwr o fod.

Emyr O ia, fel mae'r awdur yn rhan o hanes ei gyfnod ei hun. Ond mae'n siwr fod angen cysylltiad cryf a chyson rhwng chwedl a ffaith a realiti. Mae hynny'n reit bwysig i mi. Dyna pam y mae yna gymaint o elfen o realaeth yn y nofelau.

Wynn Rwy'n anghydweld â'ch ffordd chi o edrych ar ffantasi yng nghyd-destun y nofel, ond rwy'n deall eich amheuon chi, os nad ŷch chi'n ofalus mae peryg i chi ddianc o afael realiti wrth fabwysiadu ffantasi. Mae'n amlwg eich bod chi wedi dewis glynu wrth realaeth yn eich nofelau, ond wnaethoch chi arbrofi o gwbl gyda'r dull ffantasïol o sgrifennu?

Emyr Do, mi ges i gyfnod o arbrofi yn y maes a dwi'n gwybod pam erbyn hyn. Ar ddechrau'r 1950au, pan o'n i'n dysgu ym Mhwllheli, mi wnes i sgwennu *Hear and Forgive*. Roedd gen i ddigon o egni yr adeg hynny i fod yn athro ysgol a cheisio sgwennu nofelau gyda'r nos. Ond roedd yna elfen fawr o rwystredigaeth yn fy mywyd i yn y cyfnod hwnnw, oherwydd mae o'n gofyn lot o ymroddiad ac uchelgais i gyfansoddi nofelau hir. Felly mi wnes i ddechrau arbrofi efo sgwennu straeon byrion, am fod y stori fer yn fyr! Mi sgwennais ddwy neu dair yn y cyfnod hwnnw, un o'r enw 'A Girl in the Ice' a gyhoeddwyd yn *New Statesman* o gwmpas 1951–2, ac un arall o'r enw 'The Obstinate Bottle'. Wedyn ro'n i wedi meddwl sgwennu cyfres ohonyn nhw ond fe aethon nhw, ar goll yn llwyr oherwydd mi wnes i ddechrau gweithio ar syniad am nofel a ddaeth wedyn yn *A Man's Estate*, lle mae 'na amryw byd o gymeriadau yn siarad drostyn nhw'u hunain a'r cynllun yn adlewyrchu rhai o'r pethau oesol, clasurol, wedi cael eu gosod tu mewn i gyfundrefn cymdeithas ymneilltuol Gymreig yn y Gymru Gymraeg. Felly, roedd hynny'n ddigon o waith i ymgymryd â fo ar y pryd. Tua'r adeg aethon ni i fyw i Awstria ro'n i'n gweld Cymru a'n cysylltiadau ni â'r gymdeithas frodorol o ryw bersbectif newydd ac fe ddiflannodd y syniad o unrhyw arbrofi mewn ffantasi.

Wynn Diddorol iawn, oherwydd gydag ymddangosiad *A Man's Estate* fe allech chi ddweud fod yna newid cyfeiriad wedi digwydd yn eich hanes chi ac yn eich gyrfa chi mewn ffordd. Ond os gallwn ni gamu yn ôl cyn cymryd y cam yna ymlaen, a throi at *The Voice of a Stranger,* sef yr ail nofel sgrifennoch chi. Fe fuon ni'n trafod y gwahaniaeth rhwng eich teimladau chi'n bersonol ynghylch Penyberth a'ch dull chi o drin sefyllfa debyg yn *The Little Kingdom.* Mae 'na fwlch tebyg i hwnnw rhwng yr hyn rŷch chi wedi'i ddweud wrtho i am eich profiadau chi o weithio yng Ngwersyll y Ffoaduriaid yn yr Eidal ar ddiwedd y rhyfel a'r argraff rwy'n ei chael o ddarllen y nofel *The Voice of a Stranger* a leolir mewn gwersyll o'r fath. Yn eich cyfweliad ag Arwel yn y bennod gyntaf ac wrth sgwrsio â fi cyn hyn, rŷch chi wedi cofio'r cyfnod hwnnw fel cyfnod positif, cadarnhaol mewn sawl ffordd, oherwydd ei fod e'n gyfnod o ailadeiladu ar ôl erchyllterau'r rhyfel a'r chwalfa a fu; ac mae gennych chi atgofion melys o'ch rhan yn y gwaith hwnnw. Ond mae *The Voice of a Stranger,* i'r gwrthwyneb, yn nofel dywyll iawn. Yr argraff mae rhywun yn ei chael wrth ei darllen hi yw fod Ewrop ar chwâl, fod anfoesoldeb yn rhemp, ei fod e'n gyfnod pan fo bron pawb yn llygredig ac eithrio'r rheini sy'n gweithio o blaid y ffoaduriaid. Maen nhw'n eithriadol o ddiniwed, ac o'r herwydd mae rhai ohonyn nhw'n gwneud niwed yn anfwriadol a rhai eraill yn cael eu niweidio. Sut, felly, fyddech chi'n esbonio'r bwlch yna rhwng eich disgrifiad chi o'ch profiad yn yr Eidal a'r ffordd yr ymdrinnir â hwnnw yn y nofel?

Emyr Mae yna ryw fath o berthynas rhwng eich dadansoddiad ymenyddol chi ar y naill law a'ch profiad chi ar y llaw arall. Mewn ffordd, mi fedrwch chi ddisgrifio cynllun a phlot y nofel fel rhyw fath o ymgais at bontio y gwahaniaeth rhwng y dadansoddiad theoretig a'r profiad uniongyrchol. Dwi'n meddwl fod yna elfen o wirionedd yn hynny achos o edrych yn ôl dwi'n synnu mor debyg ydi lot o'r pethau yn y nofel i beth ddigwyddodd, yn enwedig y cymeriadau. Mae'r cymeriadau fel rheol fel tasan nhw wedi cael eu creu o fodelau, deudwch chi fod yr awdur yn arlunydd, mae'n rhaid iddo fo gael model ar gyfer y cymeriad mae o'n mynd i'w roi yn y ffresgo. Ond mae'r holl gynllun, y ffordd mae'r ffresgo i gyd yn cael ei roi at ei gilydd, yn rhywbeth sydd yn dod o'ch isymwybod chi ac eto mae o'n rhywbeth rŷch chi'ch hun yn ei greu. Ond mae'r cymeriadau yn bethau o fyd natur, unwaith maen nhw i mewn yn y llun, y ffresgo, maen nhw'n cael eu trawsnewid. Mae rhyw alcemi yn perthyn i'r peth, fel bod y lluniau yn y ffresgo yn eu cymryd nhw drosodd. Er enghraifft, yn *The Voice of a Stranger* mae 'na gymeriad o'r enw La Spagnola. Dwi'n cofio honno. Roedd honno'n ferch oedd ar goll yn llwyr yng nghanol yr holl helynt, achos, at ei gilydd, roedd y rhan fwyaf o'r ffoaduriaid yn Eidalwyr oedd ar chwâl oherwydd y rhyfel, Eidalwyr o'r gogledd isio mynd yn ôl i'r de neu Eidalwyr o'r de isio mynd yn ôl i'r gogledd. Ond o lle oedd hon wedi dod? Sbaenwraig yng nghanol yr holl helynt yma i gyd. Roedd hi'n broblem arbennig, dwi'n cofio hynny. Roedd Basil, fy nghyfaill, yn ymddiddori'n fawr yn ei ffawd hi, yn bennaf achos ei fod o'n un o'r ychydig bobl oedd yn medru siarad Sbaeneg, roedd o'n medru cyfathrebu â hi'n well na neb arall.

Wynn Mae hynny'n ddiddorol, oherwydd mae problem cyfathrebu yn un o'r problemau rŷch chi'n ymdrin â nhw yn *The Voice of a Stranger*. Rŷch chi'n ymwybodol iawn o'r broblem yma o sut i siarad ar draws y ffin rhwng dau ddiwylliant.

Emyr Mae'n siwr fod Basil McTaggart wedi cael dylanwad reit fawr arna'i, yn yr ystyr ei fod o'n ddyn oedd yn medru pump, chwech neu saith o ieithoedd yn reit rugl, ffenomenon hollol arallfydol yn fy mhrofiad i. Roedd o gymaint ag y medrwn i ei wneud i ddysgu Cymraeg heb sôn am ddysgu'r holl ieithoedd eraill 'na. Ond roedd o wedi cael ei fagu yn y Swistir ac roedd o'n siarad pedair iaith; Ffrangeg, Almaeneg, Eidaleg a Saesneg, o'r crud, ond ar ben hynny roedd o'n medru ieithoedd fel Sbaeneg.

Wynn Mae yna Gymro, Williams, yn y nofel *The Voice of a Stranger*. Ro'ch chi'n sôn gynnau am bobl oedd ar goll yn y byd oedd ohoni ar ddiwedd y rhyfel, ac mae Williams yn ymddangos yn un o'r rheini, on'd yw e? Mae e'n mynd ar gyfeiliorn yn y diwedd, oherwydd ei fod e'n colli synnwyr cyfeiriad moesol yn gyfan gwbl; ac mae e'n gorfod cilio yn ôl i

Gymru er mwyn atgyfnerthu ac ailfwrw ei wreiddiau, yn fwyaf arbennig drwy ailgysylltu â'i wraig. Ydi hynny'n rhyw ddrych o'r ffordd roeddech chi'n gweld Cymru pan oeddech chi'ch hunan dramor ac yng nghanol y cythrwfwl?

Emyr Mae'n siwr ei fod o. Fel ro'n i'n sôn, roedd gen i fodel ar gyfer cymeriad Williams. Nid Cymro oedd o fel mae'n digwydd bod, ond roedd o'n ddyn eithriadol o ddiniwed a chrefyddol iawn, yn dweud ei bader, peth anghyffredin iawn yn yr oes honno, ac mi aeth hwnnw ar gyfeiliorn yn union run fath â Williams. Dwi ddim yn cofio'r manylion erbyn hyn, ond roedd o a dyn arall wedi eu gyrru i ryw ran o ddeheudir yr Eidal i fod yn gyfrifol am ddosbarthu dillad yn bennaf, ac mi ddaru o syrthio mewn cariad efo rhyw Eidales. Yn y diwedd roedd yn rhaid iddo fo gael ei yrru adra oherwydd rhyw helynt neu'i gilydd. Enghraifft o fodel oedd hwnnw, ac wrth gwrs mi roedd o'n cyd-fynd â rhyw fath o *thesis* ynglŷn â diniweidrwydd y gwrthwynebwr cydwybodol o Gymro fel ro'n i fy hun. Yn y sefyllfa enbyd roedd Ewrop ynddi ar y pryd, roeddan ni'n symud o gwmpas fel plant yn y goedwig i raddau helaeth iawn. Ro'n i'n ffodus iawn yn fy mhrofiad personol eto fod gen i bartner yn McTaggart oedd yn brofiadol iawn mewn byw ar y Cyfandir ac yn gyfarwydd â'r holl gymhlethdodau oedd yn perthyn i'r gwahanol ieithoedd a diwylliannau. Roedd hynny'n help mawr ac yn cadw traed rhywun ar y ddaear.

Wynn O feddwl am y cyfnod hwnnw, yn gyntaf i gyd, y 1930au pan oeddech chi'n tyfu lan ac wedyn y rhyfel ei hun a'ch profiadau chi ar ddiwedd y rhyfel hwnnw, ac o sylwi eich bod chi wedi troi'n nofelydd hanes o fri, fe fydda i'n cofio am *thesis* enwog George Lukas am sut y cychwynnodd y nofel hanes yn ystod rhyfeloedd Napoleon. Fe gofiwch chi mai ei ddamcaniaeth e oedd fod profiad newydd o amser wedi ymdreiddio i fêr esgyrn y werin bobl bryd hynny oherwydd eu bod nhw wedi gorfod byw trwy brofiadau mawr oedd yn golygu newid byd yn eu hanes bach, preifat, personol nhw. Felly rwy'n dyfalu i ba raddau mae'r ffaith eich bod chi wedi ymroi i ysgrifennu cynifer o nofelau hanes yn adlewyrchu'r ffaith eich bod chi wedi byw drwy hanes. Rŷch chi wedi gweld y byd yn newid o flaen eich llygaid yn y fath fodd nes bod eich byd mewnol chi a'ch ymwneud chi â phobl hefyd yn newid ar yr un pryd. Ydi honno'n ddamcaniaeth sydd yn taro deuddeg?

Emyr Ydi, dwi'n meddwl ei bod hi. Ro'n i'n dweud gynna nad oedd gen i ddim llawer i'w ddweud wrth ffantasi, ond wrth gwrs, fe allwch chi ddadlau mai diffyg dychymyg yw hynny. Dydi fy nychymyg i ddim yn cael ei ysgogi heb fod yna ryw fath o wreiddiau hanesyddol yn perthyn i beth bynnag ydi'r pwnc. Mae pawb yn mynd at y peth y bo, lle mae'r awen yn gweithio orau. Mae'n debyg fod yna lot o wir yn hynny. Mae fy niddordeb i mewn hanes a gwleidyddiaeth ac ati yn cael ei fodloni i raddau trwy sgwennu nofelau. Dwi ddim yn wleidydd a dwi ddim yn hanesydd, dwi'n cael mwy o bleser o fod yn nofelydd.

Wynn I fynd yn ôl i'r pumdegau a'r nofelau sgrifennoch chi ar ôl *The Voice of a Stranger*, sef *A Change of Heart*, *Hear and Forgive* a'r gweddill. Maen nhw'n nofelau gwahanol i'r rhai a ystyrir, erbyn hyn, yn nodweddiadol ohonoch chi. Mae llai o bwyslais, er enghraifft, ar gyd-destun cymdeithasol, mwy o bwyslais ar yr unigolyn a ffawd yr unigolyn a dewis moesol yr unigolyn. Fe wn i eich bod chi, fel sawl un arall o'ch cenhedlaeth chi ar ddiwedd yr Ail Ryfel Byd, yn pryderu y gallai'r arfer o grynhoi grym yn nwylo'r ychydig, sef yr arfer a nodweddai'r drefn ffasgaidd a'r drefn gomiwnyddol yn ddiwahân, hefyd ddatblygu yn y byd cyfalafol. Teimlid bod 'na berygl ar y naill law y gallai'r gyfundrefn fasnachol Eingl-Americanaidd oresgyn pob diwylliant arall, a pherygl ar y llaw arall y gallai llwyddiant y Blaid Lafur yng ngwledydd Prydain olygu bod gan y wladwriaeth ganolog, Seisnig, rym aruthrol y gellid ei arfer ar draul rhyddid a chydwybod yr unigolyn. Fe fynegir y pryderon hyn yn nofel enwog George Orwell, *1984*, a gyhoeddwyd ar ddiwedd y pedwardegau. I ba raddau, felly, mae'r nofelau a gyhoeddwyd gennych chi ar ddechrau'r pumdegau, *A Change of Heart* a *Hear and Forgive*, yn mynegi'r un pryderon drwy fynnu bod cydwybod foesol gan bawb, ac felly fod pob enaid byw yn gyfrifol am ei ddewisiadau a'i benderfyniadau ei hun?

Emyr Eto, allan o'r isymwybod mae'r pethau yma'n tyfu mae gen i ofn ac nid allan o'r meddwl ymenyddol. Ond mae 'na wirionedd yno, oherwydd ar ôl i ni briodi mi aethon ni i fyw i Lundain. Dyna'r adeg oedd gen i fwyaf o gydymdeimlad efo'r chwith. Pan o'n i'n byw yn Ashburnham Mansions, yn Chelsea, roedd 'na dlodi mawr o gwmpas, ond roedd o'n dlodi i bawb. Ro'n i wrth fy modd efo'r system ddogni, er enghraifft, oedd yn cael ei chyfrif yn fwrn ar bawb, ond ro'n i o'i phlaid hi'n llawen iawn, oherwydd roedd o'n golygu fod pawb yn cael yr un peth, tegwch. Ro'n i'n hoff o'r holl beth fy hun. Hynny yw, roeddach chi'n mynd i nôl sudd oren a *cod liver oil* ar gyfer eich plentyn ac fe gâi pawb yr un peth yn union. A'r un peth efo menyn, siwgr, beth bynnag oedd yr anghenion, roedd pawb yn cael yr un peth, i mi roedd hynny'n ymylu ar fod yn rhyw fath o nefoedd sosialaidd. Roedd hi hefyd yn digwydd bod yn adeg reit hapus yn ein bywyd ni. Doedd gynnon ni ddim arian gwerth sôn amdano fo ac roedd hi'n ymdrech fawr i gyrraedd pen draw'r mis. Ond roedd 'na ryw lawenydd arbennig yn perthyn i'r cyfnod i mi. Ond yn raddol roedd yr holl gyfryngau'n dechrau troi yn erbyn y system. Erbyn 1950 roedd y Toriaid a chyfalafiaeth a phob dim yn dechrau dod yn eu hôl. Roedd petrol, er enghraifft, yn dod yn ei ôl, yn lle ei fod o wedi ei ddogni. Dwi'n cofio mynd am dro yn Kings Road efo Patrick Heron, oedd yn dioddef yn arw o'r asma, a sylwi fod yna fwy o fudreddi yn codi o'r ceir ac yntau'n dal ar ei wynt ac yn dweud, '*these bloody cars are coming back*', fel tasa rhyw felltith wedi dod yn ôl. Roedd o'n ddiddorol iawn i mi, fod cyfalafiaeth yn mynd i fygu'r cyfnod yna o degwch. Ella fod hynny wedi cael lot o ddylanwad arna'i.

Wynn Yn y nofelau sgrifennoch chi'r pryd hwnnw, mae'r cymeriadau wedi cael eu gosod ar wahân i'w cymdeithas, ac roedd hynny'n wir amdanoch chithau, on'd oedd e? Ro'ch chi'n byw oddi cartref, yn Llundain, a doeddech chi ddim yn rhan o'r gymdeithas fan honno. Felly mae'n debyg ei bod hi'n naturiol fod gennych chi ddiddordeb mewn rhai oedd wedi cael eu hynysu mewn gwahanol ffyrdd. Mae Hywel yn *A Change of Heart*, er enghraifft, yn teimlo ei fod wedi ymbellhau oddi wrth ei wreiddiau Cymreig; ac yn y nofel *Hear and Forgive* mae David Flint yn treulio cyfnod helaeth yn Llundain, er nad yw'n frodor o'r ddinas.

Emyr Ydi, ac mae o hyd yn oed yn bod yn *Jones*. Mae'n siwr ein bod ni fel unigolion o dro i dro isio 'dianc rhag hon'. Mae o'n rhan o'r holl sefyllfa. Fan draw mae'r man gwyn.

Wynn Mae gennych chi dipyn o gydymdeimlad â'r agwedd honno yn *A Change of Heart*. Ond wedyn mae'r amheuon yn dechrau ymddangos yn *Hear and Forgive*, fel tase'r ddwy nofel yn perthyn i ddau gyfnod ychydig bach yn wahanol. Rŷch chi'n ymbellhau oddi wrth Gymru ac wedyn yn sydyn yn dyheu am ailgysylltu â hi. Mae'n wir mai Sais yw'r prif gymeriad, David Flint, ond mae'r patrwm yna o symud yn ôl i'w gynefin yn ymddangos yn y nofel honno.

Emyr Ac mae'r ddwy, yn enwedig *Hear and Forgive*, wedi eu gwreiddio'n ddwfn iawn ym mhrofiad personol y cyfnod hwnnw. Ro'n i'n dysgu mewn ysgol reit debyg i'r ysgol yn *Hear and Forgive*, ac mi roedd yna sefyllfa wedi codi efo dau o'r staff a oedd yn gomiwnyddion ac yn cael eu herlid i ryw raddau, er nad yn agos mor eithafol ag yn y nofel. Ond mi roedd y prifathro, Mr Jennings, yn dipyn o arwr gen i achos ei fod o wedi'u hamddiffyn nhw. Roedd rhyw lywodraethwyr wedi cwyno fod y plant dan ddylanwad y ddau athro yma. Ro'n i'n hoff iawn o un ohonyn nhw – Iddew, Lubin oedd ei enw fo, a doedd gynno fo ddim syniad sut i gadw trefn ar ddosbarth. Roedd pob math o bethau ofnadwy yn digwydd yn ei ddosbarthiadau fo, ac eto, mi roedd gynno fo ryw ffydd yn ei gomiwnyddiaeth. Roedd yna rywbeth efengylaidd ynddo fo, fel mae'r efengylwyr heddiw, doedd dim byd yn mynd i newid ei feddwl o am natur y byd. Roedd y prifathro yn eu hamddiffyn nhw. Felly mae lot o awyrgylch y nofel yn perthyn i'r ysgol honno fel roedd hi yn y cyfnod hwnnw mewn gwirionedd.

Wynn Rŷch chi wedi sôn yn barod am *A Man's Estate*, a'r argraff rwy'n ei chael yw fod y nofel honno'n arwydd o ryw fath o newid cyfeiriad yn eich hanes chi. Roeddech chi'n sôn am Awstria ac am y dylanwad a gafodd y profiad o fod yno ar eich agwedd chi at Gymru. Allech chi ymhelaethu?

Emyr Ro'n i wedi meddwl am ffurf y nofel yng Nghymru cyn mynd i Awstria, ond erbyn cyrraedd yno doedd dim modd mynd ymlaen efo dim byd yn iawn. Felly ro'n i'n falch o gael dod yn ôl i Gymru ar ddiwedd y flwyddyn. Ar ôl dod yn ôl i Gymru mi wnes i sgwennu *A Man's Estate*, nid yn Awstria, er fy mod i wedi trio a thrio yn fan'no.

Wynn Ysgwn i a ydi hynny'n esbonio i raddau y telynegrwydd dwys sy yn *A Man's Estate*. Mae'r ymwybyddiaeth o'r tirlun a'r gwerthfawrogiad o gefn gwlad yn ymddangos yn ffres iawn. Dyw'r ymateb hwnnw ddim i'w gael yn y nofelau ro'ch chi'n eu sgrifennu yn union cyn hynny. Ond mae'r amgylchfyd yn bresenoldeb byw yn y *A Man's Estate*.

Emyr Ydy. Ro'n i'n mynd yn ôl, dwi'n meddwl, at ryw fath o *idyll*; rhyw ddelwedd ddelfrydol o'r hyn oedd y gymdeithas Gymraeg uniaith ro'n i wedi'i gweld yn Llanfaglan yn ystod y rhyfel. Cyfnod oedd hwnnw oedd wedi dod i ben erbyn i mi sgwennu *A Man's Estate*; cyfnod cyn y tractor hyd yn oed. Roedd o'n edrych fel byd reit ddelfrydol ar y pryd.

Wynn Ond mae 'na amwysedd yn y ffordd rŷch chi'n trin y gymdeithas honno yn *A Man's Estate*, oherwydd rŷch chi'n dangos y rhwystredigaeth oedd o fewn y gymdeithas i ni, y brad a'r ddichell sy'n rhan ohoni. Rŷch chi hefyd yn trin cymeriad Hannah yn ddiddorol iawn, yn arbennig ei breuddwydion a'i gobeithion hi. Mae hi'n credu y bydd rhywun, sef ei brawd, yn dod o gyfeiriad Lloegr i'w hachub hi, ac mae'r iaith y mae hi yn ei defnyddio yn debyg iawn i iaith y disgwyl am y mil blynyddau; y disgwyl am ddyfodiad yr achubwr, y Meseia, y mab darogan. I ba bwrpas oeddech chi'n defnyddio'r patrwm hwnnw? Yr argraff a gaf i yw bod collfarnu, er yn anfwriadol falle, ar duedd y Cymry i ddisgwyl y daw rhyw achubiaeth iddyn nhw o'r tu allan, a'u parodrwydd i gredu eu bod nhw'n analluog i wneud unrhywbeth ar eu cyfer nhw'u hunain. Maen nhw'n disgwyl i rywun ddod o gyfeiriad Lloegr i'w hachub nhw. Ydi hwnna'n ddehongliad teg?

Emyr O'r isymwybod eto, ella. Mae 'na ryw fath o ddisgwyl pethau gwych i ddod o ryw gyfeiriad arall. Ond wrth gwrs mae o'n adlewyrchiad o gyflwr y ddynoliaeth, i raddau. Hynny yw, mae 'na ddisgwyl sy'n rhan o'n cyfansoddiad ni, nid jyst y Cymry ond y ddynoliaeth yn gyffredinol. Mae 'na ddisgwyl cyson am achubiaeth. Mae o'n hanesyddol wir. Mae o'n rhan o bob crefydd orllewinol; yn wahanol iawn i'r dwyrain. Dw'i ddim yn gwybod digon am Fwdistiaeth a Hindwaeth, ond os ydw i wedi dallt yn iawn dydyn nhw ddim yn disgwyl am yr un peth. Yr hyn maen nhw'n ei ddisgwyl ydi cael eu llyncu a bod yn rhan o'r cwbl. Ond rydan ni yn y gorllewin yn disgwyl rhyw fath o arwr i'n cysylltu ni efo'r duwdod neu efo ffynhonnell y greadigaeth. Ac yn yr oes seciwlar hon mae hynny wedi cael ei drosglwyddo i'r syniad o grefydd gomiwnyddol neu ffasgaidd neu beth bynnag; mae o'n golygu fod yn rhaid i chi gael arweinydd ac mae'n rhaid i hwnnw gymryd arno rhyw ymgnawdoliad. Dyna ydi Hitler a Stalin, ymgnawdoliad o dduwdod.

Wynn Mae gennych chi ddiddordeb yn y mythau oesol, on'd o's e, ac yn y ffurfiau mae'r mythau hynny'n eu cymryd yn ein hoes 'oleuedig' ni?

Emyr Mae 'na rai pethau na fedrwch chi mo'u newid nhw. Hyd yn oed os ydach chi'n dileu crefydd yn gyfan gwbl, neu'n dileu crefydd o'r *equation*, wedyn mae pethau fel Darwiniaeth yn troi'n grefyddau, yn esboniad ar gyflwr dyn. Dydi'r sefyllfa ddim yn newid. Mae yna rai pethau hollol ddigyfnewid. Ac eto dydi un genhedlaeth byth yr un fath â chenhedlaeth arall.

Wynn Fydde hi'n wir dweud eich bod chi wedi ymddiddori mewn mythau gwahanol yn ystod cyfnodau gwahanol o'ch gyrfa?

Emyr Bydda. Yn y pumdegau yn arbennig, a dechrau'r chwe-degau, a chyn hynny hwyrach, ro'n i'n ymhyfrydu'n arw ym mythau chwedlonol y byd clasurol, Groeg yn arbennig, llyfrau fel un Robert Graves *The White Goddess*, a'r gyfres wnaeth o am y mythau. Dwi'n cofio rhywbeth reit ddigri. Adeg geni un o'r plant, dwi ddim yn cofio pa un, mi es i â llyfr i'r ysbyty, darllen ysgafn i Elinor, *Greek Drama* gan F. L. Lucas! Mae'n amlwg fy mod i'n cymryd diddordeb mawr yn hynny ar ddechrau'r pumdegau. Ond yn raddol, fel yr adlewyrchir yn y llyfrau, mi es i yn ôl fwyfwy at chwedlau Cymreig, Celtaidd, yn arbennig y Mabinogi; ac mae rheiny'n pwyso'n drwm ar y gyfres 'The Land of the Living'.

Wynn Fydde fe'n deg dweud bod *The Italian Wife*, er enghraifft, yn gynnyrch y cyfnod cynharach?

Emyr Bydda, yn sicr. Stori Phèdre ydi honno, neu ymgais at hynny.

Wynn Fydde fe'n deg, hefyd, dweud bod yna ddwy wedd ar eich diddordeb chi mewn myth. Mae gynnoch chi ddiddordeb, ar y naill law, mewn pethau oesol a'r ffordd mae rheiny yn gallu ymrithio o'r newydd o genhedlaeth i genhedlaeth, hyd yn oed pan fo'r cenedlaethau hynny'n anymwybodol o bresenoldeb y myth yn eu plith nhw. Dwi'n teimlo weithiau eich bod chi'n credu bod y ffordd mae'n hoes ni yn cyfryngu mythau yn ffordd lygredig o'i chymharu â ffordd yr oes a fu. Y wedd arall yw'ch diddordeb chi yn y modd y mae myth yn gweithredu mewn hanes, y gred sydd gan ambell genedl, er enghraifft, ei bod hi wedi ei thynghedu i chwarae rhan allweddol mewn hanes. Ac mae'r myth hwnnw'n ymddangos o'r newydd, ac yn ei fynegi'i hun o'r newydd, o genhedlaeth i genhedlaeth mewn gwahanol ffyrdd. Fydde hynny'n wir?

Emyr Bydda, dwi'n meddwl. O safbwynt y math o nofelydd ydw i, mae cael adeiladwaith chwedlonol yn gweithio'r ddwy ffordd. Mae o'n gweithio fel rhyw fath o esboniad ar gyflwr y gymdeithas rydach chi'n ei hastudio, neu rydach chi'n ymhyfrydu ynddi neu'n edrych arni. Mae hi fel chwarel lle rydach chi'n gweithio. Ond mae'r chwedlau hefyd yn gweithredu fel strwythur, fel adeiladwaith i'r gwaith ei hun. Rydach chi'n cael y cerrig yn y chwarel ond rydach chi isio'r chwedl hefyd fel rhan o'r cynllun, y *blueprint* ar gyfer beth rydach chi'n mynd i'w adeiladu. Mae 'na densiwn o'r ddau gyfeiriad yn yr elfen honno. Yn y cyfnod cynnar ro'n i'n pwyso lot fwy ar chwedloniaeth oedd yn codi mewn ffordd o ffynonellau llenyddol, yn yr ystyr fy mod i, deudwch, yn edmygu gwaith T. S. Eliot, neu awduron yn y cyfnod hwnnw oedd yn pwyso ar chwedloniaeth ar gyfer eu dramâu mydryddol. Ac mae'n siwr fy mod i wedi meddwl, 'os ydi o'n gweithio i ddramâu mydryddol neith o weithio i nofel hefyd'. Mae o'n ffordd o edrych ar gyflwr eich cymdeithas a'ch cyfnod hefyd. Ond yn raddol mi wnes i symud o'r safbwynt clasurol, canolog, Ewropeaidd yma at chwedloniaeth Gymreig yn uniongyrchol. Ro'n i'n teimlo y mwya'n y byd oedd rhywun yn ei ddarllen am y Mabinogi a hanes Cymru fel y mae o'n cael ei gyflwyno i ni trwy lenyddiaeth yn arbennig, o'r Hengerdd hyd at Saunders Lewis a'r cyfnod presennol, fod yr elfen chwedlonol yn hanfodol i gymdeithas a bod y gymdeithas yn gwneud defnydd ohoni. Mi ddarllenais i rywdro fod Howel Harris a William Williams Pantycelyn yn trafod yr Hengerdd er mwyn ymlacio gyda'r nos ar ôl bod wrthi'n efengylu trwy'r dydd, a'u bod nhw'n ymddiddori yn yr un pethau'n union ag oedd y Morisiaid a Goronwy Owen. Roedd hynny'n fy ngoglais i'n arw ar y pryd. Yn *The Taliesin Tradition* dwi'n gwrthgyferbynnu Goronwy Owen a William Williams Pantycelyn, gan awgrymu fod eu hagwedd greadigol nhw at chwedloniaeth a hanesyddiaeth yn hollol wahanol er eu bod nhw'n dod o'r un ffynhonnell yn union.

Wynn Mae e wedi fy nharo i o bryd i'w gilydd fod y nofel *The Voice of a Stranger* yn ymdebygu i raddau i *Othello*, lle mae Desdemona yn ddiniwed a'i gŵr yn cael ei gamarwain gan un sy'n ymddwyn fel ffrind iddo ond sydd mewn gwirionedd yn ei fradychu. Yr un yw'r patrwm yn *The Voice of a Stranger*. Oeddech chi'n ymwybodol o hynny wrth ei hysgrifennu hi?

Emyr Dwi'n meddwl fy mod i'n ymwybodol o hynny. Dwi'n trio bod yn hollol onest, mae'n hawdd bod yn ddoeth ymhen blynyddoedd. Ond dwi'n cofio fod gen i ddiddordeb byw iawn yn y theatr ar y pryd. Mae'n debyg fy mod i wedi sgwennu honno cyn fy mod i wedi dod i nabod Richard Burton er enghraifft, ond dwi fel taswn i'n cofio fod yna dymor arbennig o lwyddiannus gan yr Old Vic yn y cyfnod pan o'n i wedi priodi gyntaf, ac yn byw yn Llundain. Olivier a Richardson, rhyw gyfnod clasurol tu hwnt. Doedd *Othello* ddim yn un o'r rhai ddaru nhw berfformio, ond dwi'n cofio fy mod i wedi gwirioni ar Shakespeare, yn yr un ffordd ag y mae John Gwilym Jones yn cydnabod ei fod o wedi gwirioni ar Shakespeare. Ond dwi ddim wedi bod yn clochdar ynglŷn â hynny! Dwi'n cofio pan es i i mewn i weithio yn y BBC yn 1955 fel cynhyrchydd drama y peth cyntaf wnes i ddweud yn y cyfweliad am y swydd oedd fy mod i'n mynd i wneud hyn a'r llall ond, *'no Shakespeare!'*.

Wynn Rwy am drafod y nofelau sgrifennoch chi tra o'ch chi'n gweithio i'r BBC. Wrth gwrs, y fwyaf ohonyn nhw o ran ei llwyddiant oedd *Y Tri Llais/A Toy Epic*. Os cofia i'n iawn, hanes hwnnw oedd fod angen rhyw waith arnoch chi y gallech chi ei ddarlledu, ac o'r herwydd, aethoch chi i chwilio ymhlith eich llawysgrifau a darganfod rhyw ddarn o waith anorffenedig?

Emyr Hywel Davies, oedd yn Bennaeth Rhaglenni, a fi oedd i fod yn gyfrifol am y ddrama yn y cyfnod hwnnw ar y teledu a'r radio. Roedd o'n dweud fod yna brinder ofnadwy o ddeunydd darlledu yn Gymraeg. Yn rhyfedd iawn y cof sydd gen i ydi fod yna bob amser beth wmbredd mwy o Saesneg yn dod i mewn heb ofyn amdano fo nag o Gymraeg. Felly roedd hi'n hollol lwm a dyma Hywel yn dweud, 'wel, gwna di o dy hun'. Dyma fi'n mynd adra yn boenus iawn achos do'n i ddim wedi trio gwneud dim byd helaeth yn y Gymraeg o'r blaen a dyma fi'n cael syniad am gyfres, *Y Tri Llais*. Wedyn mi wnaethon ni *A Toy Epic* ar sail y gyfres honno.

Wynn A dyna'r unig enghraifft hyd heddiw o nofel Gymraeg gynnoch chi, er bod nifer o'ch nofelau chi wedi cael eu trosi.

Emyr Ia, honno ydi'r unig un sgwennwyd yn Gymraeg yn wreiddiol. Roedd gen i fwy o hyder bryd hynny oherwydd fod fy nhad-yng-nghyfraith yn byw efo ni, ac ro'n i'n medru pwyso arno fo, gan fod ei Gymraeg o'n hollol gadarn, yn achos rhyw fân bethau fel treigladau a oedd yn dipyn bach o boen, ac sy'n dal i fod yn boen i rywun sy'n ail iaith. Ro'n i'n ennill hyder, felly ro'n i'n mynd ati efo rhyw fath o huodledd dilyffethair ac wedyn yn mynd ato fo i'w gywiro fo. Ond doedd hynny ddim yn bosibl ar ôl iddo fo fynd, wrth gwrs. Dwi ddim wedi bod mewn sefyllfa debyg ers hynny.

Wynn O bryd i'w gilydd rŷch chi wedi datgan rhyw anfodlonrwydd â'r ffaith eich bod chi wedi methu â sgrifennu trwy gyfrwng y Gymraeg. Yn eich nofelau rŷch chi'n ymdrin yn aml â'r bywyd Cymreig, ag unigolion sy'n siarad Cymraeg, ac eto rŷch chi'n eu trin nhw fel rhai sy'n siarad Saesneg. Beth yw'ch teimladau chi ynghylch y broblem hon o ymdrin â'r gymdeithas Gymraeg trwy ddefnyddio iaith sy'n estron i'r gymdeithas honno, sy'n anghydnaws â hi, ac sydd hyd yn oed yn elyniaethus iddi o bryd i'w gilydd?

Emyr Mae o wedi bod yn boen ac yn bryder ac yn swmbwl yn y cnawd am yr holl gyfnod dwi wedi bod yn sgwennu, achos ro'n i'n dechrau sgwennu a dechrau dysgu Cymraeg tua'r un adeg a chan fy mod i'n araf i ddysgu ond heb fod yn araf i fynegi fy hun mae hi wedi bod yn dipyn bach o gystadleuaeth ar hyd y ffordd. Dwi'n ymesgusodi'n aml iawn, nid arna i mae'r bai bob tro, ond ar y llaw arall mae 'na bobl wedi torri trwodd ac wedi llwyddo i sgwennu pethau hir yn Gymraeg fel ail iaith. Ond roedd 'na elfen o ryw fath o hunanladdiad yn y peth hefyd, achos ro'n i'n gweithio mor rhwydd ac mor rhugl yn y Saesneg, doedd o ddim yn boen. Ar y llaw arall roedd y broblem yn codi dro ar ôl tro. Dwi'n cofio pan o'n i'n sgwennu'r gyfres 'The Land of the Living', ro'n i'n teimlo ar hyd yr adeg y dylai o leiaf un o'r rheiny fod yn Gymraeg. Roedd gen i uchelgais i gwblhau'r gyfres efo cyfrol yn Gymraeg – ond wnes i ddim llwyddo. Ar y llaw arall dwi wedi cyfieithu *Outside the House of Baal* i'r Gymraeg o dan y teitl *Argoed*. Fe drosais i rannau helaeth ohoni ar gyfer y teledu, ond tydi honna erioed wedi cael ei chynhyrchu. Dwi ddim wedi cael llawer o *rapport*, neu lwyddiant, efo cynulleidfa fyddai'n ddigonol i barhau i ymdrechu mewn ffurf arbennig. Mae 'na bellter rhyngddo'i a'r gynulleidfa Saesneg; ond mae 'na bellter rhyngddo'i a'r gynulleidfa Gymraeg hefyd, a dwi'n byw mewn tir neb. Ella y dylai 'Tir Neb' fod yn deitl ar nofel arall! Dyna ydi anffawd y cyflwr dwyieithog 'ma, a hon fydd problem fawr y genhedlaeth sy'n codi, dwi'n siwr. Mae hi'n broblem anferth.

Wynn Ond rŷch chi'n fodlon iawn â'r cyfieithiadau o *The Little Kingdom* (*Darn o Dir)*, ac *A Man's Estate* (*Etifedd y Glyn*), on'd ŷch chi?

Emyr Mi wnaeth fy nghyfaill W. J. Jones gyfieithu'r rhan fwyaf o'r ddwy ond mi wnes i'r can tudalen cyntaf o *Darn o Dir*. Pan wnaeth o *Etifedd y Glyn*, fe'i symudodd hi, gyda fy nghyd-syniad i, i'r de, i Geredigion. Wedyn ar gyfer *Brodyr a Chwiorydd* a wnes i ar gyfer radio a theledu, mi wnes i eu symud nhw yn ôl i'r gogledd. Fi piau'r rheiny, fo piau'r llall; fo piau Sir Aberteifi, fi piau Gwynedd.

Wynn Rŷch chi wedi dyfalbarhau ac wedi ceisio mynegi rhyw gymaint o brofiad y gymdeithas Gymraeg trwy gyfrwng y Saesneg; ond beth yw'r prif anawsterau yn eich barn chi a sut ŷch chi wedi ceisio ymdopi â'r problemau hynny?

Emyr Erbyn hyn dwi'n cael mwy o flas ar sgwennu deialog yn Gymraeg nag yn Saesneg ar gyfer y gymdeithas yng Nghymru. Ond mae fy rhyddiaith naratif i yn dal i fod yn fwy rhugl a rhwydd yn Saesneg nag yn Gymraeg. Dwi'n meddwl fod yna ryw fath o hollt yn fan'na. Y feddyginiaeth fawr ro'n i'n ei gweld pan oedd S4C a'r darlledu yn Gymraeg yn ehangu, oedd fy mod i'n medru anghofio am y broblem ryddiaith a naratif a mynd yn syth at y stori a'r chwedl a'i mynegi hi mewn golygfeydd a deialog, beth mae pobl yn ei ddweud a beth mae pobl yn ei wneud, a bod hynny'n fy siwtio fi'n dda iawn. Ro'n i wrth fy modd, ond dwi ddim yn siwr ei fod o'n siwtio'r gynulleidfa. Mi wnaethon ni ddwsin neu fwy o ffilmiau teledu yn Gymraeg, mwy na hynny ella, ro'n i'n gysurus iawn efo'r ffurf yna ac yn hapus i'w wneud o'n Gymraeg. Faswn i ddim yn dymuno'i wneud o'n Saesneg. Yr unig bethau wnaethon ni yn Saesneg oedd rhaglenni am hanes Kate Roberts ac am y Mabinogi, rhyw bethau felly oedd yn esbonio pethau i'r gynulleidfa ddi-Gymraeg yng Nghymru neu Loegr.

Wynn Fel mae'n digwydd, fe sgrifennwyd *Y Tri Llais* ar gyfer ei darlledu. Mae hi'n enghraifft ddiddorol iawn, felly, o ddrama radio sydd wedyn yn cael ei chyhoeddi fel nofel. Os edrychwch chi o chwith ar eich profiadau chi yn y cyfnod hwnnw, i ba raddau a wnaeth gweithio yn y cyfryngau newydd yma, radio a theledu, ddylanwadu ar eich dull chi o ysgrifennu nofelau? Mae'n debyg iddo fe gael cryn dipyn o ddylanwad yn y pen draw?

Emyr Do, yn bennaf oherwydd symlrwydd y dulliau. Mae o'n bwnc reit gymhleth ac eto mae o'n berffaith syml hefyd. I fyny at enedigaeth y cyfryngau newydd, ffilm, radio a theledu, mi roedd yna hollt bendant rhwng y ddrama ar y naill law, a oedd yn cael ei pherfformio ar lwyfan ac a oedd yn byw ac yn bod o funud i funud o flaen eich llygaid chi mewn perthynas uniongyrchol â'r gynulleidfa, a rhyddiaith naratif ar y llaw arall, lle roedd yr awdur yn sbïo dros ei ysgwydd ar gyfres o bethau oedd wedi digwydd yn y gorffennol neu oedd yn digwydd ar y pryd, neu hyd yn oed oedd yn mynd i ddigwydd yn y dyfodol. Yn yr achos hwnnw mae'r awdur mewn perthynas hollol wahanol â'i gynulleidfa. Er enghraifft, mae dyn yn sgwennu llyfr ar gyfer ei ddarllen gan un dyn arall ar y tro ac nid ar gyfer cynulleidfa. Ond gyda dyfodiad ffilm a theledu mae'r gwahaniaeth yn cael ei ddileu oherwydd bod y ffurfiau newydd yma'n golygu cymysgedd o'r dramatig a'r naratif a'r epig, o siarad mewn cywair clasurol. Mae'r epig yn sbïo yn ôl, tra bo'r ddrama'n digwydd o flaen eich llygaid. Yn y ffilm ac efo radio a theledu mae'r cwbl yn gymysg, wedyn mae modd defnyddio dulliau'r ddrama a dulliau'r chwedl a'r nofel a'r stori ar yr un pryd. Felly ro'n i'n teimlo fod y darganfyddiadau hyn yn bwydo yn ôl i mewn i'r nofel ysgrifenedig ac fy mod i, er enghraifft, gyda *Outside the House of Baal*, yn creu nofel sy'n gyfres o olygfeydd, fel stori fer gryno lle nad oes yna ddim byd yn cael ei gofnodi ond beth mae pobl yn ei ddweud a beth maen nhw yn ei wneud. Dydach chi ddim yn clywed llais yr awdur. Mae fel petai'r camera a'r microffon yn bresennol ac yn recordio'r cyfan mewn rhyw ddull hollol amhersonol. Ro'n i'n meddwl, yn fy niniweidrwydd, y byddai hwn yn ffurf fyddai'n apelio at genhedlaeth o bobl oedd yn mynd i gael eu magu ar y cyfryngau newydd, ond dydi o ddim wedi digwydd felly o gwbl.

Wynn Pam nad yw e wedi gweithio ma's? Ydi'ch dadansoddiad chi'n anghywir?

Emyr Mae'n siwr fod yna ryw nam difrifol yn rhywle yn y dadansoddiad, ond dydi o ddim wedi digwydd, ddim mewn unrhyw ffordd. Ac eto pan ewch chi at y ffilmiau mawr rhwysgfawr sy'n cael eu gwneud, mae 'na domen, llond tŷ, o bapur y tu ôl iddyn nhw. Mae 'na sgwennu diddiwedd yn mynd ymlaen ar gyfer fersiwn ar ôl fersiwn, a'r ffilm fel tasa hi'n nod a phwrpas i'r holl waith. Mae hynny'n eironig mewn ffordd, oherwydd mae'r gwaith mawr yn cael ei wneud cyn i chi weld y ffilm, a'r ffilm ydi'r peth mwyaf arwynebol, mwyaf hawdd ei lyncu, y gallwch chi feddwl amdano fo! Ond mae'r holl waith sydd wedi mynd i mewn i greu y rhwyddineb yna yn aruthrol ac yn fan'na mae'r diddordeb mewn ffordd.

Wynn Rŷch chi'n sôn yn fan'na am eich cred chi fod rhyw fath o gysylltiad rhwng y profiad o wylio teledu neu ffilm ar y naill law a'r profiad o ddarllen nofel ar y llaw arall. Ac yn ystod y chwedegau fe geisioch chi sicrhau fod y nofel yn elwa ar yr hyn oedd yn digwydd yn y cyfryngau newydd. Ond rŷch chi hefyd wedi sôn o bryd i'w gilydd am y gwrthgyferbyniad rhwng y profiad o ddarllen a'r profiad o wylio ffilm neu deledu. Rŷch chi wedi cyfeirio at y ffordd mae'r cyfryngau hynny'n eich gwneud chi'n wyliwr goddefol sy'n gwneud dim ond traflyncu'r hyn sydd ger ei fron. Does dim disgwyl i'r gwyliwr wneud rhyw lawer o waith dehongli, a dyw'r cyfrwng ddim yn caniatáu rhyw lawer o ryddid iddo fe. Ond profiad i'r gwrthwyneb yw'r profiad o ddarllen eich nofelau chi. Rŷch chi'n adfer rhyddid y darllenydd. Dyw'r testun ddim yn dweud wrtho fe sut i ymateb. Mae'n achosi iddo fe synfyfyrio uwch ei ben e.

Emyr Ia, mewn ffordd yr hyn sydd wedi digwydd ydi fod golygfeydd y ddrama glasurol wedi cropian yn ôl i mewn i ffurf y nofel. Pan ydach chi'n edrych ar y ddrama glasurol, Shakespeare neu rywbeth felly, pan ydach chi'n ei gweld hi ar bapur, dim ond golygfeydd pur sydd 'na, does 'na ddim cyfarwyddiadau, does 'na ddim byd yno dim ond y geiriau. Mae'n rhaid i'r cyfarwyddwr a'r actor wneud eu rhan a chreu drama lwyfan weladwy. Mae o'r un fath â cherddoriaeth, yr hyn sydd 'na ydi nodau ar bapur sy'n cael eu creu yn simffoni. I ryw raddau ro'n i'n sgwennu *Outside the House of Baal* gan ddisgwyl fod y darllenydd yn barod i wneud ryw ychydig o waith, gwaith tebyg i waith cynhyrchydd, deudwch, sydd wedi cael sgript ac sy'n mynd i gymryd rhan yn y creu.

Wynn Mae hwnna eto yn awgrymu rhyw fath o baralel arall, sef fod yna gysylltiad rhwng eich diddordeb chi yn y pumdegau yng ngwaith Brecht a'ch dull chi o sgrifennu; oherwydd roedd Brecht yn gwneud yn fawr o'r cyfle oedd gan y darllenydd neu'r gwyliwr i greu ei ddehongliad ei hun, a drwy hynny darganfod mwy amdano'i hun ac am ei le yng nghynllun hanes. Oedd hwnna hefyd yn fwriad gennych chi?

Emyr Oedd, dwi'n meddwl, achos yn y cyfnod hwnnw, rhwng Beckett a Brecht roedd 'na fath o chwyldro wedi digwydd ym myd y ddrama ac ym myd cyfathrebu.

Wynn Ac mae cynildeb Beckett yn go agos at y math o gynildeb sy yn *Outside the House of Baal*, on'd yw e?

Emyr Ydi, mae o. Roedd Brecht yn galw techneg debyg yn *Verfremdungseffekt*, rhyw air ffug-athronyddol oedd hwnnw i raddau. Beth oedd o'n ei ddweud mewn gwirionedd oedd, 'fy nod i ydi procio'r gynulleidfa fel eu bod nhw'n neidio allan o'u seti ac yn gwneud rhywbeth ynglŷn â'r sefyllfa dwi wedi ddangos iddyn nhw'. Hynny yw, roedd o am i'r gynulleidfa gymryd rhan yn y ddrama, syniad sy'n hollol groes i *Verfremdungseffekt* mewn gwirionedd, gan nad dieithrio y mae o am ei wneud ond cynnwys y gynulleidfa. I'r un graddau mi faswn i'n dweud fy mod i wedi ymdrechu i gynnwys y gynulleidfa yn y darllen, am nad ydw i'n gorfod egluro i'r darllenydd sut i deimlo na sut i feddwl ynglŷn â beth sy'n digwydd. Maen nhw'n medru dod i'r casgliad hwnnw eu hunain o'r hyn sy'n mynd ymlaen o flaen eu llygaid nhw.

Wynn Mae'r un peth yn wir, i raddau, am foderniaeth fel y cyfryw on'd yw e? Mae gweithiau celfyddydol y modernwyr yn dueddol o roi llawer o'r cyfrifoldeb ar y darllenwyr i ddeall yr hyn sy'n cael ei gynhyrchu. Fe wn i adeg yr ysgrifennoch chi *Outside the House of Baal* fod gennych chi ddiddordeb arbennig, er enghraifft, yng nghelfyddyd lluniau. Ac o edrych ar eich llyfr nodiadau chi ar y pryd, mae dyn yn sylwi eich bod chi'n sôn am gyfosod y golygfeydd fel tasech chi hefyd yn gosod lliw wrth liw, a bod saernïo nofel yr un fath â'r hyn bydde Gwyn Thomas yn ei alw'n 'symud y lliwiau'.

Emyr Ro'n i'n digwydd bod yn gyfeillgar â'r arlunydd Patrick Heron a thrwyddo fo wedi dod i adnabod pobl fel Terry Frost a Roger Hilton; roeddan nhw i gyd yn arbrofi ym myd yr haniaethol, yr *abstract*, sut i greu byd allan o liwiau'n unig. Roedd o'n rhan o feddwl creadigol y cyfnod. Erbyn hyn mae hynny wedi mynd yn henffasiwn, mae pobl yn tueddu i edrych i lawr eu trwynau ar yr holl gyfnod hwnnw, ond mi roedd o'n ddylanwadol iawn ar y pryd.

Wynn Peth arall sy'n fy nharo i yw bod *Outside the House of Baal*, ynghyd â *Y Tri Llais/ A Toy Epic*, wedi ymddangos pan oedd y genhedlaeth honno a oedd yn gynnyrch oes aur y diwylliant Anghydffurfiol yng Nghymru yn araf ddiflannu o'r tir. Rwy'n eich cofio chi'n sôn, er enghraifft, am y profiad o sylweddoli hynny yn achos eich tad-yng-nghyfraith, a hefyd yn achos eich mam. Felly, roedd y nofelau hynny yn gynnyrch cyfnod pan oeddech chi'n ymwybodol fod cynrychiolwyr rhyw fyd arbennig ar fin diflannu.

Emyr Roeddach chi'n ei weld o'n llythrennol oherwydd roedd

fy nhad-yng-nghyfraith a fy mam wedi cael eu geni mewn cyfnod lle nad oedd yna ddim ceir modur, er enghraifft, ac wedi gweld y byd yn newid yn ddirfawr. Yn y cyfnod pan oeddan ni'n byw ym Mhenarth roedd y Sputnik wedi cael ei yrru i'r gofod, ac felly roedd 'na fwlch aruthrol rhwng cyfnod eu plentyndod nhw a'r dwthwn hwnnw. Roedd fy nhad-yng-nghyfraith wedi cael ei fagu mewn cymdeithas uniaith Gymraeg yn Sir Fôn. Mi welodd fy mam holl fyd glannau môr y Rhyl a Phrestatyn yn newid yn llwyr. Roedd yna newid aruthrol yn digwydd yn gymdeithasegol, mewn credo ac mewn athroniaeth byw ac ystyr bywyd. Roedd yr hen fyd yn darfod ac ro'n i fy hun yn teimlo fod hynny'n beth ofnadwy, oherwydd doedd yna ddim byd gwell yn mynd i gymryd ei le fo, pethau gwaeth oedd ar ddod. Er ei holl ffaeleddau mi roedd y gymdeithas ymneilltuol Gymreig yn gymdeithas efo rhyw fath o asgwrn cefn a rhyw siâp a rhyw ystyr iddi. Roeddan nhw'n bobl oedd yn credu'n gryf iawn yn eu pethau ac yn ffyddlon iawn i'r pethau hynny ac yn dilyn ffordd o fyw oedd yn prysur ddarfod o flaen ein llygaid ni. Roedd o'n digwydd yn hwyr iawn yng Nghymru. Roedd hyn wedi digwydd ar y Cyfandir ar ôl y Rhyfel Byd Cyntaf ac yn Lloegr yn ystod y cyfnod rhwng y ddau ryfel, ond roedd 'na ryw fath o dawelwch rhyfedd, fel y tawelwch o flaen storm, yn y pymtheng mlynedd ar ôl y rhyfel yng Nghymru. Ond erbyn dechrau'r chwedegau roedd y daeargryn wedi cyrraedd ac roedd y capeli'n gwagio; roedd pob dim yn newid.

Wynn I ba raddau ro'ch chi'n ymateb yn *Outside the House of Baal* i'r argyfwng hwnnw a symbylodd Saunders Lewis i rybuddio'r genedl ynghylch tynged yr iaith? Oherwydd fe ddarlledwyd ei ddarlith e yn 1962, a dyna'r flwyddyn ro'ch chi'n sgrifennu'r nofel, mae'n debyg.

Emyr 1963 a 1964. Ia, mae'n siwr eich bod chi'n iawn, achos ro'n i mewn cysylltiad reit agos efo fo yn y cyfnod hwnnw ac yn drwm iawn o dan ei ddylanwad o achos ro'n i'n meddwl ei fod o'n ffigwr allweddol yn hanes Cymru ac yn hanes gwareiddiad yn y rhan yma o'r byd. Do'n i erioed wedi meddwl am hynny nes i chi sôn.

Wynn Hwyrach mai ymateb nofelydd i'r argyfwng a gafwyd gennych chi, ac ymateb proffwyd gan Saunders Lewis?

Emyr Neu *apologia pro vita*, ysywaeth, am eu bywyd nhw!

Wynn Yn y nofel, y dafarn, wrth gwrs, yw tŷ Baal, ac fe sgrifennwyd y llyfr adeg yr ymgyrch yng Nghymru i agor tafarndai ar y Sul.

Emyr Ro'n i'n sylweddoli fy mod i ar ochr y lleiafrif yn y ddadl honno. Dwi'n cofio siarad am y peth efo Saunders ar y pryd, ac efo fy nhad-yng-nghyfraith. Roedd Saunders yn erbyn agor tafarndai ar y Sul, er ei fod o'n gymaint o *gonnoisseur* gwin. Dwi'n ei gofio fo'n dweud wrtha'i fod 'na Dad Pabyddol o'r enw Hughes, o Lerpwl, oedd wedi cychwyn yr ymgyrch dros gau'r tafarnau, a bod ei dad o wedi tynnu'i sylw fo at hyn pan oedd ei dad o'n weinidog yn Wallasey. Beth ddaru lwyddo i gau'r tafarnau ar y Sul oedd dylanwad Methodistiaeth wrth gwrs, ac roedd o'n rhan o arwahanrwydd y Cymry hefyd, drws y dafarn oedd un o'r ychydig ddrysau roeddan ni'n medru'i gau a doedd o ddim yn gweld unrhyw reswm dros ei agor o yn y chwedegau.

Wynn Yn *Outside the House of Baal* mae gwahaniaeth mawr rhwng y genhedlaeth hŷn, J.T. a Kate, a'r genhedlaeth iau, Ronnie a Thea. I ba raddau oedd y ddau olaf yma yn cyfateb i'r gwŷr a'r gwragedd cymharol ifanc hynny roeddech chi'n ymwneud â nhw yn y cyfryngau ar y pryd – yr actorion, yr actoresau, y cynhyrchwyr a'u tebyg y buoch chi'n eu trafod yn *The Gift*, y nofel a gyhoeddwyd o flaen *Outside the House of Baal*?

Emyr Mae'n siwr eu bod nhw'n perthyn yn agos iawn, yn symud yn yr un math o gymdeithas.

Wynn Rwy'n cymryd bod *The Gift* yn nofel sy'n ffrwyth eich profiad chi o weithio yn y cyfryngau o ganol y pumdegau hyd at ganol y chwedegau. A'r hyn sy'n ddiddorol i mi yw'r agwedd amwys at broffesiwn yr actor a amlygir ynddi. Fydde fe'n wir dweud fod yna ryw ran ohonoch chi sy'n closio at actorion, eich bod chi'n cydymdeimlo'n fawr â nhw, a'ch bod chi hyd yn oed yn gweld bod rhywfaint o anian actor yn y nofelydd, sef y gallu i gydymdeimlo, i uniaethu, i ymgolli mewn cymeriad arall? Ond ar y llaw arall, eich bod chi hefyd yn amheus iawn o actorion ac actoresau oherwydd eu bod nhw'n ymgolli'n gyfan gwbl ac yn colli'r gallu i ddadansoddi a phwyso a mesur?

Emyr Ydan, maen nhw'n profi'r temtasiynau mawr. Mae 'na rywbeth arwrol iawn yn eu gyrfaoedd nhw. Ro'n i'n sôn wrthoch chi fy mod i'n licio defnyddio modelau, ac mi roedd gen i fodel hollol bendant, neu ddau, pan o'n i'n creu Sam Halkin yn *The Gift*. Mae o'n gyfuniad o Oscar Quitak a Kenneth Griffith. Ro'n i'n agos iawn atyn nhw yn y cyfnod hwnnw. Ro'n i wedi gweithio cryn dipyn efo nhw, mewn sawl cynhyrchiad, ac yn eu gweld nhw'n agos, bron o'r tu mewn, a ro'n i'n eu hedmygu nhw'n fawr iawn am eu dewrder, achos mae actor yn medru bod allan o waith am ddwy ran o dair o'i fywyd fel gweithiwr, ac ar y llaw arall mae o'n medru bod yn rhyw fath o frenin sy'n medru dewis ei rannau'i hun a dweud, 'wna i hwn, wna i ddim y llall'. Maen nhw'n ffigyrau diddorol iawn.

Wynn Rŷch chi wedi sôn am y modd y dylanwadodd y gwaith a wnaethoch chi yn y cyfryngau ar eich dull chi o sgrifennu nofel. I ba raddau wnaeth cydweithio ag actorion ac actoresau hefyd newid y modd roeddech chi'n sgrifennu?

Emyr Mae'n siwr eu bod nhw wedi cael cryn dipyn o ddylanwad anuniongyrchol. Ro'n i'n trio meddwl rwan am yr actorion Cymraeg ro'n i wedi dod i'w nabod yn dda iawn, Hugh Griffith a Clifford Evans. Ro'n i'n gwneud cryn dipyn o waith efo nhw, ac efo rhai actorion o Loegr fel Oscar Quitak ac Andrée Melly. Ro'n i'n cofio am eu dull nhw o adeiladu cymeriad. Roedd Cliff yn ofnadwy o ddigri, ac ro'n i'n ei gymryd o'n ysgafn i ddechrau. Roedd o'n sgwennu cyfrolau am hanes y cymeriad. Dwi'n ei gofio fo'n cymryd rhan mewn cyfieithiad wnes i o *Y Tad a'r Mab*, Cliff oedd yn chwarae rhan y tad. Roedd o wedi olrhain achau'r cymeriad, roedd gynno fo nodiadau mewn inc coch yn dweud mwy neu lai pwy oedd ei daid o a beth oedd ei yrfa fo cyn i'r hyn oedd yn digwydd o flaen eich llygaid yn y ddrama ddigwydd. Wrth gwrs, dyma gyfnod y *method acting*, roedd 'na sôn mawr am hynny. Ond roedd Hugh Griffith i'r gwrthwyneb. Pan oedd o yn Efrog Newydd yn gwneud *The Waltz of the Toreadors* fe'i holwyd o, *'are you a method actor, Mr Griffith?'*. Ateb Hugh oedd, *'I don't know, but I know I'm a Methodist!'*. Ro'n i'n gweld hynny'n ddiddorol iawn, y gwrthgyferbyniad rhwng y ddau yna, dau actor oedd yn parchu'i gilydd yn fawr iawn, ac eto mewn cystadleuaeth hefyd, fel mae actorion. Roedd o'n ddiddorol ofnadwy i'w gwylio nhw'n fanwl ac roedd gen i barch mawr tuag atyn nhw. Ar wahân i ryfel a phobl oedd yn mentro'u bywydau ac yn creu rhyw fath o arwriaeth, oedd â rhyw *aura* yn perthyn i'w personoliaeth, y bobl oedd yn mentro fwyaf yn ein cymdeithas ni oedd actorion. Roedd 'na rywbeth mentrus iawn yn eu ffordd nhw o fyw oedd yn apelio ata'i. Hefyd, mi fydda i'n cofio am sylw wnaeth Siôn ychydig yn ôl, 'pan rydach chi wrthi'n gweithio ar ddrama mi fedrwch chi newid y plot ond fedrwch chi ddim newid y cymeriad'. Os ydi'r actor yn dewis chwarae Othello neu Iago neu beth bynnag, fan'na mae o, wedi ei wreiddio mewn profiad, a fedrwch chi ddim newid dim arno fo.

Wynn Mae pob actor hefyd yn gorfod cydymdeimlo'n llwyr â'r cymeriad a rhannu profiad hwnnw heb farnu na beirniadu. Rwy'n cymryd fod hynny'n rhan o swyddogaeth y nofelydd yn ogystal.

Emyr Ydi. Peth arall, dwi'n meddwl mai O'Toole glywais i'n dweud fod pob actor yn lladmerydd ei ran ei hun, *'I'm an advocate of my own part'*, does dim ots amdanoch chi'r diawlied, tra dwi ar y llwyfan dwi'n edrych ar f'ôl fy hun! Mae agwedd yr actor unigol mor wahanol i gyfarwyddwr ac mor wahanol i safbwynt yr awdur, mor wahanol i'r gynulleidfa. Mae'r holl berthynas yna'n dod i mewn i ffurf y nofel.

Wynn Oherwydd fel nofelydd rŷch chi'n gorfod chwarae'r rhannau i gyd. Rŷch chi'n gorfod cydymdeimlo o bryd i'w gilydd â phob cymeriad.

Emyr Ydach. Mae empathi'n rhan bwysig iawn.

Wynn Fe ddefnyddioch chi'r gair 'lladmerydd' wrth esbonio sut mae actor yn siarad ar ran ei gymeriad, ac fe ddywedwyd wrtho'i un tro eich bod chi'n ddadleuwr go effeithiol pan o'ch chi'n ifanc, a'ch bod chi'n hoff iawn yn yr ysgol, ac wedyn yn y coleg, o gymryd rhan mewn dadl gyhoeddus. Yr hyn sydd wedi fy nharo i yw fod yna batrwm dadl yn rhai o'ch nofelau chi, er wrth gwrs, nad ŷch chi'n cymryd ochr unrhyw gymeriad, ond yn hytrach yn rhannu'ch cydymdeimlad, a'ch gallu i lefaru, a'ch cyfrifoldeb o fod yn lladmerydd, rhwng nifer o gymeriadau. Ydi hynny'n sylw teg?

Emyr Ydi, dwi'n meddwl ei fod o. Dwi'n fethiant llwyr fel lladmerydd, ac fe fyddwn i'n drychineb fel gwleidydd.

Wynn Am eich bod chi'n rhanedig eich meddwl?

Emyr Ia, am fy mod i'n gweld y ddwy ochr bob amser neu yn tueddu i wneud. Ond pan mae gynnoch chi stori lle mae 'na lot fawr o gymeriadau a holl adeiladwaith y nofel i ofalu amdano fo, mi allwch chi siarad dros sawl un. Hefyd, i ddilyn rhesymeg y pwynt i'r pen, mae'n debyg fod rhaid i chi gael rhyw elfen o ddadl ym mhob golygfa.

Wynn I greu tyndra?

Emyr Ia, mewn rhyw ffordd neu'i gilydd, ddim o angenrheidrwydd fel dadl athronyddol, ond mae'n rhaid i chi gael rhyw fath o densiwn sy'n codi o wahanol safbwyntiau. Y math o beth mae rhywun yn ei gymryd yn ganiataol, ond fod o yna.

Wynn Yn *Outside the House of Baal* a'r *Tri Llais* mae eich agwedd chi at hanes Cymru yn ei amlygu ei hun am y tro cyntaf, ac eithrio *The Little Kingdom.* Tybed, felly, o ble y daeth eich gweledigaeth chi o rediad ac o batrwm hanes Cymru ar hyd yr oesau ond yn arbennig yn y ganrif hon? Rwy'n cymryd, wrth gwrs, fod Saunders Lewis yn ddylanwad mawr arnoch chi. Fydde fe'n wir dweud na fu'r cwrs hanes wnaethoch chi ei ddilyn yn Aberystwyth yn ddylanwad pwysig arnoch chi? Mae'n ymddangos i mi taw fel cwrs allanol y gwnaethoch chi astudio hanes yn y pen draw.

Emyr Ia, ond ro'n i wrth fy modd yn gwneud hanes y canol oesoedd achos roedd yr Athro Treharne, a ddysgai'r cwrs hwnnw, yn gyn-ddisgybl i Stout, un o'r arbenigwyr mawr ar y canol oesoedd. Roedd yna ryw flas rhamantus iawn ar y cwrs. Hefyd roedd yna ddarlithydd ifanc newydd ddechrau ac ro'n i wedi bwriadu mynd o dan ei adain o, Roderick, fo sgwennodd *Wales Through the Ages.* Ond roeddan nhw yn haneswyr proffesiynol, gwrthrychol, oer iawn. Y dyn oedd yn ysgogi fy niddordeb i o ddifri oedd Myrddin Lloyd, roedd o'n ysbrydoliaeth ac wedi bod yn ddisgybl i Saunders Lewis yn Abertawe. Ro'n i'n digwydd aros yn yr un tŷ â Myrddin pan o'n i'n fyfyriwr yn y flwyddyn gyntaf ac mi es i'n drwm o dan ei ddylanwad o ym mhob cyfeiriad. Roedd o'n ddyn amryddawn. Roedd o fel *encyclopaedia* ar ddwy goes. Fo oedd y cyntaf i mi glywed yn sôn am Dylan Thomas, er enghraifft. Roedd o wedi sylwi fod yna fardd pwysig yn codi yn Abertawe. Fo hefyd, am wn i, oedd y cyntaf i roi pat ar fy nghefn i. Dwi'n cofio sgwennu ryw gerddi pan o'n i yn y coleg a'u dangos nhw iddo fo. Roedd gan Myrddin ryw ffordd o edrych arnoch chi. Roedd o'n debyg i dylluan braidd, roedd o'n sbïo arnoch chi fel Minerva, 'wel, mae rhain reit dda, reit ddiddorol,' medda fo, 'cariwch ymlaen'. Dwi ddim yn cofio beth oeddan nhw, rhyw gerddi ar gyfer cylchgrawn y coleg mae'n siwr.

Wynn Felly roedd e'n gallu sôn am orffennol pell Cymru a chydio hynny wrth y Gymru gyfoes?

Emyr Oedd, ac â hanes Ffrainc a'r Cyfandir. Roedd ei ddiddordebau o'n eang iawn, iawn. Mi fyddai Emyr Currie Jones yn cael y *Caernarvon and Denbigh Herald* bob wythnos a Myrddin yn cael y *Nouvelle Revue Littéraire*, felly ro'n i'n gweld darlun newydd o'r byd yn agor o'r ddau gyfeiriad.

Wynn Fe wn eich bod chi'n eich ystyried eich hun yn nofelydd Ewropeaidd. Beth mae hynny wedi ei olygu i chi? Beth yw'r gwahaniaeth rhwng dweud eich bod chi'n nofelydd Prydeinig, fel y gallech chi, gan eich bod chi'n sgrifennu yn Saesneg, a'ch ystyried eich hun yn nofelydd o dras Ewropeaidd?

Emyr Y peth sy'n neidio i'r meddwl, fel maen nhw'n dweud yn Saesneg, ydi mai nid Llundain ydi canol y byd – dyna'r peth cyntaf. Os medra'i roi enghraifft i chi, mae yna elfen *provincial* iawn yn y nofel Saesneg. Hynny yw, mae gen i edmygedd di-ben-draw o Charles Dickens, mae o'n nofelydd mawr, mawr, ac mae'n siwr mai fo ydi'r ail i Shakespeare yn yr iaith Saesneg. Ond wedi dweud hynny rydach chi'n mynd i golli llawer iawn os nad ydach chi'n gwybod am Balzac, Stendhal, Manzoni, Dostoievski, ac uwchlaw pawb yn fy marn i, Tolstoi. Mae'r nofel yn fawr yn Lloegr ond mae hi'n fwy ar y Cyfandir, ac os mai honno ydi'r ffurf rydach chi'n ymdrybaeddu efo hi, mae'n rhaid i chi fod yn ymwybodol o'r holl ffynonellau. Ddylach chi ddim cyfyngu'ch hun. Ga'i roi enghraifft reit annheg mewn ffordd. Dwi'n hoffi gwaith E. M. Forster yn fawr. Mae o'n rhywun baswn i'n medru chwarae ar yr un cae â fo, ac mae o'n sgwennu am yr Eidal yn reit aml, fel dwi wedi trio gwneud yn achlysurol. Ond erbyn i chi graffu arno fo mae o wedi cychwyn rhyw *genre* o Saeson ôl-ramantaidd, ar ôl Shelley a Byron a Keats ac yn y blaen. Maen nhw'n sgwennu am yr Eidal, ond pan ewch chi i sbïo i mewn i'w cymeriadaeth nhw, Saeson ydyn nhw i gyd, Saeson sy'n digwydd bod mewn rhyw fath o amgylchedd ecsotig. Dyna chi *A Room with a View.* Maen nhw yn Fflorens ac mae Fflorens yn blodeuo o'u cwmpas nhw, ond rydach chi'n gweld y lle, yn fy nhyb i, trwy lygaid Sais, llygaid twrist, mwy na hynny, llygaid imperialaidd; llygaid dyn sydd â'r hawl gynno fo i edrych i lawr ar y *'lesser breeds without the law'* ac ar arferion rhyfedd y brodorion. Dyna'r union beth faswn i fy hun, fel nofelydd, yn trio'i osgoi. Os ydw i'n trio sgwennu rhywbeth am yr Eidal, dwi'n trio'i sgwennu o fel taswn i ar yr un lefel â'r brodorion ac nid uwchlaw iddyn nhw. Mae gan y Saeson a'r nofel Saesneg, ar wahân i Lawrence (sydd yn nofelydd mawr iawn yn fy marn i), obsesiwn efo dosbarth ac efo snobyddiaeth a phethau sydd â rhyw fath o *sensibility*, rhyw hydeimlrwydd od, sy'n ymylu ar fod yn annaturiol. Maen nhw'n *obsessed* efo pethau nad oes neb arall yn y byd yn poeni cymaint â hynny amdanyn nhw yn fy nhyb i. Pan mae Cymru gynnoch chi fel testun, a Chymreictod a hanes Cymru a'r cefndir Cymraeg, mae'n rhaid i chi ymysgwyd yn gyfan gwbl oddi wrth hualau'r nofel draddodiadol Brydeinig. Yn hynny o beth ella fod gynnon ni fwy i'w ddweud wrth y nofel yn America. O leiaf maen nhw'n trafod y gymdeithas ar yr un lefel. Mae 'na duedd *'de haut en bas'* yn y nofel Saesneg am ryw reswm; dwi ddim yn gwybod pam. Meddyliwch am Anthony Powell, sy'n nofelydd difyr iawn i'w ddarllen, ond mae o'n ymboeni ynglŷn â haenen fechan fach o gymdeithas ac mae pawb arall yn od yn ei olwg o. Yr unig bobl rydach chi'n eu cymryd o ddifri ydi'ch dosbarth chi'ch hun ac mi rydach chi'n cymryd hynny'n ganiataol. Mae Evelyn Waugh yr un fath yn union. Mae *Brideshead Revisited* yn *prototypical* i mi o holl wendidau'r nofel Saesneg. Mae hi'n nofel sâl iawn ond mae hi wedi cael ei chlodfori i'r cymylau am ryw resymau amherthnasol i beth yw nofel. Roedd y nofelau eraill lot yn well na honno, ond honno sydd wedi cael ei chlodfori.

Wynn Ond mae e'n fy nharo i mai'r cyfnod rŷch chi wedi bod wrthi'n sgrifennu, sef y cyfnod ers yr Ail Ryfel Byd, oedd yr union gyfnod pan beidiodd y nofel Saesneg â bod yn nofel Seisnig, oherwydd bod nofelau wedi eu hysgrifennu ledled y byd, yn y gwledydd hynny sydd bellach yn wledydd ôl-drefedigaethol. Meddyliwch am y nofelwyr sydd wedi ymddangos o'r herwydd, gan gynnwys Janet Frame o Seland Newydd neu Patrick White yn Awstralia, Margaret Atwood, Robertson Davies a Michael Ondaatje yng Nghanada, J. M. Coetzee yn Ne Affrica, neu awduron duon y cyfandir hwnnw, Ngugi, neu Achebe, neu awduron y Brydain newydd, fel Rushdie neu Koreshi, neu rywun fel Toni Morrison o'r Unol Daleithiau sy'n siarad ar ran y duon. Mae 'da chi gyfoeth o nofelau yn y Saesneg y byddwn i'n disgwyl fydde'n apelio atoch chi oherwydd, i raddau, eich bod chi hefyd, fel yr awgrymoch chi, yn awdur ôl-drefedigaethol eich agweddau. Ond dŷch chi ddim wedi ymddiddori rhyw lawer yn hynny ŷch chi? I ba raddau mae eich diddordeb chi yn Ewrop wedi'ch llesteirio chi, wedi'ch atal chi rhag ymddiddori yn y nofelau Saesneg eraill fydde, falle'n, berthnasol?

Emyr Dwi'n siwr eich bod chi'n dweud y gwir. Un peth oedd y diddordeb Ewropeaidd, ond ar y llaw arall hefyd mae oedran. Dwi'n rhy hen. Erbyn eich bod chi'n mynd heibio'r deg ar hugain dydach chi ddim yn derbyn llawer o ddylanwadau o'r tu allan, a faswn i'n dweud mai'r olaf i gael dylanwad mawr arna'i oedd Faulkner ac mae o genhedlaeth sy'n hŷn na fi. Mae'r bobl rydach chi newydd sôn amdanyn nhw rwan lot yn ieuengach na fi.

Wynn Ac wedi dod i'r amlwg yn ystod y deugain mlynedd diwethaf wrth gwrs.

Emyr Mae lot ohonyn nhw'n ddiarth iawn i mi. Dwi'n hoff iawn o ddarllen nofelau, ond mae amser yn brin. Dwi ddim yn hyddysg yn eu gwaith nhw o gwbl.

Wynn Ond roedd William Faulkner o bwys?

Emyr Roedd Faulkner yn bwysig iawn.

Wynn Pryd oedd e bwysicaf i chi fel nofelydd?

Emyr Ro'n i wedi sylweddoli ei fod o'n rhywbeth pwysig iawn yn y cyfnod yn union ar ôl y rhyfel, ond pan es i i Salzburg, roedd Edmund Wilson yno, ac mi roedd o'n sôn am Faulkner fel cyfaill. *'I'm pushing sixty'*, meddai Wilson. Ergyd y peth oedd eu bod nhw'n gyfoedion. Americanwr arall oedd yr un oed â nhw oedd Scott Fitzgerald. Ro'n i'n darllen *The Great Gatsby* eto'n ddiweddar, mae honno'n gampwaith, yr enghraifft orau yn y ganrif yma o nofel fer, mae o'n goblyn o lyfr da. Ond yn y cyfnod hwnnw ro'n i'n cymryd Faulkner cymaint mwy o ddifri na Fitzgerald. Dyna'r adeg ro'n i'n ymgodymu efo *A Man's Estate*. Ro'n i wedi penderfynu cael pedwar llais ac roedd sŵn y peth yn fy mhen i ar y pryd.

Wynn A dyna chi'r ffordd mae hanes yn treiddio i fêr esgyrn pobl yn nofelau Faulkner.

Emyr Ro'n i'n gweld tebygrwydd mawr rhwng y Cymry a phobl y *Confederacy*, mae'n rhaid i mi gyfaddef, dwi ddim wedi'i weld o gymaint â hynny wedyn ond ar y pryd . . .

Wynn Mi ges i'r un profiad yn union. Ŷch chi'n cofio pa nofelau gan Faulkner wnaeth argraff arbennig arnoch chi yn ystod y pumdegau?

Emyr *The Sound and the Fury, As I Lay Dying* a *Light in August*, dwi'n cofio'r tair yna'n fyw iawn. Dwi ddim wedi'u darllen nhw ers hynny, ond yn y cyfnod hwnnw ro'n i'n meddwl eu bod nhw'n wych, a bod Faulkner a'i fyd yn cyfateb i Gymru mewn rhyw ffordd od, yn yr ystyr fod taleithiau'r de wedi cael eu gorchfygu a bod eu Beibl a'u crefydd yn bwysig iddyn nhw. Mae'n wir nad oedd yna ddim sôn am bobl ddu yng Nghymru ond mae yma ryfel dosbarth sy'n cyfateb mewn ffordd.

Wynn Rŷch chi hefyd wedi cydnabod bod gwaith Joyce wedi bod yn bwysig i chi. Ond hyd y gwela'i mae'ch ymateb chi i Joyce wedi bod yn ymateb amwys o'r cychwyn. Mae gennych chi barch mawr iddo fe a'i athrylith ond rŷch chi'n anghydweld, wrth gwrs, â'i farn ef am y ffordd y mae awdur yn perthyn i'w gymdeithas.

Emyr Ydw, yn union. Mae'r elfen gawraidd, arwrol sy'n ei arbrofion o efo iaith ac efo ffurf yn gwneud i chi ei barchu o'n fawr iawn, a hefyd y ffaith ei fod o'n ddigon dewr i fynd yn alltud ac i edrych ar ei gymdeithas o bell. Ond ro'n i'n teimlo, yn y cyfnod hwnnw ar ôl yr Ail Ryfel Byd, fod cyfnod yr alltud wedi dod i ben a'n bod ni'n wynebu rhyw gyfnod lle roedd yn rhaid i awduron wynebu baich newydd o fod yn frodorion yn hytrach na bod yn alltudion. Mae 'na lot o oblygiadau i gymryd y safbwynt yna, ac yn hynny o beth roedd gynnoch chi ddewis mewn ffordd o fod yn alltud neu'n frodor. Ond yn ôl y traddodiad llenyddol Cymraeg roedd bod yn frodor yn bwysicach na bod yn alltud. Roedd yna ddeddf disgyrchiant yn tynnu rhywun yr un fath â fi yn ôl i Gymru, er fy mod i'n llenydda yn Saesneg. Mae dylanwad Saunders Lewis, Kate Roberts, Ambrose Bebb ac Emrys ap Iwan, y traddodiad Cymraeg yn y ganrif yma, yn eich tynnu chi i mewn, nid yn eich alltudio chi. Dwi'n meddwl bod hynny yn wahaniaeth sylfaenol rhwng pobl yr un fath â fi ar y naill law a phobl a oedd yn troi yn erbyn y traddodiad yma, traddodiad awduron Morgannwg i raddau, traddodiad Caradoc Evans oedd yn alltud oedd yn gwrthod gadael. Mae'r rhain, yn lle mynd yn alltudion, yn aros yn eu hunfan ac yn gobeithio newid y gymdeithas, neu'n disgwyl bod y gymdeithas yn mynd i ddioddef eu beirniadaeth nhw. Mae hynny'n ffaith. Roedd hynny'n gwneud i mi beidio â dilyn Joyce bob cam o'r ffordd, ond ar y llaw arall ro'n i'n sylweddoli fod puro'r iaith yn bwysig iawn pan ydach chi'n sgwennu. Yr hyn oedd wedi digwydd yn y cyfnod cyn Joyce yn y Saesneg, yn enwedig mewn rhyddiaith, yn y traddodiad canolog, oedd bod arddull y mandarin yn cael ei harfer, lle roedd pawb yn amleiriog; fod yna ryw fath o chwyddo yn digwydd yn y traddodiad rhyddiaith yn arbennig, mae o'n digwydd mewn barddoniaeth hefyd, eich bod chi'n amlhau geiriau. Y peth mawr ynglŷn â Joyce, ac Eliot a David Jones, o ran hynny, ydi eu bod nhw'n mesur a phwyso pob gair a bod hyn yn ffordd o buro'r iaith ac o'ch gwneud chi'n gynnil. Mae o'n beth od fod y traddodiad llenyddol yng Nghymru yn hollol wahanol i draddodiad llefaru'r pulpud a gwleidyddiaeth ac yn y blaen. Mae'r traddodiad llenyddol yn draddodiad o gynildeb, tra bo'r traddodiad arall yn flodeuog. Roedd Joyce yn bwysig iawn yn y maes yna.

Wynn Ac eto, chawsoch chi ddim eich magu'n Gymro Cymraeg. Fel mae *Y Tri Llais* yn dangos, roedd eich rhieni chi wedi cefnu ar y Gymraeg gan ddewis peidio â'i throsglwyddo hi i chi. Fe awgrymwn i fod hynny'n fodel o hanes y gymdeithas yng Nghymru yn eich barn chi. Dyna hefyd ddehongliad Saunders Lewis o hanes diweddar Cymru. Ond os felly, beth ddwedech chi wedyn wrth y rheiny sy'n dod o gymoedd de Cymru, lle mae cynifer o bobl yn perthyn i deulu lle hwyrach roedd y tad yn hanu o orllewin Cymru, ond y fam a'i theulu yn dod o Loegr? Yn achos y teuluoedd hynny, allwch chi ddim dweud yn syml fod 'na Gymreictod a oedd yn Gymraeg ei iaith wedi mynd ar goll yn eu hanes nhw. Oni fydde fe'n fwy teg dweud fod y Gymru sydd ohoni yn eu hachos nhw yn Gymru sy'n gymysgryw o'r cychwyn, ac felly nad yw'r posibilrwydd rŷch chi'n sôn cymaint amdano, sef y posibilrwydd o ailddarganfod dolen gyswllt rhwng y presennol a'r gorffennol drwy gyfrwng yr iaith Gymraeg, yn bod yn eu hachos nhw?

Emyr Does gen i ddim profiad uniongyrchol o'r peth ond fel rhywun sydd ar yr ymylon baswn i'n dweud fod yr hyn rydach chi'n ei ddweud am natur y gymdeithas a natur y boblogaeth yn wir. Ond o edrych ar gymoedd y de, yr unig golofnau pwysig sy'n dal i sefyll fel rhyw fath o gofgolofnau i ryw gymdeithas goll ydi'r capeli a phan ydach chi'n cau'r pwll a chau'r capel, mae'r ddau beth yn tynnu'r perfedd allan o'r gymdeithas fel faswn i'n sbïo arni hi. Yn sicr mae o'n wir am fy rhan i o'r byd, dydi Sir y Fflint ddim mor annhebyg â hynny i gymoedd y de, y diwydiant glo, y diwydiannau trymion, amaethyddiaeth ac ymwelwyr i gyd yn gymysg. Pan fo'r pwll yn cau a'r capel yn cau, yr hyn sy'n digwydd ydi mewnlifiad, oherwydd y ffyrdd newydd, y cyfathrebu a'r dulliau newydd o symud. Mae fy ardal i erbyn hyn bron â bod yn faestref i Birkenhead a Chaer a Lerpwl, rydan ni mor agos. Wedyn mae'r peth yn fwy chwerw yn fy achos i, neu yn fy atgofion i, achos mae mynd yn ôl yn golygu gweld, er enghraifft, fod capel fy nhaid yn faes parcio, a chapel fy nain yn rhyw fath o siop dodrefn ail-law, a'r holl ffermydd yn y cylch yn mynd i ddwylo estroniaid yn raddol. Mae'r gymdeithas wedi fy ngadael i ac mae o'n brofiad chwerw. Mae o'n gwneud i chi ymagweddu tuag at fywyd mewn ffordd besimistaidd, ac mi rydw i o natur brudd beth bynnag, yn hollol wahanol i fy ngwraig. Ella fod hynny wedi lliwio fy ngwaith i.

Rhyw bump neu chwe blynedd yn ôl mi ges i wahoddiad i sgwennu sgript ffilm am Daniel Owen ac ro'n i'n awyddus iawn i wneud. Ro'n i'n awyddus i sgwennu am *Rhys Lewis*, achos dwi'n teimlo'n agos iawn at Daniel Owen, yn gorfforol megis. Mae'r un peth yn union wedi digwydd yn ei ardal o: mae'r pwll glo lle boddwyd ei dad o wedi diflannu oddi ar wyneb y ddaear ers dechrau'r ganrif ac mae'r holl gymdeithas yn Yr Wyddgrug wedi newid yn fwy, os rhywbeth, na fy nghymdeithas i yn Nhrelawnyd, Gronant, Dyserth, Y Rhyl a Phrestatyn. Ond ches i mo'r cyfle i wneud beth ro'n i isio'i wneud. Dwi'n teimlo'n siomedig iawn am hynny achos, yn un peth, dwi'n meddwl fod gen i rywbeth newydd i'w ddweud ynglŷn â'r berthynas rhwng Daniel Owen a'i frawd, Dafydd. Roedd o bob amser yn dweud, 'mae Dafydd yn well am ddweud stori na fi', ac mae hanes Dafydd ei frawd yr un mor ddiddorol â hanes Daniel ei hun. Ro'n i'n awyddus iawn i wneud rhywbeth ynglŷn â hynny. Dwi wedi ei baratoi o ar bapur ond dydi o erioed wedi cael ei wneud. Mi gollais i'r cyfle mewn ffordd.

Wynn Fe fydde'n briodol, ar un ystyr, i ni gamu o *Outside the House of Baal* i'r gyfres fawreddog honno am Amy Parry. Ond cyn ein bod ni'n gwneud hynny, rwy'n credu y byddai'n werth i ni oedi uwchben y casgliad o storïau byrion wnaethoch chi eu cyhoeddi, sef *Natives*. Mae 'na beryg i ni anwybyddu hwnnw. Mae e'n gasgliad sydd o ddiddordeb mawr i mi oherwydd ei bod hi'n ymddangos taw yn y casgliad hwnnw yr aethoch chi i'r afael orau â'r profiad o fyw mewn dinas, lle mae pobl yn byw bywydau ar wahân i'w gilydd, lle maen nhw'n ynysig, lle nad oes yna gymdeithas yn bod; ac mae fel tase ffurf y stori fer yn gyfrwng priodol ar gyfer trin y profiad hwnnw.

Emyr Ydi, mae hynny'n siwr o fod yn ffaith yn fy achos i beth bynnag, achos dwi'n cofio Glyn Jones yn dweud wrtha'i adeg cyhoeddi'r llyfr ei fod o'n hoffi'r syniad o sgwennu straeon am swbwrbia tre fawr am ei bod hi'n gŵys oedd heb gael ei hagor rhyw lawer, a'i bod hi'n fwy cyfoes mewn ffordd. Eto roedd o'n adlewyrchu ein profiad ni fel teulu ar yr adeg yna. Roeddan ni newydd adael Caerdydd a Phenarth ac wedi dod i fyw i Sir Fôn ac wrth edrych yn ôl roedd byd y ddinas fawr yn dod yn fwy byw. Mae hynny'n digwydd fel rhyw fath o lanw a thrai ym mywyd rhywun. Rydach chi wedi bod yn rhywle, rydach chi'n llyncu beth sydd 'na i fwydo'ch dychymyg chi, rydach chi'n gadael ac wedyn rydach chi'n ei weld o o bell ac yn ailgynhyrchu rhywbeth allan o'r cyfnod hwnnw. Mae hynny'n sicr yn wir am *Hear and Forgive*, achos ro'n i wedi bod yn dysgu yn Wimbledon mewn cymdeithas swbwrbaidd yn fan'no hefyd, ac wedi mynd o fan'no i Bwllheli, oedd mor annhebyg, ac ym Mhwllheli wnes i sgwennu honno.

Wynn Mae e'n batrwm diddorol iawn, ymbellhau o rywle er mwyn cael gafael arno drwy gyfrwng y dychymyg.

Emyr Dwi ddim yn gwybod ydi o'n wir am artistiaid yn gyffredinol, ond mae o'n sicr yn wir am lawer, fod yna ryw fath o lanw a thrai yn eu diddordebau nhw ac yn eu gallu nhw hefyd, yn od iawn, dyna sy'n eu hysgogi nhw i symud.

Wynn Peth arall sy'n fy nharo i ynghylch *Natives* yw taw fan'na mae'ch dawn chi i ddychanu ar ei gorau. Maen nhw'n storïau miniog iawn yn eu hymwneud ag athrawon ysgol, Arolygwyr Ei Mawrhydi, athrawon prifysgol ac yn y blaen. Dyfalu ydw i, ond ydych chi'n parchu Daniel Owen fel cyd-ddychanwr?

Emyr O, ydw, dwi wrth fy modd efo fo. Dwi'n meddwl ei fod o'n unigryw, mae o'n arbennig, yn wych. Mae 'na elfen o ddychan yn ei waith o, rhyw fath o wên ar ei wyneb o. Dydi o ddim yn giaidd ac eto mae o'n gweld trwy'r cwbl; ac wrth gwrs roedd o'n codi allan o'r domen ymneilltuol. Roedd o'n adnabod yr ogleuon i gyd i drwch y blewyn. Mae hynny'n beth pwysig iawn. Mae o'n digwydd yn Lloegr yn nofelau mawr y bedwaredd ganrif ar bymtheg, ac i'w gael o mae'n rhaid fod gynnoch chi gymdeithas ffyniannus, sefydlog.

Wynn Peth arall sy'n fy nharo i, gan ein bod ni'n eich trafod chi fel dychanwr ac o gofio eich bod chi wedi sôn wrth fynd heibio fod haenen o brudd-der yn eich anian chi, po fwyaf y darllena i'ch llyfrau chi mwya'n y byd y bydda i'n teimlo bod yna fath o besimistiaeth waelodol yn y llyfrau hynny, fod yna ryw olwg ddigon tywyll ar y byd yn y bôn. Fyddech chi'n cytuno â sylw enwog Gramsci, sef y dylid cyfuno pesimist-iaeth yr ymennydd ag optimistiaeth yr ewyllys?

Emyr Ond mi faswn i'n mynd yn ôl yn bellach na fo at 'gwael, golledig, euog ddyn', emyn Thomas Jones o Ddinbych. Mae rhyw wirionedd gwaelodol i emynyddiaeth y cyfnod. Y ddwy neu dair canrif ddiwethaf oedd oes aur yr emyn. Rydach chi'n chwilio am 'y byr ysgafn gystudd', mae 'na elfen o'r bywyd hwnnw sy'n dod i'r golwg; ac eto mae o hefyd yn rhywbeth rhyfeddol. Sut fedr 'byr ysgafn gystudd' fod hefyd yn 'rhyfeddod o ryfeddodau'?

Wynn 'Rhodd enbyd yw bywyd i bawb'.

Emyr Yn union, ac eto mae o'n rhodd enbyd ac yn rhyfeddod ar yr un pryd. Mewn ffordd mae 'na baradocs yn ein cyflwr ni fel dynoliaeth ac mae'r nofel yn gorfod wynebu'r cyflwr hwnnw mewn ffordd, dyna beth ydi cyflwr dyn.

Wynn Ond mae'r olwg honno ar gyflwr dyn hefyd yn olwg ar gyflwr y genedl yn achos y gyfres fawr yna, y saith nofel am Amy Parry. Wn i ddim bellach sut i gyfeirio ati, am gyfnod fe fuoch chi'n arddel y teitl 'The Land of the Living'; ŷch chi'n dal i arfer y teitl hwnnw?

Emyr Ydw, ac mae'r enw yn codi allan o adnod yn Salm 27 sy'n dweud 'diffygiaswn pe na chredaswn weled daioni yr Arglwydd yn nhir y rhai byw'; mae hwnnw fel testun i'r gyfres.

Wynn Mae'r tyndra rhwng gobaith ac anobaith ro'ch chi'n sôn amdano'n rhan annatod o'ch creadigaeth chi yn y gyfres ar ei hyd.

Emyr Ydi, yn union, ac yn rhyfedd iawn dydi 'diffygiaswn' ddim yn y cyfieithiad newydd o gwbl. Ond hwnnw ydi'r gair sy'n apelio ata'i.

Wynn Ai tyfu'n gyfres wnaeth hi? Fe ddechreuoch chi gyda nofel sengl, *National Winner.*

Emyr Roedd *National Winner* yn ymdrech oruchelgeisiol i greu un nofel efo rhyw fath o adeiladwaith oedd yn wrthgyferbyniol i *Outside the House of Baal.* Y syniad hollol hurt oedd gen i ar y pryd oedd fod *Outside the House of Baal* yn pwyso ar weddnewid amser ac yn troi o gwmpas amser. Dyna adeiladwaith a chynllun yr holl beth. Ro'n i wedi meddwl chwarae efo gofod yn y llall, ond nid felly daru hi droi allan o gwbl. Yn un peth, roedd *National Winner* ynddi'i hun yn dechrau mynd yn wasgaredig. Os ydach chi'n mynd i godi adeilad sy'n mynd i lyncu lot o ofod, y perygl ydi'ch bod chi'n mynd i fynd ar wasgar a bod y gwaith yn mynd yn *diffuse*.

Wynn Mynd i ormod o gyfeiriadau ar yr un pryd.

Emyr Yn union. Gormod o gyfeiriadau ar yr un pryd, dipyn bach yn debyg i'r llong ofod Rwsaidd, braidd yn hyll efo pethau'n sticio allan i bob cyfeiriad. Wedyn, mi ddeudais i, 'â i yn ôl at y cynllun cronolegol a dechrau yn y dechrau efo magwraeth Amy Parry a symud ymlaen o fan'na a gosod *National Winner* yn ei lle fel y chweched nofel'. Do'n i ddim yn siwr sawl cyfrol fyddai hi yn y diwedd nes i mi gyrraedd y bumed, ro'n i'n gwybod wedyn mai saith oedd i fod, achos mi fûm i'n pendroni uwchben y drydedd a'r bedwaredd, roeddan nhw'n mynd i fod yn ddau lyfr ar wahân neu yn un gyfrol hir, dwy ar wahân oedden nhw yn y diwedd.

Wynn Hefyd, wrth benderfynu eich bod chi am ysgrifennu cyfres ac nid un nofel yn unig, fe newidioch chi eich techneg, oherwydd fe fabwysiadoch chi'r dechneg ddiddorol honno o greu nofel drwy gydio nifer o olygfeydd byrion ynghyd. Pam wnaethoch chi hynny?

Emyr Am fy mod i wedi mynd yn was i gronoleg. Hynny yw, os oedd hi'n mynd i fod yn dechrau yn y dechrau efo genedigaeth a magwraeth, roedd y ffurf hanesyddol draddodiadol yn cymryd gafael ac yn cymryd drosodd. A mwya'n y byd oedd rhywun yn sbïo ar y peth, yr agosa'n y byd oedd ffuglen at hanes. Wedyn roedd o'n cyfateb mwy neu lai i'r cyfnodau hanesyddol o gyfrol i gyfrol nes i mi gyrraedd yr olaf, lle ro'n i'n medru mynd yn ôl i raddau i chwarae o gwmpas efo amser a chael hanes y tad a'r mab yn cydredeg bob yn ail. Dwi ddim yn cofio beth oedd y frawddeg oedd gen i am hynny, y fflamau yn y tân ydi'r ddau.

Wynn *Two in one Fire* oedd y teitl oedd gyda chi ar un adeg, er mai *Bonds of Attachment* yw'r teitl arni erbyn hyn.

Emyr Yn union. Roedd y teitl gwreiddiol yn dod allan o frawddeg yn y *Purgatorio*. Unwaith rydach chi'n mynd tu allan i amser, dydi amser ddim yn cyfrif ac eto mae o. Rydach chi'n chwarae o gwmpas efo geiriau dyn sydd wedi marw a geiriau dyn sy'n fyw, ac maen nhw'n siarad efo'i gilydd fwy neu lai, er na wnaethon nhw erioed mo hynny pan oeddan nhw'n dad a mab. Mae 'na ryw dristwch mawr yn y berthynas rhwng John Cilydd a Peredur yn hynny o beth. Roeddan nhw'n rhy debyg i'w gilydd i fedru cyfathrebu'n iawn tra oedd o'n fyw, ond ar ôl iddo fo farw, maen nhw fel tasan nhw'n medru siarad. Dwn i ddim ydi hynna wedi dod drosodd.

Wynn O ran y dechneg yma o ddefnyddio golygfeydd byrion yn y gyfres drwyddi. Hyd a ddeallaf i, roedd hynny'n eich galluogi chi i symud o gwmpas Cymru ac i gwmpasu nifer o brofiadau cymdeithasol gwahanol yn ogystal, achos fe olygodd eich bod yn medru newid ffocws, ac felly yn gallu canolbwyntio ar gymeriadau ac ar amgylchiadau gwahanol wrth symud o'r naill olygfa i'r llall. Oedd hi'n fwriad gennych chi o'r cychwyn sicrhau fod y gyfres yna'n cwmpasu nifer o agweddau ar hanes Cymru yn y ganrif hon?

Emyr Dim ond yn yr ystyr eu bod nhw'n ychwanegu at liw y llun. Fe allech chi ddefnyddio'r trosiad o lun. Dwi'n cofio Peter Lanyon a Patrick Heron yn sôn am y peth yn y cyfnod pan oeddan nhw'n dechrau mynd yn abstract fel *'multi-perspective'*. Does dim isio ailadrodd pethau mae pawb yn gwybod, ond os gwnewch chi edrych arno fo o gyfeiriadau gwahanol, yn sydyn iawn mae 'na ryw olau newydd yn codi ac mae 'na liw newydd yn y llun. Roedd symud yn help yn hynny o beth.

Wynn Mae e'n gysyniad ciwbaidd i raddau, y syniad o edrych ar yr un gwrthrych o sawl cyfeiriad ar yr un pryd.

Emyr Ydi, ac mae 'na elfen o hynny yn y peth. Dwi ddim yn gwybod a oedd o'n rhywbeth oedd yn rhoi mwy o bleser i'r awdur na neb arall, ond mae'n rhaid i chi gael rhyw fath o uchelgais greadigol, artistaidd, i'ch gyrru chi. Dydach chi ddim isio mynd i ailadrodd yr un hen stori.

Wynn Dyna chi'n sôn nawr am yr apêl a'r her sy yn y cyfrwng ei hun. Mae'n hawdd anwybyddu hynny trwy orbwysleisio eich cyfrifoldeb chi i gymdeithas ac yn y blaen. Onid y gwir amdani yw fod yr hyn sy'n eich symbylu chi yn ymwneud yn aml â natur y cyfrwng ei hun?

Emyr Ydi, ac mae 'na ryw fath o fodlonrwydd rydach chi'n ei gael o beth roedd Yeats yn ei alw *'the fascination of what's difficult'*. Mae'n rhaid i chi gael elfen o hwnnw yn y peth, rhaid ymdrechu i yrru'ch hun mor bell ag y medrwch chi fynd tu fewn i'ch cyraeddiadau'ch hun a chyraeddiadau'ch pwnc.

Wynn A chyraeddiadau'ch cynulleidfa chi mae'n debyg – rŷch chi wedi mynnu cadw hynny mewn cof ar hyd yr amser.

Emyr Ydw. Ac o edrych yn ôl ar fy ngyrfa fel nofelydd mi faswn i'n dweud fy mod i'n llawer mwy llwyddiannus pan o'n i'n ifanc oherwydd fy mod i'n lot mwy syml a bod yna apêl at gynulleidfa ehangach o lawer. Ond fel dwi 'di mynd yn hŷn mae'r gynulleidfa wedi crebachu, mae yna lai a llai o bobl yn fodlon gwneud yr ymdrech i ddarllen. Maen nhw'n disgwyl cael bwyd llwy yn hytrach na rhywbeth cryfach.

Wynn Mae sawl un wedi nodi bod y cymeriadau yn y gyfres honno am Amy Parry wedi'u seilio'n fras ar gymeriadau go iawn yn hanes Cymru. Does dim angen i mi esbonio hynny'n fanwl, gan ei bod hi'n amlwg i bawb fod yna debygrwydd rhwng, dyweder, John Cilydd a Prosser Rhys, bod elfennau o gymeriad W. J. Gruffydd yn brigo drwy gymeriad Professor Gwilym, a bod cymeriad Sir Prosser yn cyfateb yn fras i gymeriad y triniwr enwog hwnnw, Thomas Jones. Ond mae hynny'n codi sawl cwestiwn mawr, sef sut ŷch chi'n gweld y berthynas rhwng eich nofelau hanes chi a hanes go iawn? A beth yw'r rheswm dros beidio â rhoi eu henwau go iawn ar y cymeriadau a'r lleoedd 'hanesyddol' sy'n ymddangos yn eich nofelau? Beth yw'r rheswm dros led-ddyfynnu, lled-gyfeirio, yn hytrach nag ymgorffori hanes fel y cyfryw?

Emyr Cwestiwn da iawn ac un anodd ei ateb, achos ar y naill law mae'r fath beth yn bod â deddfau athrod ac enllib, ond yn bwysicach na hynny o lawer dydi natur y peth sy'n cael ei greu ddim yn union yr un peth â'r deunydd. Rydach chi'n dathlu rhywbeth. Mae yna elfen o ganu mawl yn yr hyn dwi wedi sgwennu yn y nofelau, oherwydd dathlu bodolaeth y gymdeithas ydi fy nod i. Codi rhyw fath o weithiau sydd, nid yn gofgolofnau, ond yn ddathliad, dyna'r unig air fedra'i feddwl amdano fo; gweithiau sy'n dweud, wel, fe fuodd 'na gymdeithas fel hyn ac mi roedd yna bobl yn creu rhyw fath o gymdeithas sy'n werth ei dathlu ac yn werth ei chanmol ac yn werth ei beirniadu, achos mae pob canmoliaeth yn cynnwys beirniadaeth, yn enwedig mewn ffurf yr un fath â nofel. Y gamp, os oes yna gamp o gwbl, ydi creu rhyw fath o ail fyd, achos dyna ydi natur ffurf y nofel, creu rhyw fath o fywyd sy'n arhosol, a bob tro rydach chi'n agor y llyfr rydach chi'n cerdded i mewn i fyd sy'n ddigon ynddo'i hun, yn hunan-gynhaliol, ac eto os ydach chi'n Gymro, rydach chi'n gwybod fod yna berthynas rhwng y byd yma a rhyw fyd go iawn hanesyddol roedd eich hynafiaid a chithau yn perthyn iddo fo. Ond ar y llaw arall mae ffurf y nofel yn cynnwys rhyw elfen sy'n ei chadw hi'n fyw, os ydi hi'n llwyddiant. Er enghraifft, mi allwch chi ddarllen pennod o *Rhyfel a Heddwch* Tolstoi ac ail-fyw hela arth neu rywbeth felly, neu ddarn o ryfel Oes Napoleon, neu garwriaeth Natasha, neu beth bynnag ydi o, ac mae o'n dod o farw'n fyw unwaith rydach chi yn ei ganol o. A dyna ydi rhinwedd y nofel, ei bod hi'n rhyw fath o fyd, ystafell neu dŷ y medr y darllenydd gerdded i mewn iddo fo, dod i'w adnabod o, a cherdded o gwmpas ynddo fo. Yn hynny o beth mae o'n rhyw fath o arteffact, gwaith sy'n dathlu bodolaeth y gymdeithas a roddodd fod iddo fo yn y lle cyntaf.

Wynn Felly nid hanes yw nofel ond cyfrwng i ddarllenydd ddeall hanes. Nid darn o hanes yw e, ond darn sy'n cyfateb i hanes. Neu, i fenthyg term awgrymog rŷch chi wedi ei ddefnyddio o'r blaen, nid drych o hanes Cymru yw nofel ond metaffor, cyffelybiaeth, sy'n awgrymu mai rhywbeth tebyg i hyn yw hanes Cymru, mai cyffelyb i hyn yw hanes Cymru. Ond mae e lan i'r darllenydd i ddeall beth yn union yw natur y berthynas.

Emyr Ydi, ac os ydi o'n llwyddo, mae fel petai yna ffynnon o ddyfroedd byw y tu mewn i'r stori neu'r llyfr. Mi fydda i'n meddwl hynny yn aml iawn am Kate Roberts. Mae ei holl gymdeithas hi bron â diflannu'n llwyr. Roedd hi'n dweud ei hun, neu ella mai fi ddeudodd amdani, ei bod hi'n gweithio mewn chwarel oedd wedi cau ym 1914. Ond unwaith rydach chi'n mynd i mewn i'r straeon mae'r ffynnon yna ac mae'r bywyd yn codi yn y stori. Dwi'n gobeithio fod 'na berthynas felly rhwng y ffuglen a'r hanes yn fy ngwaith i pan mae o'n llwyddo. Mae'n hawdd iawn methu hefyd. Ro'n i'n sbïo ar lythyrau David Jones at ddyn o'r enw Harman Grisewood, dwi'n ei gofio fo'n iawn; roedd o'n un o benaethiaid y BBC, mi sgwennodd o nofel. Ro'n i'n sbïo ar ei nofel o tua'r un adeg â ro'n i'n sbïo ar lythyrau David; mae llythyrau David Jones yn fyw i gyd, maen nhw'n llawn bywyd, ond mae nofel Harman Grisewood druan mor farw â hoelen. Pam? Dwi ddim yn gwybod, achos roedd o'n ddyn eithriadol o ddiwylliedig ac yn ffrind ardderchog i David Jones, ond doedd y peth byw ddim yn y nofel yna fel roedd o yn y llythyrau, neu fel mae o yn straeon Kate Roberts. Mae o'n beth od, peth cyfrin nad oes dim modd rhoi cyfri amdano fo rhywsut.

Wynn Eto, un peth sy'n anodd, os ŷch chi am sgrifennu cyfres o nofelau, yw fod rhaid i bob nofel fod yn hunangynhaliol o safbwynt y darllenydd, yn ogystal â chyfrannu at y gyfres. Wedi'r cyfan, fe fydd pob nofel yn cael ei chyhoeddi ar ei phen ei hun, ac yn cael ei darllen ar wahân i'r gweddill. Felly, mae'n rhaid i chi greu nofel sy'n cyfrannu at y gyfres ac yn cyfranogi o'r gyfres ac eto sy'n medru sefyll ar ei phen ei hun ar yr un pryd. Mae hynny'n her ac yn gamp.

Emyr Mae o'n her ac yn boen ysol i gyhoeddwyr. Mi fydd o'n siwr o godi ei ddwylo mewn ofn a dychryn a dweud, 'does 'na rioed gyfrol arall i ddod ar ôl hon! . . . a chyfrol arall ar ôl honno!'. Yn y diwedd maen nhw'n diflasu, yn enwedig yn yr oes yma oherwydd mai oes y rhyfeddod byr ydi hi. Rydach chi'n dweud wrth gyhoeddwr, 'fydda'i wedi gorffen y gyfres yma mewn ugain mlynedd', ac mae o'n teimlo fel dweud wrthoch chi, 'cerwch i rywle arall i'w chyhoeddi hi!'. Dydi o ddim yn *recipe* sy'n debyg o lwyddo'n fasnachol, ond mae o'n rhywbeth sy'n llwyddo yn y tymor hir gobeithio. Roedd rhaid i mi wneud rhyw benderfyniad yn y chwedegau ar ôl gorffen *Outside the House of Baal.* Ro'n i eisoes wedi penderfynu aros yng Nghymru a pheidio mynd o 'ma ers tro byd, y penderfyniad nesa oedd a o'n i'n mynd i fod yn fasnachol neu o'n i'n mynd i ganu fy nghân fy hun, a chanu yn union beth ro'n i isio'i ganu. Trwy ryw drugaredd mi ges i wneud yn union beth ro'n i isio yn hytrach na mynd i'r cyfeiriad arall. Ella y basa hwnnw wedi bod yn gyfeiriad gwell, dwi ddim yn siwr. Basa'r gelyn yn dweud mai rhyw fath o *self-indulgence* ydi'r peth, ond mi fasa rhywun efo cydymdeimlad yn dweud ei bod hi'n bwysig cadw at eich gweledigaeth eich hun a dilyn eich llwybr i ba gyfeiriad bynnag mae o'n mynd. A dyna oedd y canlyniad, y saith nofel.

Wynn Sgwn i a fydde modd i chi ei wneud e y dyddiau hyn? Mae'r byd cyhoeddi wedi newid. Roedd hi'n ddigon anodd yn eich cyfnod chi, ond mi fydde hi'n amhosib nawr, debygwn i, i rywun gychwyn ar gyfres o saith nofel gan ddisgwyl iddyn nhw gael eu cyhoeddi.

Emyr Mae'n anodd iawn achos deudwch chi fod rhywun sydd wedi cael enw gwirioneddol fyd eang, fel Salman Rushdie, tasa fo'n penderfynu tua adeg yr helyntion mwyaf, tua dechrau'r nawdegau, 'dwi'n mynd i sgwennu cyfres o nofelau sy'n mynd i barhau am saith, wyth, naw neu ddeg o gyfrolau'. Dwi ddim yn gwybod hyd yn oed efo fo a fasa'r diddordeb yn parhau, achos yn un peth mae 'na lanw a thrai mwy ffyrnig o lawer yn ffasiynau a diddordebau'r cyhoeddwyr a'r gynulleidfa y dyddiau yma. Mae natur y cyfryngau wedi gweddnewid yr holl sefyllfa, a dwi'n meddwl y basa fo'n anodd iawn i neb ei wneud o. Yr unig ddau dwi'n gallu meddwl amdanyn nhw ydi C. P. Snow, mi wnaeth o ddwsin, roeddan nhw'n boblogaidd ofnadwy ar y dechrau ond erbyn y diwedd roedd pawb wedi troi yn eu herbyn nhw ac erbyn heddiw does yna ddim llawer o sôn amdanyn nhw. Mae'n ymddangos fod yr un peth yn mynd i ddigwydd i Anthony Powell efo'i *A Dance to the Music of Time*. Mae o'n beth gwirion i'w wneud mewn ffordd, ond ar y llaw arall, i wneud cyfiawnder â fy mhwnc ac i wneud cyfiawnder â'r tyndra mawr sydd rhwng Cymru a llenyddiaeth Cymru a mynegiant yn Saesneg, dyna'r unig beth fedrwn i wneud. Dyna'r unig gyfraniad ro'n i'n gymwys ar ei gyfer.

Wynn Dilyn eich gweledigaeth ar y naill law ond hefyd gorfod bod yn ymwybodol, i raddau, o ofynion a disgwyliadau'ch cynulleidfa, ac yn wir eich cyhoeddwyr, mae e'n dyndra parhaus. Mae e'n dyndra a all fod yn greadigol, ond mae e hefyd yn dyndra a all ddinistrio awdur. Fe ddes i'n ymwybodol ohono fe dros y blynyddoedd diwetha 'ma gan eich bod chi wedi bod mor garedig â dangos peth o'r gwaith oedd gennych chi ar y gweill i mi, o bryd i'w gilydd. Felly, fe ddysgais i gymaint o ddylanwad y gall cyhoeddwr ei gael ar ddull awdur o sgrifennu, ar ffurf ei nofelau ac yn y blaen. Rwy'n cofio'n dda mai dwy ran o un nofel oedd *Salt of the Earth* ac *An Absolute Hero* i gychwyn, ond fe fynnodd y cyhoeddwr i bob pwrpas eich bod chi'n rhannu'r nofel wreiddiol honno'n ddwy nofel a'u cyhoeddi nhw ar wahân. Roedd hynny'n golygu eich bod chi'n gorfod ail-lunio'r gwaith yn gyfan gwbl. Oes yna enghreifftiau eraill lle y dylanwadwyd ar eich gwaith chi i'r graddau hynny?

Emyr Mae honno'n enghraifft fyw iawn yn fy nghof i. Roedd gen i olygydd yr oedd gen i barch mawr i'w barn hi, Margaret Body oedd ei henw hi. Roedd Margaret ei hun yn teimlo bod angen cael dwy gyfrol ac nad oedd y gwaith yn iawn fel ag yr oedd o, wedyn fe wnaeth y dyn uwch ei phen hi, y cyhoeddwr, achub ar ei gyfle i ddweud nad oedd o ddim yn mynd i wneud y gwaith o gwbl. Mi wnes i bwdu ac mi wnaeth fy asiant i ar y pryd, Richard Scott Simon, ddod o hyd i gyhoeddwr arall i mi ac mi wnes i symud o Hodder & Stoughton at Dent. Ond mi wnes i ddilyn cyngor Margaret Body i raddau helaeth ac mi ddaeth allan yn ddwy gyfrol efo cyhoeddwr arall, ond dydi newid cyhoeddwr ddim yn beth da, mae o yr un fath â newid ceffylau yng nghanol yr afon. Dwi'n cofio'r hen John Wain yn dweud hyn wrtha'i flynyddoedd maith yn ôl pan oedd o yn yr un twll yn union, mai'r peth mawr ydi peidio newid cyhoeddwr a pheidio byth â bod allan o brint. Dyna'r ddau beth mawr medda fo, ond dyna sy'n digwydd i'r rhan fwyaf o nofelwyr, maen nhw'n newid cyhoeddwyr ac maen nhw'n mynd allan o brint.

Wynn Sawl darllenydd byddwch chi'n eu defnyddio pan fyddwch chi'n sgrifennu nofel neu ar fin ei gorffen hi? Mi wn i fod cyfraniad Elinor yn gyfraniad sylweddol yn eich achos chi. Mae Elinor yn teipio pob darn o'ch gwaith chi, ond mae hi'n siwr o fod yn pwyso ac yn mesur hefyd.

Emyr O ydi. Mae hi'n feirniad reit llym.

Wynn Ar wahân i hynny, ydych chi wedi bod yn cynnig eich gwaith i rywun ei ddarllen i gael barn cyn troi at gyhoeddwr?

Emyr Ychydig iawn, yn enwedig yn y cyfnod cynnar yn rhyfedd iawn. Mae'n rhaid fod yna ryw styfnigrwydd mul yn perthyn i rywun sy'n gwneud y fath beth ond ro'n i'n cymryd yn ganiataol fod popeth yn iawn. Ond dros y blynyddoedd dwi wedi bod yn fwy agored i feirniadaeth, neu'n hytrach yn fwy parod i fynd at rywun i ofyn barn. Ond yn y diwedd fi ydi'r beirniad caletaf. Rydach chi i fod yn feirniad caled arnoch chi'ch hun o ran egwyddor.

Wynn Rwy'n cofio fod yna gyfnod yn weddol ddiweddar yn eich hanes chi pan oedd ymddygiad y cyhoeddwyr mor anfoddhaol nes eich bod chi bron â digalonni a bron â rhoi'r gorau i sgrifennu nofelau. Ond fe wnaethoch chi ddyfalbarhau ac fe gyhoeddwyd y nofelau *Unconditional Surrender* a *The Gift of a Daughter*. Wnaethoch chi afael o'r newydd yn y nofel bryd hynny?

Emyr Do. Ro'n i wedi gorffen y gyfres cyn y nawdegau, dwi'n siwr, ond mae nofelau'n cymryd mwy a mwy o amser i ddod i'r golwg yn yr oes hon, am ryw reswm rhyfedd. Ddaeth yr olaf ddim i'r golwg tan 1991, dwn i ddim beth ddigwyddodd wedyn. Mi roedd Sphere a McDonald yn mynd i waelod y môr oherwydd helyntion Robert Maxwell ac ro'n i wedi torri nghalon i raddau ac yn teimlo fy mod i'n hen ac wedi cyrraedd y diwedd. Ond wedyn mi sgwennais i *Unconditional Surrender* a gyrru honno at fy asiant yn Llundain a honno'n dweud, 'wnaiff hon ddim nofio yn y byd sydd ohoni'. Wedyn, Tony Bianchi, neu rywun ddeudodd wrtha'i am drio Seren Books. Mae cael cyhoeddi honno a *The Gift of a Daughter* wedi ailennyn fy niddordeb yn yr holl beth. Ond erbyn hyn dwi'n hen ac mae isio egni. Mae yna lot fawr o egni yn mynd i mewn i sgwennu nofel. Mae gen i barch aruthrol at feirdd, a dwi'n licio chwarae efo barddoniaeth fy hun, ond mae nofel yn rhyw fath o faich rydach chi'n gymryd ar eich sgwyddau, ac rydach chi'n gwybod ei fod o'n mynd i fod yno am flwyddyn neu flwyddyn a hanner neu fwy hyd yn oed. Dwi ddim yn siwr os ydw i'n ddigon atebol yn gorfforol i wneud hynny bellach, ond faswn i wrth fy modd yn troi yn ôl at sgwennu pethau byrrach. Dwi wrthi'n gweithio ar y syniad o sgwennu tair *novella*, tair nofel fer, ond pryd dwi ddim yn gwybod, dwi'n trio pydru ymlaen. Dyna un o'r pethau dwi wedi sylweddoli wrth fynd yn hen, yr unig ffordd bron i gadw'n heini ydi trwy weithio, peidio byth â rhoi'r gorau iddi.

Yn ôl Traed Daniel a Dafydd

Ioan Williams yn holi Emyr Humphreys am ei nofelau, ei straeon byrion a'i ddramâu teledu

Ioan Dwi am gyfeirio at rywbeth ddywedoch chi wrth Wynn ynglŷn â'r elfen o ddigalondid neu iselder sydd ynghlwm wrth rai agweddau o'ch gwaith chi. Fe wnaeth hynny daro nodyn â mi oherwydd mewn nofel fel *Outside the House of Baal* mae gennych chi stori drist iawn. Dwi ddim yn medru darllen y nofel yna heb deimlo'n isel mewn ffordd. Ydych chi'n gweld pam?

Emyr Mi fydda'n dda iawn gen i pe bawn i'n medru. Mewn ffordd wn i ddim beth ydi'r ysfa i sgwennu yn y lle cyntaf, a dwi'n sylweddoli hynny fwyfwy yn fy henaint achos dwi fwy neu lai wedi dweud pob dim sydd gen i i'w ddweud, ond eto mae'r ysfa i sgwennu yn parhau. Dwi newydd orffen stori fer rwan. Mae straeon byrion yn apelio'n fawr iawn ata'i ar hyn o bryd, am nad ydan nhw'n cymryd cymaint o egni. Ond ro'n i'n sylwi yn y stori yma fod dau o'r cymeriadau yn cymryd safbwyntiau sylfaenol cwbl wahanol i'w gilydd. Mae un ohonyn nhw'n dweud mai holl bwrpas byw ydi chwilio am y gwirionedd a bod y fath beth yn bod â chyfiawnder ac os ydi cyfiawnder yn bod mae o yr un mor wir lle bynnag rydach chi'n digwydd bod ar y blaned yma. Ond mae safbwynt y llall i'r gwrthwyneb yn llwyr. Maen nhw'n trafod rhywbeth sydd wedi digwydd yn yr Eidal ac mae o'n dweud fod rhaid i chi feddwl am y *mores,* eu ffordd nhw o fyw. Rydach chi'n gwastraffu'ch amser yn llwyr os ydach chi'n mynd i ddechrau siarad efo gwerinwyr, *contadini* yn yr Eidal, am bethau fel delfrydau a chwilio am y gwirionedd a rhyw bethau felly; mae eu pwyslais nhw ar y peth mwyaf cyfleus, beth sy'n gweithio, mae eu holl ffordd nhw o fyw wedi ei seilio ar beth sydd o les iddyn nhw a'u teulu, a dydan nhw ddim yn poeni am ddim byd ymhell iawn tu draw i hynny. Dyna i chi enghraifft, am wn i, o ddau begwn. Mae'n rhaid i rywun sy'n ysgrifennu straeon ac sy'n trio cynnig rhyw fath o ateb i sefyllfa, gadw'r pegynau yna mewn golwg. Yn achos *Outside the House of Baal* mae'n amlwg fod J. T. Miles yn ddelfrydwr i'r carn, ac mae hynny'n un o'r pethau hanfodol sy'n bod yn ein bywyd ni fel Cymry. Mae holl seiliau ymneilltuaeth sydd wedi creu y math o Gymru sydd ar ôl i ni fel etifeddiaeth, wedi eu gosod, yn y pen draw, ar y syniad o gynnydd ysbrydol. Rhyw fath o *Daith y Pererin* ydi bywyd ac mi rydach chi'n anelu at gael eich achub os ydach chi'n credu mewn ffurf arbennig o Gristnogaeth, ond hyd yn oed os ydach chi'n wyddonydd rydach chi'n credu bod y fath beth â gwirionedd yn bod a bod rhaid i chi chwilio amdano fo. Ar y llaw arall, pan ydach chi'n edrych ar y ffordd mae pobl yn byw eu bywyd bob dydd, does a wnelo yr egwyddorion yma ddim rhyw lawer iawn â'u ffordd nhw o fyw. Mae'r ffordd o fyw yn dibynnu ar beth sy'n hwylus a beth sy'n gweithio, beth sy'n mynd i fod o les materol i mi yn bersonol fel unigolyn ac i fy nheulu – mae hynny'n rhyw fath o wrthgyferbyniad oesol.

Mae Cymru'n lle difyr iawn i nofelydd oherwydd ei bod hi, yn y gorffennol beth bynnag, wedi bod yn rhyw fath o *crucible* lle'r oeddach chi'n medru edrych ar yr holl ddylanwadau 'ma, y nerthoedd 'ma, yn gwrthweithio ac yn tynnu'r naill ffordd neu'r llall ac yn creu rhyw fath o stori allan o fywyd. Os ydach chi'n syllu ar sut mae'r grymoedd yma'n dylanwadu ar ei gilydd rydach chi'n dechrau sylwi ar ryw fath o batrymau. Nid y patrymau ydi'r gwir ond y patrymau ydi'ch ymateb chi i'r sefyllfa. Mae hi'n dal i fod felly ac o'r herwydd mae o'n rhan o natur dyn.

Ioan Mae hyn yn hynod o ddiddorol. Ydych chi, a dwi'n siŵr eich bod chi, wedi gweld ffilm Kurasawa, *Y Saith Samurai*?

Emyr Do, do.

Ioan Mae 'na un olygfa gwbl ganolog. Mae'r ffermwyr yn chwilio am rywun i fod yn arwr iddyn nhw ac i'w hachub nhw rhag y bandits. Maen nhw wedi trio sawl un ac wedi methu, ond yn y diwedd maen nhw'n dod o hyd i'r cymeriad canolog. Mae yna olygfa lle mae e'n troi atyn nhw ac yn dweud, 'na, mae'n amhosib'. Mae yna sawl cymeriad arall yn yr olygfa yma ac un grŵp o bobl sy'n gwawdio'r ffermwyr ac yn dweud wrthyn nhw fod hyn yn wirion, man a man iddyn nhw orwedd i lawr a marw. Dydyn nhw'n dda i ddim, dydyn nhw ddim yn gallu amddiffyn eu hunain a pha hawl sydd ganddyn nhw i ddisgwyl i neb arall ei wneud e. Mae yna ryw bwynt pryd mae'r prif gymeriad yn sylwi ar y gwrth-gyferbyniad yma ac mae'r bobl, y gwawdwyr, yn troi ato fe ac yn dweud wrtho fe bod y ffermwyr wedi bod yn bwyta'n wael er mwyn iddo fe gael reis, pam nad yw e'n dweud y gwir wrthyn nhw? Mae hon yn eiliad dyngedfennol, mae'n rhaid iddo fe ddewis. Mae e'n estyn ei law i dderbyn y bowlaid o reis ac yn dweud, 'rydw i'n derbyn eich aberth'. Hynny yw, 'rydw i'n derbyn hefyd y byddwn yn talu'r pris, pris yr aberth'. Ac wrth gwrs dyna ddiffiniad o arwriaeth, lle mae rhywun yn sefyll yn bendant dros y ddelfryd, dros y posibilrwydd o godi uwchlaw gofynion y cnawd. Dwi'n meddwl wedyn am yr eiliadau yna a geir droeon yng ngweithiau Saunders Lewis, fel ar ddiwedd *Brad,* lle mae rhywun yn gwneud penderfyniad ac mae'r penderfyniad yn un arwrol yn yr ystyr honno. Nawr mae rhith o'r arwriaeth yna i'w weld yn eich gwaith chi o hyd ac o hyd ac o hyd, on'd yw hi'n wir dweud eich bod chi wedi mynd i feddwl nad yw e'n bosib?

Emyr 'Gweithio allan eich iachawdwriaeth mewn ofn a dychryn,' meddai Paul, ia? A dwi'n siwr fod y cynseiliau Cristionogol yn gryf iawn yn fy nghyfansoddiad i, achos yn y pen draw dyna beth sydd tu ôl i'r cyfan, fod yna ryw fath o alwad i arwriaeth yn parhau o genhedlaeth i genhedlaeth ym mhob cymdeithas. Mae perthynas yr unigolyn a'i gymdeithas, yn y pen draw, yn rhyw fath o argyfwng. Os ydi pethau'n mynd i wella, neu os ydi pethau'n mynd i gael eu cadw, neu os ydan ni ddim yn mynd i ddiflannu, mae o'n golygu arwriaeth, a dyna, am wn i, ydi apêl aruthrol rhywun fel Saunders Lewis yn y pen draw, achos dyn arwrol ydi o yn ei hanfod. Roedd o hefyd yn digwydd bod yn eithriadol o ddeallus ac yn aml iawn tydi arwyr ddim yn arbennig o ddeallus. Fe allwch chi feddwl am y chwedlau Arthuraidd –

fel rheol tipyn bach o lembo ydi Cai neu Lawnslot – dydan nhw ddim yn feddylwyr mawr. Ond pan gewch chi'r cyfuniad o ddyn sy'n eithriadol o ddeallus a chreadigol ac yn arwrol ar yr un pryd mae hynny'n ei wneud o'n ddyn hynod o arbennig. Rydan ni wedi bod yn ffodus iawn ar un wedd yng Nghymru i gael rhywun fel hynny, i gael rhywun fel Saunders Lewis. Ond yn rhyfedd iawn o edrych ar gewri diwylliannol gwledydd eraill yn Ewrop, mae rhyw ffigyrau tebyg yn brigo i'r wyneb dro ar ôl tro. Meddyliwch am rywun fel Kierkegaard yn Nenmarc. Alla'i ddim meddwl amdanyn nhw fel eithriadau. Maen nhw'n ganolog. Yn y pen draw mae fel petai gwleidyddiaeth a diwylliant a bywyd cymdeithasol ac economaidd yn cyfarfod mewn rhyw gymeriad arbennig sy'n caniatáu i'r holl gymdeithas barhau. Pobl fel Goethe yn yr Almaen, maen nhw'n rhan o dirlun gwleidyddol a diwylliannol Ewrop. Maen nhw'n rhywbeth nodweddiadol ohonon ni.

Ioan Yn cynnal gwareiddiad. Ac mae hyn yn arwain dyn at y casgliad mai ar y cysyniad o berson, neu bersonoliaeth y mae gwareiddiad yn dibynnu. Ar hyn o bryd rŷn ni'n byw mewn byd sy'n gwadu'r person ac yn awgrymu fod y person, a dweud y gwir, yn rhan o ddylifiad, ac nad oes dim tir i berson sefyll arno fel petai. Fyddai hynny yn rhoi eich gwaith chi, ar yr ochr arall i'r ffens, yn rhan o'r traddodiad hiwmanistig.

Emyr Bydda. Mae bod yn Ewropead hiwmanistig yn faich yn ogystal â bod yn fraint. Dwi'n siarad ar fy nghyfer mewn gwirionedd, achos dwi ddim yn gwybod digon am y gwareiddiadau eraill ond yr argraff mae rhywun yn ei gael, deudwch efo gwareiddiad yr India, yw fod y pethau ysbrydol wedi cael eu datgysylltu oddi wrth y pethau materol i'r fath raddau nes bod y byd yn mynd yn ei flaen gorau gall o ar y lefel faterol, a bod dynion sy'n chwilio am y gwirionedd ysbrydol yn datgysylltu eu hunain yn llwyr oddi wrth y byd ac yn byw ar ryw fath o ymwybyddiaeth sy'n gwbl arallfydol. Ond mae hynny'n hollol groes i'n traddodiad ni fel Ewropeaid. Rydan ni wedi'n hymdynghedu i gadw'r ysbrydol a'r materol ynghlwm wrth ei gilydd megis. Unwaith rydach chi'n dweud hynny rydach chi yng ngafael rhyw fath o ddelfrydiaeth, achos mae'r ysbrydol yn mynnu gadael patrwm ar y delfrydol mewn ffordd sydd ddim yn wir am y diwylliannau mawr eraill, fel yr India er enghraifft, lle nad ydi Bwdïaeth neu'r crefyddau Hindŵ ddim yn cysylltu delfrydiaeth â beth sy'n ymarferol bob dydd, fel sy'n hanfodol i ni, boed Gatholigion neu Brotestaniaid, gwyddonwyr neu gredinwyr. Mae o'n rhan o'n traddodiad Ewropeaidd ni.

Ioan Mae hynny'n dod â ni'n ôl at *Outside the House of Baal* oherwydd mae'n amlwg fod J.T. fel pe bai'n ymladd yn erbyn y gwrthgyferbyniad yna ac yn byw y tu fewn iddo fo ar yr un pryd. Mae dau unigolyn sy'n caru ei gilydd yn angerddol yn methu cydnabod hynny, ddim hyd yn oed pan fo un ohonyn nhw ar fin marw, hyd yn oed wedyn mae Kate yn byw yn nhermau'r hen ystrydebau, yn methu mynegi ei theimladau o gwbl. Mewn ffordd mae yna rywbeth adeiladol iawn ym modolaeth y berthynas yna achos mae hi'n sail i bopeth. Ond ar yr un pryd mae gweledigaeth y llyfr yn greulon ofnadwy. Does dim cysur o gwbl i'r naill na'r llall.

Emyr Na. Mae hynna'n ddiddorol. Wnes i rioed feddwl am y gair 'creulon' mewn cysylltiad â'r llyfr. Wrth gwrs beth sy'n greulon ydi gwrthrychedd. Os ydi rhywun yr un fath â fi, awdur neu nofelydd, yn edrych ar fywyd ac ar ei brofiad a'i gymdeithas ac yn trio creu rhyw fath o ddarlun sy'n gywir ac yn chwilio am beth oedd Wordsworth yn ei alw'n '*the still sad music of humanity*', mae hynny'n hanfodol i'r gân, megis. Mae sŵn y gân yn rhywbeth sy'n wahanol i'r nodau sydd ar bapur ac mae yna berthynas felly yn bod. Pwy ofynnodd i Schubert, 'pam mae dy holl ganeuon di mor ofnadwy o drist?', ac yntau'n ateb, 'oes yna ganeuon nad ydan nhw'n drist?'. Mae o'n rhan o'r hanfod, mae o'n rhan o'n profiad ni. Rydan ni'n byw mewn rhyw fath o gyfres o weledigaethau sy'n diflannu fel rydan ni'n sbïo arnyn nhw, mae hynny'n rhan o lif amser, fel mae o yn yr emynau sy'n ein sgubo ni i gyd i ffwrdd. Ond mae llenyddiaeth a chelfyddyd yn ymgais drist gan unigolion, gan fodau dynol, i drio gafael mewn amser a'i gadw'n llonydd a chreu rhywbeth sefydlog sy yn ei hanfod yn gwbl ansefydlog. Mae 'na wrthgyferbyniad creulon yn fan'na, wrth gwrs, ac mae hynny'n rhan o fywyd.

Ioan Reit te, '*the still, sad music of humanity*' – dwi'n meddwl y byddai'n eitha hawdd darganfod y nodau hynny yn *Outside the House of Baal*. Gallaf feddwl am un achlysur pan mae J.T. yn rhoi cyngor i'w nai, mae ei wraig yn cynnal perthynas â'i ffrind e ac mae J.T. yn dweud wrtho fe, *'you must learn to love her'*. Wrth gwrs dyna'r holl stori. Does dim byd rhagor i'w ddweud. Ond ar yr un pryd mae'n amhosib, oherwydd mae'r dyn yn gofyn am gysur a dydi o ddim yn gofyn am gyfarwyddyd ysbrydol, arwrol, sydd fel pe bai'n anwybyddu ei natur. Erbyn diwedd y nofel rydan ni'n gweld J.T. yn amddifad o bopeth ac mi rydan ni'n ei weld e fel cymeriad plentynnaidd braidd, cymeriad sy'n defnyddio pobl eraill, sy'n gwbl ddibynnol ar Kate ond sydd eto ar yr un pryd yn gallu cadw rhyw fath o dir i sefyll arno, fel petai'r egwyddorion mae J.T. wedi ymroi iddyn nhw yn ei arbed e yn y diwedd.

Emyr Ella mai rhyw fath o enghraifft Gymraeg o'r Ffŵl Sanctaidd ydi o. Beth oedd enw un o nofelau Dostoiefsci? *Yr Ynfytyn*! Eto mae'n rhaid i chi gael y ffŵl neu'r *guru*. Mae bywyd yn greulon ac yn ofnadwy ac eto maen nhw'n caniatáu lle i'r *guru,* mae'r gymdeithas yn ei fwydo fo ac yn ei gadw fo, mwy neu lai, er mwyn iddo fo weddïo ar eu rhan nhw. Mae hynny'n siwr o fod yn rhan o'n ffordd ni o fyw fel Cymry, ac wedi bod felly ers tro byd. Yn oes y capel, pan oedd Ymneilltuaeth yn ffynnu, roedd yna elfen o hynny ym mhob gweinidog. Mi roedd o yno i weddïo dros holl anwireddau a phechodau ei gynulleidfa tra oeddan nhw yn brysur yn trio gwneud pres, ac wedi hynny pan oeddan nhw wedi llwyddo gormod, roedd y sêt fawr yn llawn cyfoethogion. Fel mae Williams Parry yn dweud, 'Duw cadw ei weinidogion, / Nad ydynt gyfoethogion, / Ond sy'n gorfod profi hyd fedd, / Trugaredd Cristionogion'. Roedd rhywbeth yn fawreddog iawn mewn pobl run fath â Williams Parry a Waldo achos roeddan nhw hefyd yn perthyn i'r un dosbarth. Ffyliaid Sanctaidd. Roedd y gymdeithas yn barod i'w codi i'r entrychion ac eto byth yn fodlon eu dilyn nhw. 'Fe gewch chi ganu, ac rydan ni wrth ein bodd yn clywed eich sŵn chi, ond dydan ni byth yn mynd i wneud beth rydach chi isio i ni wneud'.

Ioan Mae hynna'n ddiddorol. Mae 'na rywbeth sgwennodd

T. S. Eliot yn 1939, rhyw fath o araith o dan y teitl, *The Idea of a Christian Society,* lle mae o'n dweud rhywbeth diddorol y byddai Saunders Lewis yn siŵr o fod wedi ei ddarllen yn ofalus. Mae T. S. Eliot yn dweud, 'y broblem yw nad ŷch chi ddim yn gallu bod yn Gristion ond yn achlysurol yn ystod y dydd, achos fod gennych chi waith i'w wneud', hynny yw allwch chi ddim bod yn ymwybodol o fod yn Gristion bob awr o'r dydd, rhaid cael rhywun neu rywle i wneud hynny drostach chi, tra eich bod chi'n gwneud yr holl bethau eraill. Dwi'n cytuno fod ein traddodiad ni yn gymysgedd o barch gormodol tuag at y weinidogaeth a gwawd tuag at y gweinidog ar yr un pryd, sydd unwaith yn rhagor, yn dod â ni yn ôl at y gwrthgyferbyniad yna. Ar y gwrthgyferbyniad yna mae 'Tir y Byw' / 'The Land of the Living', wedi ei adeiladu, achos mae gynnon ni, yn John Cilydd, rywun sy'n ymdrechu at ddelfrydiaeth, rhywun sydd â rhyw fath o ysfa i ymgyrraedd tuag at y perffaith, ac yn Amy rhywun nad yw hi ddim yn gallu anghofio gofynion y cnawd. Dwi'n cofio Saunders Lewis yn mynnu ei fod e ar ochr Blodeuwedd, er ei fod e wedi ei throi hi yn wdihŵ. Pan oedd pobl yn cymryd yn ganiataol mai Llew oedd yn iawn roedd Saunders wastad yn mynnu nad oedd e ddim yn cytuno, ac os oedd e'n gorfod dewis rhwng y naill a'r llall roedd e'n dewis Blodeuwedd. Tybed sut ŷch chi'n teimlo tuag at Amy?

Emyr Mae 'na debygrwydd erbyn i chi sôn. Dydw i rioed wedi meddwl am hynny o'r blaen. Ond wrth sôn am Blodeuwedd ymateb hollol Gatholig sydd gan Saunders yn fan'na, yn hytrach nag ymateb Methodistaidd. Mae'r gân yn gogwyddo tuag at y *mores* yr o'n i'n sôn amdanyn nhw. Mae'r gwrthgyferbyniad rhwng Catholigiaeth a Phrotestaniaeth yn ofnadwy o greadigol mewn ffordd achos mi fydda i'n meddwl weithiau mai ymateb yr Eglwys Gatholig i unrhyw ymneilltuaeth ar hyd y canrifoedd oedd creu urdd newydd. Roedd 'na Frodyr Llwyd, Brodyr Gwyn a Brodyr Ffransis o bob math. Roedd yna sianelau'n agor i'r delfrydwyr ymneilltuo rhywfaint heb orfod mynd tu allan i'r gorlan. Ond hyd yn oed ar ôl i Luther a Calfin falu muriau'r gorlan, megis, roedd yr un math o ysfa yn perthyn i'r Protestaniaid hefyd wrth ymateb i'r math yma o ddelfrydiaeth, creu sectau a chreu enwadau oedd ymateb y Protestaniaid hefyd. Os nad oedd y Bedyddwyr yn cytuno efo bedydd y plant bach, maen nhw'n cychwyn enwad arall yn union yr un fath â'r canol oesoedd pan aeth y Brodyr Ffransis a chychwyn Urdd arall. Mewn ffordd mae ymateb Catholigiaeth yn ymateb Lladinaidd, yn perthyn i Fôr y Canoldir a diwylliannau a thraddodiadau clasurol, lle mae'r ffordd o fyw yn caniatáu i bobl ymneilltuo heb fynd y tu allan i'r gorlan. Ond yng ngwledydd y gogledd mae 'na fwy o eithafiaeth. Fedrwn ni ddim aros y tu mewn i'r gorlan, rhaid i ni adael a chychwyn rhywbeth hollol wahanol. Mae hwn eto yn rhyw fath o wrthgyferbyniad sy'n bod yn hanes Ewrop, mae o'n rhan hanfodol ohoni. Erbyn hyn, wrth gwrs, yn ôl fy nheimlad i, mae'n amser i Gatholigion a Phrotestaniaid agosáu at ei gilydd, achos y tu allan i'r mur mae'r barbariaid i'w gweld ym mhobman. Mae'r byd yn fyd anwar, mecanyddol, technolegol sy'n bygwth yr holl werthoedd yr ydan ni wedi cael ein magu i'w parchu, neu felly dwi'n ei weld o, ond ella mai adwaith henaint ydi hynny. Mae hen bobl bob amser yn dweud fod beth bynnag sy'n newydd yn ddrwg.

Ioan Mae hynny'n wir. Mae honno'n elfen ynom ni i gyd, on'd yw hi! Ond ar yr un pryd mae'n rhaid wrth gydbwysedd rhwng newid a chadw. Heb y cadw does gyda ni ddim byd. Fe fyddai newid yn llwyr yn gyfan gwbl amhosib yn un peth, does dim modd cyflawni'r fath beth. Yr unig un, am wn i, sydd wedi trio cyflawni newid o'r fath ydi Pol Pot, a gobeithio ein bod ni wedi dysgu rhywbeth yn sgil yr ymdrech honno. Gadewch i mi ddod â chi'n ôl at Amy. Roedd Blodeuwedd wedi mynd â ni i gyfeiriad diddorol iawn ond sai'n gwybod, rŷch chi wedi creu Amy yn fenyw hardd eithriadol, yn fam ac yn hen fenyw, a sai'n siwr beth oeddech chi'n teimlo tuag ati hi.

Emyr Fel awdur?

Ioan Na, fel person, achos rŷch chi wedi ei chreu hi ac mae hi nawr y tu hwnt i'ch gafael chi.

Emyr Ydi mae hi wedi cerdded i ffwrdd.

Ioan Beth ŷch chi'n ei deimlo tuag ati hi?

Emyr Wel, mae hwn yn gwestiwn diddorol. Ella fod gan

awdur neu nofelydd ryw fath o agwedd at ei gymeriadau sydd ddim yn annhebyg i agwedd tad tuag at ei blant; rydach chi'n gweld eu ffaeleddau nhw i gyd ac rydach chi'n gweld eu gwendidau nhw i gyd ond yn y pen draw mae'n rhaid i chi eu hoffi nhw, mae'n rhaid i chi eu caru nhw, ac mae caru yn golygu ceryddu. Peth meddal iawn ydi caru heb fod yna gyfiawnder a cherydd yn perthyn iddo fo hefyd. Rhywbeth felly baswn i'n dweud yw fy agwedd i tuag at Amy. Dwi'n gweld ei chryfder hi a'i rhinweddau hi ond dwi'n gweld ei gwendidau hi hefyd.

Ioan Dwi'n gweld Amy, fel rhywun sydd erioed wedi gallu byw yn ei chroen, na bod yn fodlon gyda'i hunan nac yn fodlon gyda'i byd. Mae 'na ddwy olygfa dwi'n eu cofio'n arbennig. Mae yna olygfa garu yn y cae gyda Penry ryw brynhawn, ac mae yna olygfa arall, sy'n hynod ddiddorol, ohoni yn caru gydag Almaenwr o gerflunydd ac arlunydd. Tra ei bod hi'n caru gydag e mae hi'n sylwi fod chwaer John Cilydd yn eu gwylio nhw ac mae hi'n ei wthio ef i ffwrdd. Mae'r ddwy olygfa yma yn gwrthgyferbynnu â'i gilydd. Yn y naill mae Amy yn ymateb i Penry yn hollol naturiol, yn dwym mewn ffordd, ond yn y llall mae hi'n rhoi i fewn, mae hi'n caru'n ddiemosiwn, dim ond yn gadael i bethau ddigwydd iddi mae hi, fel pe bai ganddi hi ddim dealltwriaeth o gwbl o beth yw hi ei hunan fel person. Mae hynny'n awgrymu ei bod hi'n drist ofnadwy, ac fe allwn i deimlo drosti.

Emyr Dwi'n trio cofio rhediad y stori. Achos hi ydi'r prif gymeriad mewn saith o'r nofelau. Yn y lle cyntaf mae hi wedi priodi John Cilydd er mwyn cymryd lle Enid ei ffrind, ac er mwyn bod yn nes ati, yr enaid hoff cytûn roedd hi wedi ei cholli, ac er mwyn cael magu plentyn Enid yn fwy na dim byd. Cymhellion anghywir, rhyw fath o ddelfrydiaeth gam. Wedyn mae hi'n cyfarfod Pen. Mae yna ddwy enghraifft, wrth gwrs, ohoni'n caru efo fo. Mae hi'n caru efo fo mewn eglwys wag, ac yn yr achos arall mae hi wedi cyfarfod penllanw ei serch, sy'n brofiad, neu'n un o'r profiadau mawr sy'n digwydd i ni i gyd gobeithio, neu rydan ni i gyd yn chwilio amdano fo. Mae hi'n dod o hyd iddo fo, ond wrth gwrs dydi o ddim yn gweithio, neu fe fyddai rhaid iddi aberthu pob dim mae hi wedi ei ennill er mwyn y cariad yma, a dydi hi ddim yn bwriadu gwneud hynny. Wedyn mae rhyw fath ar edifeirwch yn codi o hynny ac mae'n chwilio i bob cyfeiriad am rywbeth sy'n mynd i gymryd lle'r math yma o gariad ac mae hi'n cyfarfod arlunydd Iddewig, ffoadur adeg y rhyfel. Mae hwnnw'n hoffi ei harddwch hi ac yn ei chwennych hi, ac mae'n debyg fod merch yn ymateb mewn ffordd i edmygedd o'r math yma, ac mae hi'n meddwl ella mai hwn ydi'r allwedd i'r drws sy'n arwain i baradwys, y baradwys goll. Mae hi'n gafael yn yr allwedd ac yn agor y drws. Wrth gwrs unwaith mae hi wedi agor y drws does dim byd yno, dydi o ddim yn gweithio, ddim yn llwyddiant. Mae hynny'n dristwch mawr. Rydach chi wedi cael cip ar baradwys ac rydach chi'n gwybod nad ydach chi byth yn mynd i gyrraedd ato, eich bod chi wedi cael eich cau allan o'r baradwys ddaearol, rhywbeth allai ddigwydd i unrhywun. Mae o'n digwydd i Amy ac mae'r ffordd mae hi'n pydru ymlaen ac yn dal i fynd yn wyneb yr holl siomedigaethau hyn yn ei gwneud hi'n rhyw fath o arwres, neu o leiaf yn ei gwneud hi'n hoffus.

Ioan Ar yr un pryd mae hi'n rhywun sy'n mynd i fod yn hollol ffuantus, on'd yw hi? Erbyn y diwedd mae hi'n llawn stumiau, mae hi'n methu wynebu'r gwir a rhywsut neu'i gilydd mae hi wedi difetha pawb a phopeth y mae hi wedi dod i gysylltiad â nhw.

Emyr Ydi mae hi'n ddinistriol iawn ar un wedd, wn i ddim o ble daeth hi.

Ioan Mae hi yna yn rhywle.

Emyr Mae yna ryw rith ohoni'n codi o rywle. Dwi'n cofio cael sgwrs efo C. P. Snow, ar ôl yfed tipyn mae'n siwr, mae hyn flynyddoedd maith yn ôl pan oedd o'n dechrau llwyddo ac yn ei farn o fedrwch chi ddim creu cymeriadau heb fodelau.

Ioan Fe allwch chi gredu hynny o ystyried ei gymeriade fe, yntyfe!

Emyr Ia, maen nhw'n rhai prennaidd iawn. Ar un wedd ro'n i'n barod i gytuno efo fo ond eto ro'n i'n meddwl fel arall, achos mae'n rhaid iddyn nhw gael y sbonc mewnol 'na i greu eu bodolaeth eu hunain felly, sdim iws mynd yn orlythrennol wrth ddynwared pethau mewn bywyd. Y gân sy'n bwysig, beth bynnag ydi hi, y darn o gelfyddyd, beth bynnag ydi o, nofel, darn o gerddoriaeth neu ddarlun, unrhywbeth, mae'n rhaid iddo fo fod yn hunangynhaliol. Dwi ddim yn meddwl bod modd esbonio, dim mwy na bod modd esbonio pam bod gwreiddiau'n gyfrifol am flodyn – mae o'n anesboniadwy, y berthynas rhwng y gwreiddyn a'r blodyn.

Ioan Mae'r ddau yn perthyn i'w gilydd. Fe wnaethoch chi sôn am y ffaith fod Amy wedi mynd at John Cilydd, a dwi'n cofio'r olygfa lle mae hynny'n digwydd, mae hi'n un sy'n hollol driw i natur y ddau, dwi'n siwr; ond wrth gwrs mae hynny am fod Enid wedi marw. Oedd rhaid i Enid farw? Oherwydd – a dweud y gwir – mae hi'n gymeriad sy'n dal ei gafael, mae hi'n dal yn ffyddlon i'r ddelfryd, i beth mae Dewi Rhys yn ei alw'n 'shibolethau'; cariad, gwlad, cenedl. Pe bai Enid wedi byw allech chi ddim fod wedi sgwennu 'Land of the Living'.

Emyr Na, mae hynny'n ddigon gwir, ond wrth gwrs rydan ni'n mynd yn ôl at y gwreiddiau rwan. Ella oherwydd fod gefeilles fy mam wedi marw ar enedigaeth ei phlentyn fy mod i wedi mynd i gredu fod hynny'n rhan o fywyd, ei fod o'n brofiad cyffredin i bawb, ond mewn gwirionedd profiad teuluol oedd o. Ac eto mae modd, am wn i, symud i gyfeiriad y symbolaidd a gweld Val a hithau'n cynrychioli'r hyn sydd wedi digwydd yn hanes Cymru yn llythrennol felly. Hynny yw, bod rhyw fath o ddelfrydiaeth wedi gwywo, yn union fel mae colli'r capeli yn golled fawr iawn i mi.

Ioan Dwi'n falch iawn eich bod chi wedi sôn am Val achos ro'n i wedi meddwl holi amdano fe. Mae'n gymeriad hynod o ddiddorol. Yn gyntaf ga'i ofyn oedd yna rywun hanesyddol tu ôl iddo fe?

Emyr Dau neu dri i fod yn fanwl. Er enghraifft, ysgrifennydd cynta'r Blaid oedd dyn o'r enw H. R. Jones ac mi roedd y ddarfodedigaeth arno fo. Mi roedd o'n ddyn arwrol mewn llawer ystyr. Ond yr un oedd yn nes at fy amser i a'm profiad i pan o'n i'n hogyn ysgol yn dechrau dysgu Cymraeg ac yn mynd i Ysgol Haf y Blaid, oedd Ambrose Bebb. Dyn arwrol, dyn main, tal, hudolus, efo carisma arbennig iawn. Roedd o'n siaradwr ysgubol, dyn eithriadol o dyner oedd yn cymryd sylw o bawb. Roedd o'n ddarlithydd yn y Coleg Normal ym Mangor ar y pryd ac roedd ei fyfyrwyr yn ei eilunaddoli. Mae o'n ddyn sydd wedi cael cam yn fy marn i, dyn mawr iawn sydd wedi cael dylanwad pwysig. Ond ella fod Val yn debycach i H. R. Jones yn yr ystyr ei fod o wedi blodeuo ac wedi darfod yn ifanc a'i fod o wedi mynd yn ysglyfaeth i'r ddarfodedigaeth oedd hefyd, wrth gwrs, yn glefyd oedd yn cael effaith andwyol ar gymdeithas yng Nghymru yn y cyfnod arbennig hwnnw. Mae enghreifftiau di-ri o bobl hynod o addawol yn cael eu difa gan y clefyd yma yn y cyfnod rhwng y ddau ryfel a hyd at ddechrau'r 1950au pan lwyddodd penisilin i ladd y peth.

Ioan Mae 'na awgrym yn y nofelau mai at Val maen nhw i gyd yn troi. Dwi'n gweld eich triniaeth ohono fe'n ddiddorol iawn. Pan mae e yn y sanitoriwm am gyfnod hir mae'r cymeriadau eraill yn ymweld ag e. Rhywbeth arall diddorol amdano fe yw ei fod e'n gwrthod caru ag Amy. Mae e ac Amy'n cychwyn caru, maen nhw yn y sefyllfa ddelfrydol, yn y gwair, ond mae e'n tynnu'n ôl ac yn pallu. Dwi ddim yn siwr ydi Amy yn deall nac yn maddau iddo fe am hynny. A dwi ddim yn siwr fy mod i chwaith.

Emyr Dwi'n trio cofio'r amgylchiadau. Ella fod hwnnw'n ôl-effaith y math o biwritaniaeth Fictoriaidd oedd yn bod yn y cyfnod, mi fedrech chi weld enghreifftiau ohono fo ym mywyd y 1920au a'r 1930au. Wrth gwrs roedd o'n teimlo ei fod o'n ddyn heb ddyfodol. Roedd o'n credu, fel roedd pobl biwritanaidd y cyfnod hwnnw, mai'r unig le i berthynas rywiol oedd y tu fewn i briodas, ac i briodi roedd rhaid i chi gael modd i gadw gwraig a chadw teulu, rhyw fath o ataliad felly oedd yn rhwystro Val. Mae yna ryw ddarlun, rhyw fymryn bach o awgrym fod ei fam o'n ddynes eithriadol o biwritanaidd, anodd, haearnaidd ei dull a'i meddwl, a doedd o ddim yn gwybod fod gynno fo swydd heb sôn am iechyd. Roedd pethau fel yna'n boen mawr ar y pryd mewn ffordd nad ydan ni'n ei deall.

Ioan Na, mae hynny'n wir. Ond rŷch chi'n awgrymu ei fod o'n rhyw fath o gymhlethdod nodweddiadol o'r cyfnod. Dwi'n meddwl ein bod ni'n gweld cysgodion y cymhlethdod hwnnw yng ngwaith Kate Roberts a John Gwilym Jones hefyd, er bod John Gwilym Jones yn trin cyfnod ychydig bach yn fwy diweddar. Fe ddywedoch chi wrth drafod Val ac Enid fel delfrydwyr eu bod nhw rywsut neu'i gilydd yn dweud rhywbeth am hanes Cymru.

Emyr Hynny ydi mae 'na ddelfrydiaeth sy'n rhedeg i'r tywod yn ein hanes ni, fel yn hanes pob gwlad, ond mae o'n arbennig o argyfyngus yn hanes Cymru achos dim ond ar ryw ffurf o ddelfrydiaeth mae Cymru wedi parhau i fod, mewn ffordd sy'n unigryw o'i chymharu â gwledydd sydd ddim mor hunanymwybodol ag ydan ni. Rydan ni'n gorfod, fel roedd Gwyn Alf yn dweud, ail-greu ein hunain o genhedlaeth i genhedlaeth. Mae hynny'n golygu os ydach chi'n ail-greu yn ôl patrymau, fod patrymau fel rheol yn codi allan o ddelfrydau. Mae yna ryw fath o rith o Gymru'n bod sy'n golygu fod y naill genhedlaeth ar ôl y llall yn ymdrechu i fynd yn ei blaen, yn lle diflannu'n gyfan gwbl. Mae yna ddigon o enghreifftiau o genhedloedd a llwythau a gwareiddiadau sydd wedi diflannu oherwydd diffyg awydd a diffyg ewyllys i fyw. Mae'r ewyllys i fyw yn rhywbeth sy'n gorfod cael ei ail gynnau o genhedlaeth i genhedlaeth ymysg y Cymry. Dwi'n meddwl fod hynny'n ffaith hanesyddol anwadadwy.

Ioan Ac eto mae e'n wir hefyd, fel dwedon ni am Amy, mai byw o ddydd i ddydd yw'r frwydr sy'n tanlinellu ac yn diddymu'r elfen o ddelfryd.

Emyr Ia. Rydach chi'n gorfod cyfaddawdu trwy'r amser, ond eto beth sy'n gwneud y Cymry yn eithriadol o ddiddorol i mi beth bynnag, yw'r gwahanol ddulliau o gyfaddawdu gafodd eu mabwysiadu o genhedlaeth i genhedlaeth. Mewn ffordd, os ydach chi'n edrych yn ôl ar grefydd ymneilltuol a'r Methodistiaid cynnar, mor ddigyfaddawd oedd pobl fel Howel Harris a Phantycelyn a Peter Williams ac yn y blaen, ond erbyn i chi ddod i'r ganrif nesa mae Cymru wedi meithrin ac wedi llwyddo i greu rhyw fath o gymdeithas sy'n cyfaddawdu â materoliaeth Fictoriaidd, ac mae'r syniad o gynnydd ysbrydol wedi cael ei drawsffurfio yn syniad o gynnydd materol, ac wedyn mae hynny'n tyfu'n naturiol i olygu mynd yn eich blaen yn y byd, dyrchafiad arall i Gymro.

Mae honno wedi mynd yn rhyw fath o agwedd ar y meddylfryd cenedlaethol Cymreig, sy'n dal efo ni wrth gwrs. Mae o'n reit ddigrif mewn ffordd, mae o wedi cyrraedd rhyw lefel ryfedd yn y byd pop. Dwi'n clywed fod rhai pobl yn edliw i'r grwpiau hyn eu bod nhw'n bradychu eu delfrydau er mwyn mynd yn eu blaenau, dyrchafiad arall i Gymro, tra fo pawb arall yng Nghymru yn neidio i fyny ac i lawr gyda llawenydd di-ben-draw achos fod yna ryw gân o Gymru wedi cyrraedd y *Top Ten*. Mae o'n rhyw wendid lleiafrifol am wn i.

Ioan Dyn a ŵyr beth fyddai'n digwydd i ni pe baen ni'n ennill Cwpan y Byd.

Emyr Mi fasan ni i gyd yn boddi.

Ioan Does dim rhyw lawer o debygrwydd y bydd hynny'n digwydd. Ni'n saff rhag un temtasiwn beth bynnag.

Emyr Ac eto mae o'n wir am bob gwlad, ond pan mae Ffrainc yn mynd yn wirion, neu pan mae Lloegr yn mynd yn wirion mae yna rywbeth ar ôl, ond mae yna lai a llai ar ôl yng Nghymru pan ydan ni'n mynd yn wirion. Roedd Lloyd George, er enghraifft, efo'i lwyddiant ysgubol, yn gadael ychydig iawn ar ôl. Mae yna lai a llai yn cael ei adael ar ôl felly a'r gamp fawr ydi creu rhyw fath o ddelfryd organig, tebyg i datw, neu rywbeth felly, lle mae tatw sy'n tyfu adra cystal â dim arall. Mae honna'n ddelfryd anodd iawn ei chynnal, mae hi'n hollol anymarferol, er nad ydi hi ddim yn ddelfryd o gwbl, achos dim ond mater o hunan-barch ydi o, fel tasa 'na ryw fath o ddewis yn y diwedd rhwng hunan-barch a hunanladdiad. A hunanladdiad ydi diflannu. Hunan-barch ydi dal ati o genhedlaeth i genhedlaeth, cadw'r glendid a fu, ac nid cadw'r glendid a fu yn unig, ond ei addasu ar gyfer rhyw fath o ddyfodol nad oedd neb wedi ei ddychmygu.

Ioan Wi'n teimlo'n bod ni'n cael golwg ddiddorol iawn ar y pwnc yma yn nrama Saunders Lewis *Dwy Briodas Ann*. Mae hi'n dangos John Elias yn sefyll rhwng dwy oes ac wrth gwrs yn cael ei gynorthwyo i symud o'r naill i'r llall gan ferch, a merch gyffredin iawn, un o'r werin bobl, Ann Williams. Dwi newydd fod yn gweithio tipyn ar y ddrama honno. Mae hi'n ddeniadol ond ar yr un pryd yn fanwl gywir o safbwynt hanesyddol. Ga'i ddilyn rhywbeth lan? Yn dilyn Val ac Enid, hoffwn i'ch holi chi dipyn ynglŷn â'r elfen ddelfrydol mewn cwpwl o gymeriadau eraill sydd efallai yn nes atoch chi'ch hunan. Arwr *The Little Kingdom* a Michael yn *Y Tri Llais/A Toy Epic,* mae'r ddau ohonyn nhw'n enghreifftiau, Michael i raddau llai na'r llall, o ryw fath o glefyd deallusol neu ymenyddol. Mae'n ddiddorol iawn gweld awdur mor ifanc ag oeddech chi pan ysgrifennoch chi *The Little Kingdom* bron yn boenus o ymwybodol o'r peryglon sydd yna mewn gallu. Fe fyddech chi'n disgwyl i ddyn ifanc fod yn fwy diniwed. Ro'n i'n teimlo pan ddarllenais i'r nofel am y tro cyntaf, 'mae'n rhaid fod Emyr, yn yr oed yna, yn ei ddrwgdybio'i hunan'.

Emyr Ym mha ffordd?

Ioan Wrth i'r arwr ifanc afael yn y ddelfryd, ac mae hyn yn wir am Michael hefyd, wrth iddyn nhw afael yn achos Cymru, achos cenedletholdeb, maen nhw'n mynd yn llwgr, maen nhw'n llygru'r ddelfryd gyda'u hegotistiaeth eu hunain.

Emyr Ydan. Eto mae'n anodd iawn i mi fwrw fy meddwl yn ôl i'r cyfnod hwnnw. Ond ro'n i'n ymwybodol yn ifanc iawn fod yna wrth-ddweud rhwng cenedlaetholdeb a heddychiaeth. O'r safbwynt hwn does dim gwahaniaeth os ydach chi'n siarad am ryddid, rhyddid gwlad neu ryddid dosbarth, mae pob un arweinydd, wedi seilio ei holl apêl ar rym, ac mae hynny'n golygu defnyddio'r gallu i ladd. Mae'n debyg fod yr hogyn yn *The Little Kingdom* wedi datblygu'r safbwynt yma ac wedi cymysgu'r athroniaeth neu'r dadansoddiad efo'i egotistiaeth ei hun. Mae hynny'n siwr o fod yn elfen reit arwyddocaol yn y naill stori a'r llall – sut rydach chi'n bwriadu cyrraedd at y nod heb ladd? Wrth gwrs, yr ateb a gynigir gan yr hyn rydan ni'n ei alw'n 'Fytholeg Gristionogol' ydi, dydach chi ddim yn lladd, rydach chi'n cael eich lladd, rydach chi'n cymryd rhyw fath o gam mawr oddi wrth ladd rhywun arall i naill ai ladd eich hun neu i fod yn fodlon i rywun arall eich lladd chi. Mae rheiny'n rhyw fath o agweddau sylfaenol ar y sefyllfa ddynol ym mhob oes felly mae o'n troi'n bwnc gwleidyddol unwaith rydach chi'n sôn am y rhyfel dosbarth neu ryddhau cenedl, neu unrhyw fath o ddelfrydiaeth rydach chi isio'i feithrin ar gyfer cymdeithas gyfan.

Ioan Mae'n anarferol, dwi'n teimlo, i ddyn ifanc fod yn cymryd safbwynt fel 'na, ac os ca'i wrthgyferbynnu eich achos chi â'r Joyce ifanc, i'r graddau y mae e'n cael ei adlewyrchu ym mhortread Stephen yn *Portrait of the Artist as a Young Man*, a'r Saunders Lewis ifanc, fel mae e'n ymddangos yn ei weithiau cynnar. Mae'r ddau ohonyn nhw yn eu ffyrdd eu hunain wedi eu lliwio gan esthetiaeth, ond mae'r ddau ohonyn nhw yn dangos y math o hyder, y math o argyhoeddiad, mai nhw sy'n iawn, y byddech chi'n ei ddisgwyl gan ddyn ifanc. Efallai mai'r gwahaniaeth rhyngddoch chi a nhw yw'r elfen o heddychiaeth. Pryd daeth hynny i fewn i'ch bywyd chi?

Emyr Wel roedd o'n rhan o holl awyrgylch diwedd a chanol y 1930au ym Mhrydain. Roedd y peth yn rhan o ysbryd yr oes. Ar y naill law roedd gennych chi heddychiaeth a phethau fel *The Peace Pledge Union* yn adwaith i'r Rhyfel Byd Cyntaf, a oedd wedi cael effaith mor andwyol ar bobl ac ar ddynion ifanc holl wledydd y Gorllewin. A gan mai Prydain oedd wedi ennill a'r Almaen oedd wedi colli, mewn ffordd od iawn roedd heddychiaeth ym Mhrydain yn gwrthgyferbynnu'n llwyr â Natsïaeth yn yr Almaen. Y naill oedd crefydd y rhai oedd wedi colli a'r llall oedd crefydd y rhai oedd wedi ennill. Dymuniad y rhai oedd wedi ennill oedd na fyddai'r fath beth byth yn digwydd eto a chredent mai'r unig ffordd iddo fo beidio digwydd oedd ymwrthod yn llwyr â rhyfel. Roedd rhyfel, cyn hynny, yn rhywbeth arbenigol ar gyfer milwyr, ond erbyn yr ugeinfed ganrif roedd o wedi mynd yn rhywbeth allai ddileu cymdeithasau cyfan. Ond doedd cymhellion y Blaid Lafur yn Lloegr ddim yn glir hyd yn oed, er enghraifft, pan ddechreuodd y rhyfel yn Sbaen roedd rhai ohonyn nhw o blaid mynd i ymladd dros y werinlywodraeth, a rhai, dan arweinyddiaeth George Lansbury, yn arddel heddychiaeth. Roedd dylanwad pobl fel Aldous Huxley a John Middleton Murray yn siwr o fod wedi treiddio i mewn i Gymru yn gryf iawn drwy'r capeli a thrwy gyfrwng Ymneilltuaeth. Roeddan nhw'n edifarhau am eu brwd-frydedd dros y Rhyfel Byd Cyntaf. Yn fy achos i, wrth gwrs, roedd fy nhad wedi ei glwyfo'n ddifrifol yn ystod y Rhyfel Byd Cyntaf ac ro'n i wedi cael fy magu yn sŵn dyn oedd wedi dioddef nwy gwenwynig yn ei ysgyfaint yn pesychu drwy'r nos. Roedd hynny'n rhan o fy ymwybyddiaeth i o beth oedd byw. Allan o'r awyrgylch yna roedd heddychiaeth yn codi. Fasa hynny ddim wedi effeithio ar rywun o genhedlaeth James Joyce yn Iwerddon yn yr 1890au, neu Saunders yn y cyfnod cyn y Rhyfel Byd Cyntaf. Dwi'n ei gofio fo'n dweud wrtha'i, ro'n i wedi gofyn iddo fo, 'lle oeddach chi ar Awst y 1af 1914?'. '1914? Ro'n i ar y fferi'n mynd o'r Brifysgol yn Lerpwl adra i Wallasey, wnes i wirfoddoli i fynd i'r fyddin y diwrnod hwnnw', medda fo. 'Beth ydi'r gwahaniaeth', medda fi, 'rhwng y 1af o Awst 1914 a'r 3ydd o Fedi 1939?' 'Roedd pawb wedi gweld yr ail ryfel yn dod', medda fo, 'doedd o ddim yn syndod yn y byd, ond roedd y 1af o Awst 1914 fel bom yn disgyn wrth eich traed chi. Roedd y byd wedi newid yn gyfan gwbl. Roeddach chi'n gwybod eich bod wedi camu o un math o wareiddiad i rywbeth hollol wahanol a oedd yn llawn antur. Roedd pawb yn mynd dan ganu.'

Ioan Rwy'n cofio mam yn dweud rhywbeth tebyg. Roedd hi ar ei gwyliau ar y pryd yn aros gyda'i modryb yn y Cwm, rhyw dair milltir o Lynebwy. Beichio llefen wnaeth hi pan glywodd hi fod y rhyfel wedi torri mas, achos doedd hi ddim yn credu y byddai'n gallu mynd gartre – o'r Cwm i Lynebwy! Mae'n ddiddorol meddwl fod yr elfen yna o heddychiaeth mor gryf, nid yn unig yng Nghymru ond ynoch chi. Dwi'n siwr fod y ddelwedd yna o'ch tad yn pesychu drwy'r nos yn un gref iawn i chi.

Emyr Mae'n siwr, ac eto ro'n i'n ymwybodol, o fy adnabyddiaeth i o hanes a natur hanes, na fedrech chi ddim newid pethau heb rym. Yr unig enghraifft y gwn i amdano fo o heddychwyr yn trio sefydlu cymdeithas newydd ydi'r Crynwyr yn mynd i America, ond fuon nhw fawr o dro cyn erlid yr Indiaid Cochion. Unwaith roedd Philadelphia, dinas cariad a Beulah, y wlad berffaith, wedi ei sefydlu, roeddan nhw'n cael eu llygru gan rymoedd annelfrydol.

Ioan Rwy wastad wedi teimlo, fod yna elfen anghysurus ynghlwm wrth heddychiaeth, oherwydd, er bod rhesymeg heddychiaeth yn gryf iawn, fe wyddon ni i gyd fod yn rhaid i ddyn wneud ei safiad rhywle ar y llwybr rhwng y naill begwn a'r llall. Mae heddychiaeth yn arwrol ac eto tybed oedd dyn ifanc, yn arbennig dyn ifanc oedd yn ymwrthod â rhyfel fel y gwnaethoch chi, yn ymwybodol o unrhyw elfen afresymol neu o wendid rhesymegol yn ei safbwynt?

Emyr Oeddwn, bob amser, a dwi'n dal i deimlo felly. Roeddach chi'n cael y cyfle gan y wladwriaeth ym Mhrydain i gofrestru fel gwrthwynebwr cydwybodol. Dydi 'gwrthwynebwr cydwybodol' a 'heddychwr' ddim yn gyfystyr â'i gilydd. Mi allech chi fod yn wrthwynebwr cydwybodol a gweithio ar y tir fel roedd Saunders isio i bawb ohonon ni yn y Blaid wneud, oherwydd nad oeddach chi fel Cymro ddim yn fodlon gwasanaethu ym myddinoedd Lloegr – felly roedd y Gwyddelod yn gwneud. Dwi'n gweld grym a nerth y ddadl yna'n llwyr, ond ro'n i'n gwrthwynebu ar dir cenedlaetholdeb *a* heddychaeth, fel roedd Gwynfor Evans a'r mwyafrif o'r Blaid a dweud y gwir. Mae yna wendidau, achos allwch chi ddweud eich bod chi'n defnyddio'ch heddychaeth oherwydd llwfrdra neu er mwyn cadw'ch croen yn iach, tra'n dal i wneud 'sŵn cenedlaethol'. Yr unig beth rhesymegol i'w wneud ydi mynd i'r carchar, ond ches i ddim fy ngyrru i'r carchar, mi ges i fy ngyrru i weithio ar y tir. Ymhen tro byd fe ges i fynd i weithio efo pobl oedd yn trafod dinistr y rhyfel efo Cronfa Achub y Plant. Felly ro'n i'n cael bodloni fy nghydwybod i ryw raddau trwy wneud pethau oedd yn gymharol greadigol, oedd yn gwella'r sefyllfa yn hytrach na'i gwneud hi'n waeth ond peth hollol bersonol oedd hynny. Dwi ddim yn gwybod hyd y dydd heddiw a wnes i'r peth iawn; wrth gwrs mae datrys rhyw broblemau felly hefyd yn rhan o'r ysfa greadigol. Rydach chi'n trio gwneud dau beth, trio gweithio allan rhyw fath o iachawdwriaeth ar gyfer naill ai'ch cymdeithas neu'ch creadigaethau dychmygol, a gweithio allan eich iachawdwriaeth chi eich hun. Mae'n broses ddiddiwedd sy'n para hyd y bedd. Unwaith mae'r elfen o 'fi' yn dod i mewn dwi'n ansicr ynglŷn â phob dim. Os dwi'n gweithredu'n wrthrychol wrth greu dwi'n weddol saff, mae amodau'r creu yn lloches, yn rhyw fath o ddihangfa i rywun sy'n gwbl ansicr ohono fo'i hun.

Ioan Dyna'r ail dro i chi ddefnyddio'r gair 'gwrthrychedd' yn y sgwrs yma. Fe hoffwn i ddod yn ôl ato fe yn nes ymlaen. Chi wedi sôn am y cyfnod dreulioch chi yn yr Eidal, wedyn fe ddaethoch chi'n ôl a phriodi a setlo a byw yn deidi, fel ro'n ni i gyd yn arfer gwneud y dyddiau hynny, sy'n golygu cael job i gadw'r wraig a'r teulu. Fe fuoch chi wedyn am gyfnod yn dygymod â'ch galwedigaeth yn raddol, wedyn mae cyfres o nofelau yn dilyn, yn cynnwys un am yr Eidal, ond does yna fawr ddim ymwybyddiaeth o Gymru yn y gyfres hon o nofelau. Ga'i ofyn yn blaen, pam?

Emyr Dwi ddim yn gwybod pam, ond cael fy ngorfodi i ddod yn ôl i Gymru wnes i ynte? Nid fy newis i oedd o, ac i raddau helaeth dwi ofn dadansoddi gormod ar y peth gan ei fod o'n rhan o gwlwm fy nghyfansoddiad a ngwreiddiau i, a dwi ofn pe bawn i'n ei ddatod o y byddwn i'n disgyn yn un swp o ddim byd. Er enghraifft, pan es i i'r Eidal a chreu rhyw fath o fywyd hollol newydd i mi fy hun a chyfarfod rhyw gymdeithas hollol newydd ro'n i'n hapus iawn, am wn i yr unig beth oedd gen i hiraeth amdano fo yng Nghymru oedd Elinor, fy ngwraig, do'n i ddim yn gweld dim byd cystal â hi yn unman arall. Ond unwaith rydach chi'n sôn amdani hi, rydach chi'n sôn am ei thad, fy ngweinidog, ei theulu, y gymdeithas a phob dim. Mewn ffordd, drwyddi hi yn hytrach na thrwy fy nheulu fy hun rydw i wedi cadw gafael yn fy ngwreiddiau Cymraeg, achos roedd fy nheulu i ar y gororau wedi mynd yn hanner di-Gymraeg ac wedi mynd yn hanner Saeson.

Wedyn, pan ddaeth yr amser, ro'n i'n gwybod fy mod i i fod i sgwennu o'r cychwyn cyntaf. Roedd honno'n rhyw ysfa heb unrhyw fath o sail iddi. Dyna ydi ffydd i ryw raddau – rydach chi'n dweud wrthoch chi'ch hun, 'dwi'n mynd i wneud hyn, does gen i ddim math o gymwysterau a dim hawl i'w wneud o, ond dwi'n mynd i'w wneud o.' Mae hynny'n rhywbeth cwbl anesboniadwy. Ond erbyn i mi fynd i'r Eidal a gweld gogoniant gwareiddiad y gorffennol a bod pethau mor gyffrous yn digwydd yn y presennol, ro'n i'n meddwl, 'ew mi faswn i wrth fy modd yn aros yn fa'ma', ond fedrwn i ddim. Dwi wedi bod yn mynd yn ôl ac ymlaen yno ar hyd y degawdau ond fa'ma ydi fy mhriod le i, a fa'ma mae'r chwarel lle dwi'n cael y pleser mwyaf o gloddio ynddi, a'r ysbrydoliaeth wrth gwrs. Am ryw reswm, na fedra'i ei ddeall, mae'r pethau dwi'n eu sgwennu am Gymru, neu yng

Nghymru, yn llawer iawn gwell na'r pethau dwi'n sgwennu y tu allan, a dwi ddim yn gwybod pam, ond dwi'n meddwl ei bod hi'n ffaith. Mi sgwennais i nofel, er enghraifft, am athro ysgol yn Wimbledon, *Hear and Forgive,* mae o'n llyfr eitha diddordol ond mae o'r math o lyfr fyddai David Lodge neu Kingsley Amis, neu rywun, yn medru ei sgwennu. Ond unwaith dwi'n dod i fa'ma dwi'n mynd yn orhyderus, dwi'n sgwennu rhywbeth gwell na fedrai neb arall ei wneud. Dwi ar fy nhir fy hun ac yn gwneud rhywbeth unigryw na fyddai neb arall yn medru ei wneud.

Ioan Does dim amheuaeth am hynny . . .

Emyr Dwi ddim yn gwybod pam. Mae o'n beth hyll iawn i'w ddweud mewn gwirionedd achos, mi ddylai fod yna gannoedd o bobl yn ei wneud o, nid jyst fi, ond rydach chi fel tasach chi'n cymryd rhyw ddarn o dir drosodd a'i feithrin o a'i droi o'n ardd sy'n perthyn i neb ond y chi. Ond yn y lleill os ydw i'n sgwennu am yr Eidal, neu am Lundain neu America hyd yn oed, oni bai bod yna ryw gysylltiadau Cymreig reit sylweddol dydi'r pethau dwi'n eu sgwennu ddim yn anghyffredin.

Ioan Allwn i wneud cymhariaeth efo Ellis Wynne, a'r *Gweledigaethau*? Mae'r ysbrydoliaeth ar gyfer llawer o ddeunydd y *Gweledigaethau* yn dod o waith Quevedo yn Sbaeneg, a chyfieithiad Saesneg Le Strange, ac mewn ffordd lai uniongyrchol o weithiau Milton a Bunyan. Mae'r pethau hyn yn dod at ei gilydd ac yn cymysgu gyda rhyw elfen o Gymreictod, sy'n rhoi gogwydd neilltuol ar bethau, fel mae pob iaith, a phan fo'r elfennau hynny'n cymysgu mae rhywbeth yn tanio. Dwi'n credu fod yr un peth wedi digwydd i Bantycelyn. Does neb erioed wedi mynd ar ôl yr elfennau mae Pantycelyn wedi'u dwyn o'r tu allan ond maen nhw'n codi eu pennau dro ar ôl tro.

Fe sonioch chi wrth siarad â Wynn am ddylanwad William Faulkner ar eich gwaith chi, ac mae o i'w weld yn amlwg. Mae'n anodd iawn meddwl am unrhywun arall sydd wedi ymateb i Faulkner, ac wedi ei addasu i'r sefyllfa Gymreig fel yr ydych chi wedi ei wneud yn y ddwy nofel, *A Man's Estate* ac *Outside the House of Baal.* Mae'n gyfuniad o bethau gwahanol efallai, o orfod mynd mâs i chwilota, a gorfod dod yn ôl a defnyddio'r hyn rydych chi wedi'i ddarganfod gartref. Mae rhywbeth yn digwydd o ganlyniad i hynny.

Emyr Oes ac mae hynny'n beth od iawn. Os ydach chi'n symud allan o fyd y nofel i fyd y theatr deudwch, neu ffilm, dydan nhw ddim ond cyfryngau gwahanol i wneud yr un math o beth yn y pen draw. Mae'r anawsterau yn fwy o lawer yn y theatr ac mae rheiny i gyd yn anawsterau ymarferol iawn, ond yn y diwedd rydach chi'n dod ar ei draws o yn y nofel hefyd. Fel roeddach chi'n dweud am Ellis Wynne, nid y chi sy'n siarad yr iaith ond yr iaith sy'n eich siarad chi ac mae hynny'n amlwg yn ei achos o. Ysywaeth, yn Saesneg mae fy nofelau i bron i gyd, felly dyna'r iaith sy'n fy siarad i, ac eto tu fewn i hynny mae 'na ryw lais bach yn trio gweiddi yn Gymraeg. Mae hwnnw'n wrthgyferbyniad arall.

Ioan Dyna gwestiwn arall. A fyddai hi wedi bod yn bosib i rywun wneud yr hyn rŷch chi wedi ei wneud, yn Gymraeg?

Emyr Dwi'n meddwl y byddai modd ei wneud o yn Gymraeg pe bai Cymru wedi bod yn rhydd, ys dywed pobl fel J. R. Jones a Gwynfor, yn yr ystyr fod holl egni pobl fel Ambrose Bebb a Saunders Lewis a W. J. Gruffydd, y genhedlaeth honno oedd mor eithriadol o ddawnus, wedi mynd i sgwennu. Fuo 'na erioed cymaint o ddisgleirdeb mewn gwlad fechan ag oedd yna yng Nghymru yn hanner can mlynedd cyntaf y ganrif yma. Roedd yna bob math o athrylith yma ond fod eu hegni nhw fel llenorion, allai fod wedi cael ei ddefnyddio i greu ac ymestyn ffiniau'r nofel, wedi mynd i sefyll ar y mur fel Seithenyn yn cadw'r llanw draw.

Ioan Ond eu bod nhw dipyn bach mwy llwyddiannus.

Emyr Ia, llawer iawn mwy llwyddiannus, ond fod eu hegni nhw i greu i gyd wedi mynd ar bethau eraill. Mae o i'w weld mewn pobl run fath â Tegla Davies a Kate. Sut roedd Kate druan yn mynd i gael amser i sgwennu nofelau hir a hithau'n lladd ei hun yn cadw'r *Faner* i fynd?

Ioan Un peth sy'n fy nharo i am lot o'r bobl roeddech chi'n siarad amdanyn nhw, maen nhw i gyd yn bobl oedd yn cario dychweledigion gyda nhw, yn yr ystyr mae Ibsen yn ei roi i'r gair. Edrychwch beth ddigwyddodd i Tegla yn *Gŵr Pen y Bryn,* rhywsut neu'i gilydd mae rhyw gynrhonyn o sentimentaliaeth yn dod i mewn i'r nofel ac yn ei phydru hi o'r tu fewn. Mae'n nofel feirniadol, sy'n dechrau dadansoddi cymeriad y Cymro, ond mae'r elfen honno'n toddi ac yn cael ei boddi'n gyfan gwbl erbyn y diwedd.

Emyr Yn cael ei thagu gan Tegla y pregethwr.

Ioan Un o'r dychweledigion, dwi'n teimlo. O ran hynny rŷch chi'n dweud, pan fo pobl yn gofyn i chi pam nad ŷch chi wedi sgwennu yn Gymraeg, faint oeddech chi'n dibynnu ar eich tad-yng-nghyfraith oedd mor gadarn ei Gymraeg. Wrth gwrs mae'n bwysig iawn cael y math yna o gryfder y tu ôl i chi, ond dwi hefyd yn meddwl am rywun fel Conrad, aeth o Wlad Pwyl i Ffrainc, meistroli Ffrangeg cyn mynd i Loegr a sefydlu ei hun fel llenor Saesneg. Fuo Conrad erioed yn siarad Saesneg yn iawn ac eto fe'i plygodd i'w weledigaeth ef ei hunan. Dwi'n argyhoeddedig y gall hynny fod wedi bod yn bosib, pe bai'r weledigaeth wedi ffitio'r Gymraeg.

Emyr Roedd gan Conrad fantais, os ca'i ddweud, roedd y nofel yn ei gynnal o yn ogystal â'i fod o'n gwyrdroi'r nofel.

Ioan Mae hynny wedi digwydd i chi hefyd.

Emyr Ond yn Gymraeg doedd dim digon o nofelau. Roedd pob dim wedi stopio efo Daniel Owen.

Ioan Ond cofiwch beth ddigwyddodd i Daniel Owen. Cymerwch y gwahaniaeth, y dirywiad, o ran ffurf a strwythur, sy'n digwydd rhwng *Enoc Huws* a *Gwen Tomos*, a'r dirywiad ffurfiol sydd i'w weld yn Gwen Tomos ei hunan. Doedd Daniel Owen ddim yn gallu trin ei brofiad ei hun y tu fewn i ffiniau'r iaith Gymraeg. Beth mae e'n wneud yn y diwedd? Dechrau gyrfa fel nofelydd gyda chyfieithiad o nofel ddirwest Americanaidd, *Ten Nights in the Black Lion,* a diweddu'i oes yn sleifio i fewn i'r *snug* yn y *White Lion*! Alle fe ddim dygymod â'i brofiad ei hun drwy gyfrwng y Gymraeg oherwydd y dychweledigion.

Emyr O sôn am ddychweledigion, roedd Dafydd ei frawd ar ei ysgwydd o ar hyd yr amser, Dafydd oedd yn ysbrydoliaeth ac yn feddwyn. Roedd Daniel yn dweud fod Dafydd yn well storïwr na fo. Wrth gwrs mae 'na lyfr, neu draethawd diddorol iawn i'w sgwennu ar Dafydd. Dwi'n meddwl fod gan Daniel Owen ddawn eithriadol iawn a'i fod o ar fin bod yn nofelydd gwirioneddol fawr ond fod y gymdeithas a'r amgylchiadau yn y cyfnod hwnnw yn ei fygu o. Mae'r un peth yn wir rwan wrth gwrs. Nid y capel sy'n mygu pobl rwan ond y cyfryngau. Mae yna rywbeth yn ysbryd yr oes sy'n elyniaethus i'r ysbryd unigol ac mae hynny'n rhywbeth y mae'n rhaid i ni ei gymryd i ystyriaeth.

Ioan Ond byddwn i'n awgrymu eich bod chi wedi'ch meddiannu gan y nofel glasurol realistaidd achos eich bod chi wedi datblygu traddodiad y nofel honno mewn cyfnod pan mae hi wedi mynd mâs o ffasiwn a mâs o afael pobl mewn gwledydd eraill. Mae'ch nofelau chi, yn arbennig y gyfres 'Land of the Living', yn ymgais i wneud y nofel yn gyfrwng i hanes cenedl. Mae hynny yn dangos eich bod yn olyniaeth uniongyrchol nofelwyr y ganrif ddiwethaf sy'n eich cysylltu chi â gwaith Dickens, Balzac, Flaubert, Tolstoi ac yn y blaen. Rŷch chi wedi ymestyn y traddodiad yng Nghymru ac mae'r traddodiad hwnnw'n seiliedig ar y gred ei bod hi'n bosib, drwy gyfrwng y dychymyg, cwmpasu bywyd mewn ffordd nad ŷch chi'n medru ei wneud mewn unrhyw fodd arall. A dwi ddim yn credu fod y cysyniad yna erioed wedi gwreiddio yn y Gymraeg; er ei bod hi bron yno yng ngweledigaeth ramantaidd Islwyn.

Emyr Ie. *Y Storm.*

Ioan Ie, bron. Ond wrth gwrs dyw e ddim yn gallu ei datblygu hi'n llawn oherwydd yr etifeddiaeth Galfinaidd.

Emyr Mae hynny'n ddiddorol iawn. Mae hi'n dal i fod yn broblem fawr. Mi fydda i'n meddwl weithiau, a dyna'r math o beth mae henaint yn ei wneud – mi fydda i'n meddwl fod y nofel wedi gorffen fel ffurf achos fod y cyfryngau newydd, y teledu a'r ffilm ac yn y blaen, nid yn unig wedi dwyn y gynulleidfa ond hefyd wedi dwyn y doniau a fyddai wedi ail-greu cenhedlaeth newydd o nofelwyr. Mae o i'w weld yn glir iawn yng Nghymru ac yn drist felly, ond mae o'r un mor wir yn yr Unol Daleithiau, sy'n wlad anferth, y wlad gyfoethocaf welodd y byd erioed. A beth yw hanes y nofel yno?

Ioan Edwino.

Emyr Edwino. Maen nhw'n aredig y tywod yno. Nid fy mod i'n ddarllenydd mawr ar nofelau cyfoes, ond mae darllen rhywun fel John Updike yn drist, achos mae o'n enghraifft dda iawn o rywun efo doniau di-ben-draw i drafod rhyddiaith, ond am beth mae o'n sgwennu? Rhywbeth sydd ddim yn werth sgwennu amdano fo y rhan fwyaf o'r amser, ffurf er mwyn ffurf. Mae o'n wir am Loegr hefyd. Dwi ddim yn gwybod digon am y Ffrangeg gyfoes ond yn sicr mae o'n wir yn yr Eidal. Maen nhw wedi cael eu llyffetheirio'n llwyr gan holl amgylchiadau cyfathrebu cyfoes. Ella y bydd pobl yn troi yn ôl at y nofel fel rhyw fath o loches neu ryw ffordd o fynegi eu hunain, ond fel ffurf gymdeithasol sydd am gael unrhyw fath o effaith ar ei chymdeithas, fel cafodd nofelau Daniel Owen, mae hi wedi darfod yn llwyr dwi'n meddwl. Wedi gorffen am byth.

Ioan Dwi'n meddwl fod hynny'n eithaf posib, oherwydd i fynd yn ôl at rywbeth roedden ni'n drafod o'r blaen, y gwir yw fod ffydd pobl yn y cysyniad o berson wedi darfod. Mae'r nofel draddodiadol yn seiliedig ar y gred fod yr unigolyn yn bwysig a bod yna ryw dyndra rhwng yr unigolyn a'r byd mae e'n byw ynddo. Mae'r nofel rhywsut neu'i gilydd yn gallu cyfryngu rhwng y naill a'r llall a gwneud rhyw gyfanwaith o'r unigolyn a'i fyd, sy'n fwy na'r naill na'r llall ar wahân. Os felly, fe fyddwn i'n awgrymu eich bod chi wedi gorfod dod yn ôl i Gymru er mwyn sgwennu nofelau achos mai yng Nghymru roeddech chi'n dod o hyd i wlad ychydig bach yn hen ffasiwn, lle roedd gwrthgyferbyniad rhwng yr unigolyn a'r byd cymdeithasol yn dal i fod. Un agwedd ar ein hetifeddiaeth ni oedd ein bod ni'n dal i gredu yn y gweinidog, er bod y byd modern yn gwneud ei orau i fflysio pethau felly mâs o'i ymwybyddiaeth.

Emyr Dwi'n siwr eich bod chi'n iawn. Mae hi'n gymwynas i mi eich bod chi'n dweud wrtha'i! Un o'r anawsterau o fod y math o sgwennwr ydw i ydi, oni bai fod gen i stori, oni bai fod gen i wrthrych, dwi ddim yn gwybod fy mod i yma, dwi'n rhyw fath o *ectoplasm*. Mae o'n atgyfnerthu fy ymwybyddiaeth i ohonof fi fy hun, dwi'n siwr. Mae hyn yn bownd o fod yn wir erbyn i chi ddweud, fel mae Prosser Rhys yn dweud, 'mi fydda i'n sefyll neu'n syrthio gyda hwy'. Mae hynna'n rhywbeth reit braf, wrth gwrs, mae o'n well na chyffuriau ac mae o'n well na hunanladdiad, run fath â John Berryman a chenhedlaeth gyfan yn America, yn byw ar eu *campus* eu hunain, yn gwbl ynysig, a dim byd yn cyfrif iddyn nhw. O leiaf mae gynnon ni achos yma, rhywbeth i ymladd drosto fo.

Ioan Efallai mai beth rŷch chi wedi'i ddarganfod yng Nghymru yw, nid yn unig achos, ond enghraifft o argyfwng traddodiadol y dyn Ewropeaidd, pan fo hynny bron â darfod yn y byd tu fâs. Ella fod hynny'n esbonio pam nad yw llyfrau fel *Hear and Forgive* a *The Gift* mor ddiddorol â'r llyfrau sy'n ymwneud â Chymru. Mae'r pwnc wedi ei gyflawni, ond mae wedi troi mâs i fod yn fuddugoliaeth eithaf dibwys. Mae *Jones* yn nofel feistrolgar iawn o ran y ffordd mae hi'n defnyddio technegau modernaidd i ddadansoddi unigolyn, ond hyd yn oed wedyn y gwahaniaeth rhwng *Jones* ac *Outside the House of Baal* yw'r gwahaniaeth rhwng *Excelsior* a *Cymru Fydd*. Mae'r job wedi ei gwneud, mae hi'n effeithiol tu hwnt, ond mae un wedi methu. Os down ni'n ôl at J.T., mae e ymhlith y cwmwl tystion ac mae e'n methu, a methu eto, ac maen nhw fel pe baen nhw'n ei wylio fe yn ei fethiant ac yn cymeradwyo.

Emyr Beth ydi'r gair Cymraeg am *resonance*?

Ioan Dyna sydd mor bwysig am eich cyrhaeddiad chi fel llenor, dwi'n meddwl, eich bod chi wedi creu *resonance* yn y Gymraeg oedd ddim yno cyn hynny, ac mae hi'n bwysig ei fod o yno. Er mai Saesneg yw'r iaith, mae fel pe bai'n rhan hanfodol o'n diwylliant ni – mae pob un ohonom yn ddwyieithog.

Emyr Dyna chi wedi taro ar bwynt diddorol arall, wrth sôn am y nofel gynnau a'r genhedlaeth arwrol yr ydw i'n dal i'w hedmygu'n ofnadwy, cenhedlaeth Bebb a Lewis a Gruffydd a'r rheini, maen nhw run fath â'r clematis sy'n tyfu yn yr ardd. Mae eu gwreiddiau nhw yn ddwfn yn y Gymru uniaith ac mae cryfder aruthrol yn eu Cymraeg nhw ac yn eu ffordd nhw o edrych ar y byd. Mae'r ddau beth yna'n cyfateb i'w gilydd. Mae'r iaith yn ddigon cryf i ddal y weledigaeth ac mae'r weledigaeth yn ddigon cryf i ddal yr iaith ac mae yna ryw fath o gydbwysedd hollol odidog yn eu gwaith nhw. Do'n i ddim yn or-hoff o R. T. Jenkins fel dyn, ond mae ei Gymraeg o'n ddigon o ryfeddod. Mae hi fel gwin. Am fod y gwraidd yn ddwfn mae'r blodyn yn medru ymestyn at yr haul. Ond beth sy'n mynd i ddigwydd pan fydd y pridd i gyd yn ddwyieithog? Dyna fydd profiad y ganrif nesaf, y mileniwm nesaf, codi gardd mewn pridd tenau iawn, sy'n fwy o dywod nag o bridd. A dyna fydd y broblem y bydd rhaid i'r genhedlaeth nesaf ei hwynebu, sut mae bod yn greadigol ddwyieithog. Mae'n anodd, mae'n eithriadol o anodd. Ella fod y Gymraeg yn mynd i'n hachub ni eto, achos drwy gyfrwng y Gymraeg yn hytrach na'r Saesneg fydd modd mynd ymlaen i ryw fath o weledigaeth unigryw. Os ydach chi'n byw trwy gyfrwng y Saesneg, heb wreiddiau Cymraeg dydach chi ddim ond yn rhyw fath o adlais o rywbeth sydd yn cael ei fynegi yn Pennsylvannia neu California neu Hollywood. Yn y pen draw yr iaith ydi'r cryfder sydd gynnon ni. Yn hynny o beth, mi fyddwn i'n dweud, mai un o'r proffwydi y dylai'r genhedlaeth newydd edrych yn fwy manwl arno fo eto yw Emrys ap Iwan. Roedd Emrys wedi wynebu'r ffordd Ewropeaidd o edrych ar y byd o flaen pawb yng Nghymru. Os ydan ni'n mynd i fod yn rhan o'r uned Ewropeaidd, ac os ydi Ewrop yn mynd i gadw ei hunaniaeth fel rhywbeth gwahanol i America, mi fydd yr holl wareiddiadau a'r diwylliannau bach yn bwysig iawn fel ffynhonnell o weledigaethau newydd. Holl bwyslais Emrys, os dwi'n cofio'n iawn, ydi dweud wrth Gymru am yr iaith, 'byddwch yn Gymroaidd,' medda fo, 'a pheidiwch â chymryd eich boddi gan y Saesneg. Defnyddiwch y Gymraeg i gadw eich gweledigaeth eich hun'.

Ioan Ieithoedd bach yw cryfder Ewrop, dyna'r gwir amdani, mae'r Ffrancwyr hyd yn oed mewn argyfwng oherwydd Saesneg America ac yn gwingo o'i herwydd, ond wrth gwrs does dim ond eisiau iddyn nhw edrych yn ôl gartref i weld sut maen nhw wedi trin eu hieithoedd lleiafrifol eu hunain.

Emyr Mae Lloegr yn anffodus oherwydd mai ei hiaith hi sydd wedi cael ei mabwysiadu gan America, does ganddi hi ddim llais ei hun erbyn hyn. Mae'r Saeson yn ymwybodol iawn o'r argyfwng yna dwi'n credu ac maen nhw wedi bod ers tro byd. Beth sy'n dod o holl ddoniau'r *Young Turks* yn Lloegr, Martin Amis a'r genhedlaeth y mae o'n perthyn iddi? Mae America yn eu llyncu nhw a does ganddyn nhw ddim byd i'w ddweud yn y diwedd am eu bod nhw'n cael eu mygu gan yr awydd i fod yn fwy Americanaidd na'r Americanwyr.

Ioan Fe wnaethoch chi sôn am yr iaith ac ro'n i'n meddwl fod hynny'n rhoi cyfle i mi i droi cefn ar y nofel am funud, oherwydd mae gennych chi gorff go sylweddol o waith dramatig, yr holl ddramâu rŷch chi wedi eu hysgrifennu ar gyfer y teledu. 'Gwrthrychedd' oedd y gair gododd sawl tro mewn perthynas â'r nofelau. Rwy'n credu bod yna ymdrech ymwybodol yn y dramâu teledu tuag at wrthrychedd hefyd. Ŷch chi'n gweld y ffilm neu'r teledu yn gyfrwng mwy gwrthrychol na'r nofel efallai?

Emyr Dwi'n cofio pan es i weithio i faes teledu a radio am y tro cyntaf ro'n i'n cael fy hudo gan ffeithiau ofnadwy o elfennol, fel mai'r camerâu ydi'r llygaid a'r microffon ydi'r clustiau, ac fel mae'r car yn ymestyniad o'r traed, fod y rhain yn ymestyniad o'r gallu i weld a'r gallu i glywed, a'u bod nhw'n mynd i greu cynulleidfa fwy sylwgar byth fel oedd Brecht yn dymuno'i chael. Mae yna lot o hwyl i'w gael wrth wneud gwaith ffilm a theledu achos rydach chi'n gweithio efo criw o bobl, sy'n hollol wahanol i fod ar eich pen eich hun efo darn o bapur heb wybod beth i'w wneud efo chi'ch hun nesaf. Mae 'na waith i'w wneud ac mae 'na ffurf. Mae yna lot o wrthrychedd yn y peth, ond i rywun o fy nghenhedlaeth i dydi o ddim yn rhoi cymaint o fodlonrwydd ag ysgrifennu yn y pen draw. Ond mi roedd yna fantais arbennig i mi mewn deialog Gymraeg oherwydd yn un peth roedd gen i fwy o grap a mwy o afael arni nag y cefais i erioed ar arddull ryddiaith naratif yn Gymraeg. Ro'n i'n cael lot mwy o bleser a mwy o hwyl efo sgwrs nag efo disgrifiadau rhyddieithol sy'n rhan annatod o ffurf y nofel. Felly ro'n i'n gadael i'r camera a'r microffon gymryd lle chwys a llafur.

Ioan Ond cyn hynny ro'ch chi wedi eistedd i lawr a wynebu'r broblem o gyfleu stori yn weledol ac mae'n ddiddorol gweld beth sy'n digwydd wrth i chi wneud hynny. Mae yna un stori yn *Natives*, 'The Suspect', am wraig sy'n cael perthynas â dyn arall, mae ganddi ddau blentyn ac mae'r gŵr yn gwybod.

Mae'r cariad yn cael ei ddwyn i fewn i'w holi gan yr heddlu ynglŷn â llofruddiaeth ac yn sgil hynny yn ei bradychu hi drwy ddatgelu fod gyda fe sawl cariad. Mae hi'n mynd adre at ei gŵr ac yn dweud *'it's all over'*. Mae hon yn stori ddiddorol iawn achos, er eich bod chi'n wrthrychol iawn, does dim modd i chi osgoi cyfaddef eich bod chi'n ysgrifennu yn gryf iawn yn ei herbyn hi, mai hi, ac nid y *suspect,* yw canol y stori. Beth sydd i'w weld yn ddiddorol i chi ydi'r cwestiwn, sut mae hi'n gallu byw gyda'i hunan? Rŷch chi'n raddol yn datgelu mai rhyw fath ar ramantiaeth egotistaidd sy'n ei chymell. Pan mae hi'n dod mâs ohono fe yn y diwedd dyw hi ddim gwell na gwaeth nag o'r blaen, ond ei bod hi'n pwdu. Mae hi'n stori draddodiadol ei siâp, yn eithaf llym heb fod yn ddychanol, yn yr un traddodiad â Flaubert, oherwydd dyw Flaubert byth yn beirniadu Madame Bovary am wn i. Rŷch chi wedi trin yr un stori mewn drama deledu hefyd ac wrth i chi ei haddasu fe dyfodd yr elfennau dychanol. Fe gyflwynoch chi gyd-destun gwleidyddol i'r ddrama deledu drwy gyfrwng y ffaith fod y cariad yn weithgar dros y Blaid Lafur ac ynghlwm wrth frwydrau'r blaid leol. Yn y stori wreiddiol dyw'r elfen wleidyddol ddim yn elfen bwysig ond yn y ddrama mae'r elfen ddychanol yna, yn erbyn y Blaid Lafur, yn tyfu tra fod elfennau o'r feirniadaeth foesol ar goll.

Emyr Diddorol iawn. Wel, wrth gwrs, un peth ydi'n bod ni wedi dod â'r *Rhodd Mam* i fewn. Doedd hwnna ddim yn bod o gwbl yn y stori wreiddiol. 'Pa fath o blant sydd? Plant da a phlant drwg.' Mae hynny yn ei hun yn dod â'r elfen ddychanol i fewn ar ei phen. Natur y cyfrwng yw bod yn fwy arwynebol, yn yr ystyr iawn i'r gair. Mae'n rhaid i chi ddweud beth bynnag sydd gynnoch chi i'w ddweud yn hollol glir mewn chwinciad. Does dim amser i droi'n ôl, fel sydd mewn llyfr, i ailddarllen y frawddeg. Mae pob dim i fod yn uniongyrchol ac i ddylanwadu'n uniongyrchol ar y gynulleidfa. A'r trydydd dylanwad, wrth gwrs, ydi Siôn. Dwi wedi bod efo cynhyrchwyr eraill ond dwi wedi gwneud mwy efo Siôn na neb arall. Mae gynno fo feistrolaeth ar y ffurf sy'n ychwanegu, neu'n pwnio, pob dim i'r cyfeiriad yma o fod yn fwy yn rhan o fyd y ffilm nag o fyd y nofel neu o fyd y stori fer. Dyna sy'n cyfrif, dwi'n meddwl, am y gwahaniaeth rhwng y ddau. Dyna ran o'r gwahaniaeth rhwng y theatr a'r nofel. Mae'n rhaid fod gynnoch chi bregeth mewn drama sy'n taro'r gynulleidfa ar ei thalcen mewn ffordd sydd ddim yn bod yn y nofel achos fod nofel yn llefaru un wrth un, mae'r ddrama'n debycach i'r pulpud yn hynny o beth. Ac mewn ffordd od mae ffilm a theledu, yn enwedig teledu, yn cloffi rhwng y ddau, achos mae teledu yn lot nes at lyfr nag ydi ffilm, gan fod y gynulleidfa'n llai. Mwya i gyd ydi'r sgrin mwya'n byd bydd y ffilm yn ymdebygu i theatr byddwn i'n tybio.

Ioan Enghraifft arall o'r cyfrwng yn eich defnyddio chi, fel petai.

Emyr Yn union. Mae yna ryw reolau, neu gonfensiynau, sy'n perthyn i'r cyfrwng, ac mae'n rhaid i chi eu parchu nhw neu eu hecsbloetio nhw mewn rhyw ffordd neu'i gilydd.

Ioan Gadewch i mi sôn am 'Mel's Secret Love'. Dwn i ddim ydi pobl eraill yn cytuno â mi ond mae rhywbeth *intriguing* amdani. Mae'r ferch yn gwbl ddi-nod, ond am ei gwallt. Rhywsut neu'i gilydd mae hi'n mynd yn ysgrifenyddes ac yn feistres i'w bos. Mae e'n marw'n sydyn ac mae hi'n dechrau yr un berthynas gyda'i olynydd. Yna'n sydyn dyna fenywod ei deulu e'n neidio i mewn ac mae hi'n ffeindio'i hun ar y clwt ac yn lle mynd gartre at ei mam a'i thad mae hi'n mynd yn ôl i'w hen fflat sydd ar fin cael ei ddymchwel ac yn lladd ei hunan drwy lyncu potel o bils. Mae gan Flaubert stori, on'd oes? Am hen ferch a'i pharot, 'Un Cœur Simple'. Ai dyna beth sy y tu ôl i'ch stori chi?

Emyr Na, doedd o ddim yn fy meddwl i o gwbl. Rhyfedd i chi ddweud hynna achos fe gyflwynais i'r llyfr yna i Saunders a dwi'n ei gofio fo'n dweud, 'hon ydi'r stori dwi'n ei licio orau achos mae hi'n debyg i "Un Cœur Simple"'. Ond do'n i ddim wedi darllen stori Flaubert fel mae'n digwydd. Sail y peth oedd rhywbeth oedd wedi digwydd i ryw ferch yn y BBC. Dwi ddim yn siwr ei bod hi wedi cyflawni hunanladdiad chwaith ond o fan'na ces i'r syniad. Dwi'n cofio'r amgylchiadau hefyd. Ro'n i'n digwydd bod yn gweithio yn Llundain ar y pryd ac roedd 'na ddyn, nofelydd fel mae'n digwydd bod, P. H. Newby, yn bennaeth yno am gyfnod. Mae ei nofelau cynnar o'n reit ddiddorol ond wnaeth o ddim datblygu, mi gafodd o yrfa rhy ddisglair yn y BBC. Dwi'n ei gofio fo'n dweud wrtha'i yn y cyntedd, *'oh my God! all these BBC misses!'*. Yr hen ferched yma yn eu sodlau uchel yn cerdded o gwmpas ac yn teimlo'n reit bwysig ac eto ddim yn mynd i unlle. Hwnnw oedd yr hedyn y tyfodd y stori ohono fo. Dim math o gysylltiad efo Flaubert.

Ioan Ei dinodedd hi oedd o?

Emyr A'i dadwreiddiad hi hefyd. Roedd hi'n rhyw fath o bregeth hollol amrwd, mi fydda'n well i hon tasa hi wedi aros yn Sir Fôn yn lle mynd i Gaerdydd i weithio yn y BBC. Dyna beth oedd pregeth amrwd a didrugaredd.

Ioan Ond pregeth heb bregethu. Mae'r bregeth yna, ond ar yr un pryd rŷch chi fel nofelydd wedi meistroli'r ddawn o adael i'r cymeriad gymryd ei le ei hunan. Druan fach, ei bywyd hi oedd o.

Emyr Fel dwi wedi dweud gannoedd o weithiau, mae hi'n braf medru casáu'r cymeriadau os oes gynnoch chi'r ddawn i ddychanu, ond ddim os ydach chi am fod yn nofelydd, achos at ei gilydd mae'n rhaid i chi fod yn weddol garedig tuag at eich cymeriadau. Mae yna ryw fath o dristwch yn perthyn i'r peth, rhyw *symphonie pathetique.*

Ioan Y peth cyntaf ddaeth i fy meddwl i oedd 'Un Cœur Simple'. Nid fy mod i'n meddwl eich bod yn ei hefelychu hi ond fod eich gwaith yn canu clychau i unrhywun sy'n gwybod unrhwybeth am y nofel yn Ewrop. Mae e'n perthyn i'r traddodiad, a dyna rŷch chi wedi ei wneud, dod â'r traddodiad hwnnw i Gymru, trwy gyfrwng y Saesneg, efallai, ond rŷch chi wedi ei wneud e. Diolch yn fawr iawn.

Pennod 4

Rhwng Cyfrwng a Chyfrwng

Gwynn Pritchard yn holi Emyr Humphreys am ei yrfa fel awdur a chyfarwyddwr ym myd radio a theledu

Gwynn Pryd ddaethoch chi ar draws y radio gyntaf, wrth dyfu i fyny yn Nhrelawnyd?

Emyr Wel yn rhyfedd iawn dwi bron yn siwr mai fy nhad oedd y dyn cyntaf i gael radio yn y pentref. Fo oedd yr ysgolfeistr ac am wn i nad oedd o'n teimlo rhyw fath o gyfrifoldeb i wrando ar y newyddion adeg Streic Fawr 1926. Roedd o'n sgwennu'r newyddion i lawr fel roedd o'n dod trwodd ar y radio. Mae gen i gof byw iawn ohono fo efo rhyw radio cyntefig, yn gwisgo pethau am ei glustiau. Wedyn roedd o'n gosod y newyddion ar y wal y tu allan i'r ysgol – mewn ffrâm a chlawr gwydr arni. Roedd o'n gweld hyn fel rhan o'i ddyletswydd fel cyn-filwr, deiliad ffyddlon i'r Goron a'r Ymerodraeth. Llais yr awdurdodau, y drefn ymerodraethol oedd y radio a'r Gorfforaeth Ddarlledu, o'r cychwyn cyntaf. Cynlluniwyd hi ar gynllun y gwasanaeth sifil yn yr oes pan oedd hwnnw hefyd yn rhan o beirianwaith ymerodraeth fyd eang, yn cynnwys maen gwerthfawrocaf y Goron, sef India bell, yn ogystal â phlwyf distadl Trelawnyd. Roedd fy nhad druan yn gweld ei hun fel cynrychiolydd cyfraith a threfn mewn rhyw *outpost* pellennig yn yr anialwch. Dwi'n cofio hynny'n fyw iawn. Wedyn yn y 1930au, pan o'n i'n dechrau tyfu, mi brynodd Murphy. Roedd o'n cadw honno iddo fo'i hun fwy neu lai, roedd hi'n dipyn o fraint cael clywed y radio o gwbl yr adeg hynny. Mi fasa fy mrawd a minnau yn achub ar y cyfle ar ôl cyrraedd adref o Ysgol y Rhyl i wrando ar Henry Hall a'i synau soffistigedig, ond yn anffodus roedd chwaeth gerddorol fy nhad yn perthyn i oes Caradog a'r corau mawr.

Mi gollais i bob cysylltiad â'r cyfrwng yn ystod y rhyfel, ar wahân i'r twrw tanllyd oedd yn diasbedain trwy'r llong filwyr ar y ffordd i'r Aifft. Pan oeddan ni'n blant yn Ysgol Ramadeg y Rhyl, roedd y prifathro, T. I. Ellis, yn ffrindiau mawr efo P. H. Burton, ac yn cefnogi'r *Welsh Schoolboys Camp,* felly aeth fy mrawd a minnau i'r camp, a dyna sut wnes i gyfarfod P. H. Burton. Beth bynnag, yn y cyfnod ar ôl y rhyfel roedd o'n gweithio i'r BBC ac fe ofynnodd o i mi sgwennu drama. Mi wnes i rywbeth ar John Penry dwi'n meddwl, a thrwy P. H. Burton mi ddois i i adnabod Dafydd Gruffydd, oedd wedi ailafael yn ei waith fel cynhyrchydd drama radio. Trwy'r un math o gysylltiadau fe ddois i i adnabod Alun Llywelyn-Williams, oedd wedi dod i Fangor fel cyfarwyddwr sgyrsiau radio, mi fues i'n gwneud amryw o bethau efo fo pan o'n i'n byw yn y Bontnewydd. Aethon ni i Lundain, a dwi'n meddwl fod Phil Burton wedi gwneud rhywbeth arall o fy ngwaith i efo Clifford Evans yn y brif ran. Felly ro'n i'n teimlo fy mod i'n weddol gyfarwydd â phethau erbyn hynny. Fe wnaeth Radio Tri *The Last Days of Penry* efo Clifford Evans, ac wedyn fe wnes i sgwennu *The Flight From Tara.* Dafydd Gruffydd wnaeth honno, wnaed ddim mo'r llall, *Protector Somerset,* roedd hi'n gwbl aflwyddiannus.

Gwynn I droi'r cloc yn ôl i ogledd Cymru cyn y rhyfel, oeddach chi'n gwrando tipyn ar y radio pan oeddach chi yn eich arddegau ac yn iau na hynny?

Emyr Ar gerddoriaeth ro'n i'n gwrando fwyaf, roedd fy nhad yn arwain côr, ond am ryw reswm doedd fy mrawd a finnau ddim yn cael mynd i'r côr, er bod y côr yn ymarfer yn yr ysgol a ninnau'n byw yn nhŷ'r ysgol, dan yr un to fwy neu lai. Dyna pryd dwi'n cofio gwrando fwyaf ar y radio, achos fod fy nhad yn gollwng gafael ar ei radio pan oedd o'n mynd i'r ymarfer ac roeddan ni'n cael cyfle i wrando arni. Y gerddoriaeth dwi'n ei chofio fwy na'r sgwrsio a dwi'n cofio dim Cymraeg o gwbl. Roedd gen i gyfaill yn Ysgol y Rhyl, flwyddyn neu ddwy yn hŷn na mi, mab gyrrwr bws nid yn annhebyg i Albi yn *Y Tri Llais,* oedd yn gwrando'n astud ar y radio i berffeithio ei acen Saesneg. Roedd gan y BBC, yn yr oes honno, arbenigwr ar ynganu o'r enw Lloyd James, ac yr oedd fy nghyfaill yn derbyn y cyfenw Cymreig fel sêl bendith ar ei ymdrechion i fod yn Sais perffaith. Dwi ddim yn amau nad oedd degau o fechgyn a genethod yr oes honno yn gwneud yr un ymdrech. Roedd rhaid disgwyl tan y pumdegau a dyfodiad teledu cyn clywed yr acenion rhanbarthol a'r acenion dosbarth gweithiol ar y radio – ar wahân i'r rhaglenni comedi wrth gwrs.

Gwynn Fel mae'n digwydd, yn y tridegau hwyr roedd stiwdios y BBC ym Manceinion, y stiwdios agosaf i Ogledd Cymru, yn un o'r llefydd lle roedd pobl fel Ewan McColl ac eraill yn datblygu'r rhaglenni dogfen cyntaf ar gyfer radio. Fuoch chi'n gwrando ar raglenni felly tebyg o gwbl?

Emyr Llyfrau a llenyddiaeth oedd yn mynd â fy mryd i'n gyfan gwbl bron yn y tridegau a chyfnod y rhyfel. Rhaid cofio bod y diwifr – y *wireless* – yn declyn cymhleth a disymud yn y rhan fwyaf o gartrefi oedd yn medru fforddio cadw un. Yn hwyr yn y tridegau y cyrhaeddodd trydan y pentrefi a chefn gwlad. Cyn hynny roedd angen *ariel* a chyflenwad o fatris gwlyb. Yn fy achos i, ro'n i wedi priodi cyn prynu Murphy ysblennydd yr oedd Patrick Heron wedi sôn wrtha'i amdani. A ninnau'n byw mewn fflat yn Chelsea efo'n plentyn cyntaf roeddan ni'n dau yn wrandawyr cyson. Ro'n i'n dysgu mewn ysgol yn Wimbledon ar y pryd ac wedi cyhoeddi un nofel. Fel roedd hi'n digwydd yr oedd Cymraes oedd yn gweithio ar raglenni teledu cynnar – cyfres i blant ar ysbytai doliau os dwi'n cofio'n iawn – yn byw yn y fflat yn union oddi tanom ni. Nest Bradney oedd ei henw hi, Nest Jenkins cyn hynny, merch i Gwili yr Archdderwydd a'r diwinydd. Fe glywodd Nest Elinor yn siarad Cymraeg efo'i phlentyn ac felly ddaethon ni i adnabod ein gilydd. Yn ei fflat hi y gwelson ni set deledu am y tro cyntaf, y ddau deulu'n eistedd gyda'i gilydd i wylio'r *boat race* a'r llenni wedi eu cau yng nghanol y prynhawn er mwyn gwella'r llun! Am wn i mai Nest ddaru awgrymu i mi feddwl am ysgrifennu ar gyfer y teledu. Ond yn y cyfnod hwnnw roedd y radio yn cynnig ei hun fel cyfrwng parod a phriodol ar gyfer sgwennwr. Felly roedd gen i ddiddordeb byw iawn yn y cyfrwng yr adeg hynny – llawer mwy na phan o'n i adref yng ngogledd Cymru.

Gwynn Beth am y cyfnod pan oeddach chi'n fyfyriwr yn Aberystwyth, oeddach chi'n gwrando ar y radio lawer adeg hynny?

Emyr Mae gen i gof bod fy hen gyfaill annwyl D. Myrddin Lloyd, oedd wedi bod yn Nulyn yn gwneud gwaith ymchwil, i fod i roi sgwrs ar y radio am ei brofiad. Roeddan ni'n rhannu tŷ yn Aberystywth ac roedd pawb oedd yn y tŷ wedi ymgynnull i wrando ar y sgwrs, ond yn anffodus mi dorrodd y radio. Pan ddaeth Myrddin yn ei ôl yn fân ac yn fuan ac yn awyddus iawn i wybod yr adwaith, doedd neb wedi clywed dim byd. Ond fe gafodd merch y tŷ lodgin ysbrydoliaeth a thynnu'r llenni a dweud wrth Myrddin am fynd tu ôl iddyn nhw a rhoi'r sgwrs o'r newydd! Dwi'n cofio'r frawddeg gyntaf hyd heddiw, 'dwy flynedd yn unig a dreuliais yn Nulyn'. Aeth ymlaen wedyn i ddweud ei hanes yn fan'no. A dyna'r cof mwyaf byw sydd gen i o'r radio yn Aberystwyth, doedd bywyd y myfyrwyr ddim yn troi o'i chwmpas hi o gwbl. Math o ddinas-wladwriaeth oedd byd myfyrwyr Aberystwyth yn yr oes honno, efo poblogaeth fechan uchel ei chloch. Yn yr ystyr honno roedd ganddi ryw fath o hawl i alw ei hun yn Athen Cymru, roedd yna ymwybyddiaeth fyw iawn o gyflwr y byd; fe glywais i'r bardd Alun Lewis yn gwneud araith danbaid unwaith o blaid y werinlywodraeth yn Sbaen. Tybiaf mai llefarydd swyddogol y llywodraeth oedd y BBC yn y dyddiau hynny, a go brin y byddai gan fyfyrwyr chwyldroadol, cenedlaethol neu gomiwnyddol, amser i wrando ar y sŵn swyddogol, chwarae-teg-i-bawb, a ddeuai o du'r Gorfforaeth.

Gwynn Fel llenor sydd wedi sgwennu cymaint o ddramâu faint o gyfle oeddach chi'n gael fel hogyn, yng ngogledd-ddwyrain Cymru, i fynd i'r theatr?

Emyr Dim, bron. Dwi'n cofio fod yna ryw ddramâu tebyg i bethau'r *Wild West* yn dod i'r neuadd rhyw unwaith neu ddwy yn ystod y gaeaf ond fel arall doedd dim byd. Roeddan ni'n mynd i'r Rhyl, i'r Amphitheatre, ond ychydig iawn dwi'n gofio am y profiad. Pethau ysgafn iawn oeddan nhw i gyd dwi'n siwr. Roedd yna *repertory* yno, dwi'n cofio hynny, ond roedd rheiny yn gwneud rhyw bethau eildwym, pethau fel *French Windows* ac ati. Ond dim byd difrifol.

Gwynn Oeddach chi'n mentro i Fanceinion neu Lerpwl?

Emyr Na, byth bron, ond dwi'n cofio mynd i'r sinema i Lerpwl unwaith a dwi'n cofio gweld ffilm wnaeth argraff fawr arna'i, *The Shape of Things to Come* oedd hi. Faint faswn i ar y pryd, rhyw bymtheg oed? Dwi'n cofio mai yn Lerpwl gwelais i honno. Roedd y sinema yn bwysig iawn wrth gwrs. Os o'n i'n cael caniatâd i fynd, ro'n i'n mynd i'r Rhyl i'r pictiwrs tua unwaith yr wythnos ond doedd dim theatr yno.

Gwynn Oedd byd y theatr o ddiddordeb i chi o gwbl pan oeddach chi yn Aberyswyth?

Emyr Dim llawer iawn, ro'n i'n canolbwyntio mwy o lawer ar wleidydda. Achos ro'n i wedi dysgu Cymraeg ac wedi mynd yn aelod pybyr, ond aneffeithiol, o Blaid Cymru, neu Blaid Genedlaethol Cymru fel yr oedd hi yn yr oes honno. Dwi'n meddwl mai fi oedd ysgrifennydd y gangen am gyfnod. Ro'n i'n rhannu tŷ efo fy hen gyfaill Emyr Currie Jones oedd yn ddyn Llafur mawr. Felly, rhwng pob dim ro'n i'n treulio'r rhan fwyaf o'r amser yn ffraeo efo fo! Rhwng y *Debates Union* a Chymdeithas y Geltaidd a'r clybiau gwleidyddol roedd ein bywyd ni'n orlawn o weithgareddau. Mi roedd 'na theatr a phobl fel y diweddar uchelfarnwr Mars Jones yn amlwg iawn ynddi, ond mewn rhyw bethau ysgafn dwi'n ei gofio fo, yn canu ac yn dawnsio tap, os gwelwch yn dda, yn hytrach na mewn drama go iawn. Unwaith yn ystod y gwyliau, neu hyd yn oed pan o'n i yn y chweched dosbarth yn y Rhyl, es i gyda chriw o bobl Ffynnongroyw i weld Emlyn Williams yn cyflwyno *Night Must Fall* mewn theatr yn New Brighton. Fe wnaeth yr achlysur hwnnw argraff fawr arna'i. Nid ei lwyddiant o yn unig ond teyrngarwch pybyr pobl yr ardal i'r arwr lleol – ni oedd piau fo ac mi roedd Cymru'n cyfranogi o'i lwyddiant o. Roedd o'n gwneud yn iawn am gymaint o gam – diweithdra ac israddoldeb fel ei gilydd. Ro'n i wedi fy swyno hefyd gan hud a lledrith y llwyfan a gallu arallfydol yr actorion i greu *mimesis* o fywyd oedd yn fwy gwir ac yn fwy lliwgar na bywyd bob dydd. Mi gawson ni'r fraint wedyn o fynd tu ôl i'r llwyfan a chyfarfod â'r arwr yn ei ystafell wisgo. Roedd o'n hynod o glên. Dyna oedd y tro cyntaf i mi gyfarfod â George Emlyn. Ymhen blynyddoedd, yn y pumdegau, mi fuon ni'n gyfeillion ac yn gydweithwyr.

Gwynn Beth am y sinema? Oeddach chi'n dilyn y sinema yn Aberystwyth?

Emyr Oeddwn. Roedd 'na sinema, y Coliseum, a chlwb sinema ar gyfer y myfyrwyr ar y Pier. Ro'n i'n mynd yno'n gyson iawn.

Gwynn Oeddach chi'n cael cyfle i weld ffilmiau o'r Cyfandir ar y pryd?

Emyr Oeddwn. Yn Aberystwyth ces i'r cyfle cyntaf. Dwi'n cofio *Un Carnet du Bal* yn fyw iawn. Roedd yna gyfres ohonyn nhw yn y Pafiliwn dwi'n meddwl, y sinema ar y pier, yn fan'no roedd rheiny yn cael eu dangos, ac am wn i mai y coleg oedd yn eu cynnal nhw. Roedd hynny'n brofiad arbennig iawn ac yn agoriad llygad.

Gwynn A beth am ffilmiau o Rwsia, yr Almaen a llefydd felly?

Emyr Roedd ffilmiau Eisenstein, Pudovkin, Dreyer, Buñuel a Pabst yn rhan o'n bywyd ni'n Aberystwyth, roedd pethau felly i'w gweld yn gyson iawn. Rhyfedd fel mae ambell argraff yn aros yn y cof fel atgof bythol wyrdd. Roedd dilyniant Grisiau Odessa wrth gwrs, yn profi unwaith ac am byth rym arddull *montage* – ond yn rhyfedd iawn ro'n i'n teimlo bod y creulondeb bron â diflannu yn y gelfyddyd – a hynny'n codi cwestiwn athronyddol anodd ei ateb. Tua'r un adeg gwelais i ffilm Ffrangeg wedi ei seilio ar un o nofelau Dostoiefsci yn defnyddio symudiad araf un o simffonïau Mozart ac fe sylweddolais i nerth ysgubol ymosodiad unedig y llun a'r sain ar y gynulleidfa – y gwyliwr a'r gwrandawr wedi ymdoddi'n un.

Gwynn Oedd yna uchelgais i ddatblygu sinema Gymraeg neu sinema Gymreig ymhlith y myfyrwyr Cymraeg eu hiaith? Oedd hi'n bosibl meddwl, breuddwydio, am bethau felly ar y pryd?

Emyr Nac oedd, dwi ddim yn meddwl. Beirdd oedd y rhain i gyd, pobl fel Dyfnallt Morgan a Leslie Richards, Dai Marks ac Eluned Ellis Williams ac mi roedd eu huchelgais nhw i gyd wedi ei sianelu i mewn i farddoni. Uchafbwynt y peth oedd ennill yn y Steddfod Ryng-golegol, a bron na fasach chi'n dweud fod y Cymry Cymraeg yn orlenyddol yn y cyfnod hwnnw. Wrth gwrs doedd yna ddim ond rhyw bump i chwe chant o fyfyrwyr yn y Coleg a'r bardd oedd yn rheoli. Roedd Gwyndaf yno, roedd o'n hŷn na'r rhan fwyaf ohonon ni, dwi'n meddwl mai gwneud ei MA neu rywbeth oedd o, fo oedd yn arwain y gymdeithas. Roedd Cymdeithas y Geltaidd yn cael ei chynnal bob wythnos. Roedd rheiny yn gyfarfodydd bywiog iawn. Roeddan nhw'n gwneud pob mathau o bethau, roedd traddodiad Idwal Jones yn dal yn fyw, a finnau'n rhyw fath o edrych o'r tu allan bron, yn edmygu'r cyfan yn geg agored.

Gwynn Yn llythrennol felly'r gair yn hytrach na'r ddelwedd a'r cyfryngau oedd yn bwysig i chi yn y cyfnod hwnnw?

Emyr Ia, roedd y gair yn bwysig iawn, yn llythrennol, oherwydd roedd hi'n bwysig iawn i mi berffeithio fy Nghymraeg yn un peth.

Gwynn Oeddach chi'n ymwybodol o'r ffaith fod Saunders Lewis, er enghraifft, yn gweithio'n galed ar y pryd i ennill gwasanaeth radio addas i Gymru?

Emyr Do'n i ddim. Roedd y peth drosodd erbyn hynny neu roedd y frwydr wedi hanner ei hennill yn y cyfnod cyn y rhyfel, 1937–8. Dyn allweddol ar yr ochr gyfryngol yn yr oes honno oedd golygydd *Y Faner*, Prosser Rhys. Roedd gynno fo swyddfa yng nghanol Aberystwyth ac mi roedd llawer o bobl yn galw yno. Ro'n i'n galw weithiau, os oedd yna bwyllgor gan y Blaid neu rywbeth felly, achos roedd tipyn o fywyd llenyddol yn troi o gwmpas y lle.

Gwynn Oeddach chi'n ymddiddori yn y theatr fel rhywbeth i sgwennu ar ei chyfer ar y pryd?

Emyr Na, ddim o gwbl. Yr unig beth dwi'n ei gofio ydi fod gan lysfab Caradoc Evans ryw fath o theatr yn y stryd gefn efo rhyw ddynes egsotig iawn, gwraig Caradoc Evans mae'n rhaid, y Countess Barcynska oedd ei henw hi. Roedd gynnyn nhw theatr ond mae gen i ofn nad o'n i ddim yn cymryd rhyw lawer o ddiddordeb ynddi hi. Pan o'n i yn Llundain yn paratoi i fynd dros y môr ro'n i'n cael mynd i'r theatr yn aml achos fod y theatrau'n wag yr adeg hynny, ac roeddan ni, fel cynfyfyrwyr a phobl oedd yn gweithio mewn gwaith ymgeledd, yn cael ticedi am ddim, felly ro'n i'n mynd yn gyson iawn tua 1943–4.

Gwynn Pa fath o bethau oeddach chi'n mynd i'w gweld?

Emyr Un o anawsterau henaint yw colli rhediad cronolegol atgofion. Adeg y rhyfel, ac wedyn, pan o'n i'n byw o fewn cyrraedd i'r West End ro'n i'n mynychu'r theatrau'n gyson, er gwaetha'r bomiau. Roedd y celfyddydau cain i gyd yn rhad, ac weithiau am ddim, cyngherddau amser cinio yn yr Oriel Gendlaethol a *matinees* chwe cheiniog mewn theatrau mawreddog. Roedd ysbryd y *blitz* yn teyrnasu yn y brifddinas am weddill y pedwardegau – hyd ddiwedd y dogni ac ailddyfodiad y Torïaid. Hwn oedd y cyfnod pan oedd Tyrone Guthrie a pherfformiadau bythgofiadwy yr Old Vic yn eu hanterth. Mi welais i Laurence Olivier yn chwarae Mr Puff ac Oedipus Rex ar yr un noson – gorchest i brofi ei feistrolaeth lwyr ar y gelfyddyd o actio – a Ralph Richardson a gweddill y cwmni hyd at y taflwr gwaywffon distatlaf yn ymdrechu i'r eithaf i gadw'r safon. Ar wahân i arlwy glasurol yr Old Vic, y peth arall oedd yn cynhyrfu'r dyfroedd ac yn mynd â fy mryd i yn y dyddiau hynny oedd yr ymdrech i ddod â'r bardd yn ôl i ganol y llwyfan. Roedd hyn wedi dechrau wrth gwrs yn y tridegau gyda *Murder in the Cathedral,* T. S. Eliot. Fe gyfieithwyd honno i'r Gymraeg gan Thomas Parry ac mi glywais gôr cydadrodd John Gwilym Jones yn cyflwyno darnau ohoni yn ystod y rhyfel. Erbyn diwedd y pedwardegau roedd Eliot wedi cyfansoddi rhagor – *A Family Reunion, The Cocktail Party,* ac yn y blaen – ac roedd y beirdd yn cael llwyfan ehangach byth ar y radio. Am wn i mai penllanw'r ymgyrch yna megis oedd *Under Milk Wood.*

Gwynn Fasa hi'n wir dweud nad oedd y cyfryngau, na'r theatr o ran hynny, yn chwarae rhan bwysig iawn yn eich uchelgais chi fel bachgen a dyn ifanc?

Emyr Nac oedd, y nofel oedd pob dim, a rhyw fath o farddoni. Roedd darllen yn golygu mwy na dim byd arall.

Gwynn Mae'n amlwg eich bod wedi darllen yn eang ers eich plentyndod, oeddach chi'n darllen dramâu Ibsen a phobl felly?

Emyr Oeddwn, erbyn cyrraedd yr oed yna ro'n i'n darllen yn reit helaeth a dweud y gwir.

Gwynn Pwy oedd y prif ddylanwadau fasach chi'n dweud?

Emyr Wrth edrych yn ôl, dwi ddim yn hollol siwr ai siarad o brofiad cyfnod diweddarach ydw i, ond i mi y pen yn y byd modern ydi Chekhov. Dwi'n edmygydd o Chekhov ac Ibsen wrth gwrs, ond Chekhov yn enwedig.

Dwi wedi anghofio sôn am fy addysg ffurfiol fel y cyfryw. Gan fy mod i'n gwneud gradd mewn Saesneg a hanes ro'n i'n llyncu Shakespeare ar raddfa helaeth iawn. Un arall oedd yn ddylanwad aruthrol ar feddwl dyn yn yr oes honno, os oeddach chi'n perthyn i'r byd hwnnw, oedd T. S. Eliot. Roedd o'n gwbl ymroddedig yn ei awydd i sgwennu ar gyfer y theatr. Mae'n siwr fod holl ddylanwad ysbryd yr oes yn drwm iawn arna'i. Wrth gwrs roedd Saunders Lewis yr un fath yn union yn Gymraeg, roedd o'n rhyw fath o ddyheu ar hyd ei oes am yr amser pan fasa fo'n rhydd i sgwennu ar gyfer y theatr. Ro'n i'n adnabod y ddau ac er eu bod nhw mewn dau fyd hollol wahanol roedd yna ryw debygrwydd mawr rhyngddyn nhw fel dynion. Er eu bod nhw'n enwog iawn yn eu dydd, ro'n i'n eu cael nhw'n bobl eithriadol o ddiymhongar ac yn barod i roi sylw i bawb yn ddiwahân.

Gwynn Oeddach chi'n sylweddoli ar y pryd, yn y 1930au hwyr, fod Saunders Lewis wedi ei gomisiynu i sgwennu ar gyfer y cyfrwng newydd. Ydach chi'n cofio clywed y dramâu radio hynny?

Emyr Ydw. Dwi'n cofio clywed *Buchedd Garmon* ond do'n i ddim yn deall gair ohoni hi achos doedd gen i ddim digon o Gymraeg i'w gwerthfawrogi hi. Roedd unrhyw beth roedd o'n ei wneud neu'n ei ddweud yn rhyw fath o ddeg gorchymyn. Mi allech chi sylwi ar yr un peth efo Eliot. Beth bynnag oedd Eliot yn ei ddweud roedd rhaid i chi gymryd sylw manwl iawn ohono fo.

Gwynn Oedd y ffaith fod Saunders Lewis wedi cael ei gomisiynu ac wedi sgwennu dramâu ar gyfer y radio wedi symbylu'r to ifanc o feirdd i fynd i'r un cyfeiriad?

Emyr Galla fod, wnes i erioed feddwl amdano fo yn y termau hynny ond dwi'n siwr eich bod chi'n iawn, mi ddaeth yn ffasiwn, y ddrama fydryddol oedd y peth i'w sgwennu. Ac mi roedd yna amryw fyd o bobl fengach na Saunders Lewis wrthi yn Gymraeg, pobl wych iawn fel Kitchener Davies, y to yr oedd Saunders wedi ei sbarduno yn greadigol. Wrth gwrs roedd Eliot yn gwneud yr un peth yn Saesneg. Roedd yna feirdd fel Henry Reed, George Baker a Dylan Thomas wrth gwrs oedd yn rhuthro at y radio achos mai dyna'r ffordd i fardd ehangu ei fyd i gynnwys y ddrama.

Ond ro'n i'n sôn yn gynharach am *Under Milk Wood* yn digwydd ar frig y penllanw darlledu radio, ac yn union o flaen dyfodiad y teledu fel grym diwylliannol newydd ysgubol – yn fy nghof i mae machlud y ddrama fydryddol yn cyd-ddigwydd gyda'r newid yna. Ar yr un pryd roedd dau enw newydd yn ymddangos yn y theatr – Berthold Brecht a Samuel Beckett. Yr oedd Brecht yn fardd wrth gwrs, bardd mawr ond mewn iaith arall, ei newydd-deb o oedd ei bynciau a'i neges chwyldroadol. Ysgytwad Beckett oedd ei ieithwedd gwta, gynnil, sych, fwriadol anfarddonol; ac eto'n farddoniaeth bur.

Gwynn Oeddach chi'n cael cyfle i weld ffilmiau dogfen Grierson, Flaherty a'r *GPO Film Unit*? Welsoch chi *Night Train* fel dyn ifanc?

Emyr Auden? Do, do. Dwn i ddim pa mor ifanc o'n i. Dwi'n meddwl ei bod hi wedi bod yn Aberystwyth adeg ro'n i yno, ond dwi ddim yn siwr chwaith. Mi alla fod yn y cyfnod yn union ar ôl y rhyfel ond dwi'n cofio'r profiad yn fyw iawn. Mae'r gerdd yn dal i ganu yn eich clustiau chi yn tydi? Mae'n un o'r pethau rhyfeddol wnaeth o.

Gwynn Ddaru honno eich ysbrydoli chi i sgwennu? Oeddach chi'n gweld rhyw botensial yn y cyfrwng yna fel bardd?

Emyr I raddau, roedd y rhyfel yn gyfrifol am ohirio ieuenctid fy nghenhedlaeth i megis – os buon ni'n ddigon ffodus i oroesi'r gyflafan wrth gwrs – ar ddiwedd ein hugeiniau yn hytrach na'n harddegau roeddan ni'n edrych o gwmpas a gweld myrdd o gyfleusterau newydd. Roedd y radio, y sinema, y theatr a'r cwmnïau cyhoeddi fel pe baen nhw'n brigo i'r wyneb ym mhobman. Roedd o'n *embarras de richesse* ar un wedd. Dwi'n cofio cael gwahoddiad gan ryw ddyn adeg cyhoeddi'r ail neu'r drydedd nofel i sgwennu ar gyfer ffilm. Mi aeth â fi allan i gael bwyd i rywle yn Llundain a dweud ei fod o'n mynd o gwmpas pobl oedd wedi cyhoeddi nofelau a phobl ifanc oedd yn sgwennu ac yn y blaen i drio'u cael nhw i mewn i fyd y ffilm, a bod gynno fo ferch ifanc roedd o'n awyddus iawn i gael cyfrwng ar ei chyfer hi, merch o'r enw Audrey Hepburn! Ro'n i bron â chwerthin am ei ben o efo'r math o snobyddiaeth sy'n perthyn i bobl ifanc, ro'n i'n rhyw ddweud, *'I don't think that's the kind of thing I can do'*. Mae'n amlwg ei fod o'n mynd o gwmpas pawb. Roedd o'n gyfnod reit dda i bobl ifanc oedd yn dechrau sgwennu achos yn un peth roedd papur yn brin, felly roedd nofelau yn unigryw mewn ffordd, doedd dim cymaint ohonyn nhw o gwmpas. Doedd hyd yn oed y papurau dydd Sul, papurau fel yr *Observer*, ddim mwy na phedair neu bum tudalen. Roedd o'n adeg llawer iawn iachach o safbwynt cynnwys, yn fy marn i – ond mae pob hen ŵr yn dweud hynny wrth gwrs.

Gwynn Oedd y datblygiadau yn y cyfryngau ac yn y wasg yn Lloegr o ddiddordeb i chi o gwbl yn ystod y rhyfel, oeddach chi'n darllen pethau fel *Horizon* er enghraifft?

Emyr Oeddan. Mi fues i'n trio cael cyhoeddi yn *Horizon* ond wnes i erioed lwyddo. Do'n i ddim yn perthyn i'r math yna o bobl. Yr unig gysylltiad oedd gen i yn y byd yna oedd Graham Greene. Pan es i'n ôl yn ystod y rhyfel dwi'n cofio gofyn iddo fo sut roedd sgwennu ar gyfer ffilmiau, a dyma fo'n rhoi llythyr i mi fynd i'r Gainsborough Studios. Ro'n i'n methu mynd yn gyson achos fod gen i waith i'w wneud a dyletswyddau i'w cyflawni, ond dwi'n cofio mynd ddwywaith neu dair i weld rhyw ffilmiau sâl iawn yn cael eu cynhyrchu gan gyfarwyddwr hynod o annisglair o'r enw Val Friend. Ond roedd o'n brofiad gwerth chweil. Ro'n i'n cael clywed ogla stiwdio am y tro cyntaf. Ro'n i'n moeli nghlustiau wedyn, roedd hwn yn lle diddorol iawn, y camerâu anferth 'ma a'r goleuadau, roedd o'n brofiad da iawn. Graham oedd yn gyfrifol am roi'r cyfle yna i mi.

Gwynn Beth oedd dylanwad Martin Esslin cyn-bennaeth drama radio'r BBC yn Llundain arnoch chi?

Emyr Cyn i Martin gael ei benodi yn bennaeth drama radio

roedd yna ddyn digon hurt yno o'i flaen o, Val Gielgud, brawd John Gielgud yr actor mawr. Do'n i ddim yn dod ymlaen efo hwnnw o gwbl. Roedd hi'n fendith ei fod o wedi gadael a dweud y gwir. Roedd o'n Sais o'r math gwaethaf, neu felly ro'n i'n gweld pethau ar y pryd. Fe ddaeth Martin Esslin fel chwa o awyr iach. Yn y cyfnod hwnnw roedd o wrthi'n sgwennu ei lyfr ar Brecht, ac yn cymryd diddordeb ysol yn Samuel Beckett. Mi faswn i'n tybio mai Martin, yn fwy na neb arall, oedd yn gyfrifol am yr ymchwydd o ddiddordeb yn y ddau yma ar ddiwedd y 1950au. Dwi'n meddwl mai yn y cyfnod hwnnw, o dan ei ddylanwad o i raddau, gwnes i'r gyfres radio honno am y ddrama yn Ewrop, gyda'r pwyslais bron yn gyfan gwbl ar theatr yr abswrd, cyfres Gymraeg a chyfres Saesneg oedd yn mynd allan ar y rhwydwaith. Mi wnaethon ni ryw saith neu wyth o ddramâu gan gynnwys cyfieithiad Saunders Lewis o *Wrth Aros Godot*, cyfieithiad Myrddin Lloyd a'i ferch o rywbeth gan Durrenmatt a rhywfaint o gyfieithiadau Saesneg gan Goronwy Rees o waith Brecht – Pennar Davies oedd wedi cyfieithu Brecht i'r Gymraeg wrth gwrs. Roedd hwnnw'n gyfnod braf iawn. Roedd Martin yn cymryd diddordeb byw yn y Gymraeg hefyd ond dwi wedi colli cysylltiad efo fo erbyn hyn, dwi'n meddwl ei fod o wedi mynd i fyw i California neu ei fod o'n treulio'r rhan fwyaf o'i amser yno beth bynnag, ond roedd o'n ddylanwad go fawr arna'i yn y cyfnod hwnnw. Ar yr un pryd ro'n i'n rhannu swyddfa efo Walter Todds a oedd yn frwd iawn dros athroniaeth Wittgenstein. Felly rhwng y profiadau yna ar ddiwedd y 1950au, a gweithio ym myd teledu a radio roedd yna ddylanwadau mawr yn yr awyr a dwi'n meddwl eu bod nhw i gyd wedi effeithio ar *Outside the House of Baal* fel nofel. Roedd y pethau hyn i gyd yn agoriad llygad ac mae eu dylanwad nhw i'w weld ar y nofel. Mae gwahaniaeth sylweddol rhyngddi a'r rhai ro'n i wedi eu sgwennu cyn hynny.

Gwynn Cyn symud ymlaen, rydach chi wedi sôn am Wittgenstein, sut fasach chi'n dweud fod gwaith Wittgenstein wedi dylanwadu arnoch chi?

Emyr Meithrin ymarfer cywreinrwydd deallusol! Rhoi min ar

y meddwl. Roedd Walter Todds yn arfer adrodd brawddegau allan o'r *Tractatus* fel rhyw fath o *Rodd Mam* a dweud pethau fel, 'terfyn fy iaith yw terfyn fy myd', a'r gwirebau tebyg eraill oedd yn rhedeg trwy'r *Tractatus* o'r dechrau i'r diwedd. Roedd yr un fath o beth yn codi allan o'r cyfieithiadau o'r *Philosophical Investigations,* roedd rheiny yn rhyw fath o ysbrydoliaeth arddull mewn rhyw ffordd od, fod rhaid cadw beth bynnag sydd gynnoch chi i'w ddweud i gyn lleied o eiriau â phosib a bod y rheini'n gorgyffwrdd. Roedd yna rywbeth yn ei eiriau o oedd yn ehangu ystyr gair ac yn taro nodyn ar allweddell y dychymyg, roedd pethau felly yn eich ysgogi chi i buro'ch ymadrodd. Ond wedyn ro'n i'n teimlo pan o'n i'n mynd i wirioni ar Beckett a Brecht, fy mod i'n troi fy nghefn ar Saunders Lewis a T. S. Eliot, fod gynnyn nhw ormod o eiriau, eu bod nhw'n rhy flodeuog ac yn rhy hen ffasiwn. Wedyn roeddach chi'n mynd am ryw fath o gynildeb oedd ddim yn bod cyn hynny. Mae'r pethau yma yn perthyn fwy i ffasiwn nag i ddim arall, ac eto dydan nhw ddim chwaith, achos yn y pen draw byddwn i'n tybio mai ffurf ydi celfyddyd. Os oes gynnoch chi rywbeth i'w ddweud mae'r ffordd rydach chi'n ei ddweud o'n allweddol i'r hyn ydi o. Mae'r berthynas rhwng ffurf a chynnwys yn broblem ac yn boen i unrhywun sy'n ysgrifennu yn yr ugeinfed ganrif.

Gwynn I newid testun yn gyfan gwbl gadewch i ni droi'r cloc yn ôl i 1962 a darlith *Tynged yr Iaith.* Allwch chi ddisgrifio'r effaith gafodd honno arnoch chi fel rhywun oedd yn gweithio i'r BBC ar y pryd a'r effaith gafodd hi ar eich cenhedlaeth chi yn gyffredinol?

Emyr Yn y lle cyntaf ro'n i'n cymryd fod pob gair ddywedodd Saunders Lewis yn wirionedd nad oedd modd ei wrth-ddweud. Roedd effaith hynny, a chlywed ei lais main o yn dod dros y radio, yn iasol, ac eto fel yr oedd y blynyddoedd yn mynd heibio cryfhau wnaeth yr effaith. Dwi'n cofio, yn y cyfnod yn union ar ôl iddo fo draddodi *Tynged yr Iaith,* fe wnaeth Trystan Powell, mab Anthony Powell y nofelydd, gynhyrchu rhaglen am David Jones, drwyddaf i rywsut. Ro'n i'n teimlo mai fi ddylai fod wedi gwneud y rhaglen ond fi ddywedodd mai'r dyn i siarad efo David Jones oedd Saunders Lewis, gan i'r ddau fod yn y Rhyfel Byd Cyntaf, fod y ddau yn ffrindiau ac yn deall ei gilydd, a bod y ddau yn Babyddion. Dyna beth wnaed ac mi fyddwn i'n dweud fod y rhaglen yn un ysgubol. Gwelais i erioed mohoni wedyn ond dwi'n cofio pobl o bedwar ban byd yn dweud cymaint o argraff wnaeth y ddau hen ŵr arnyn nhw. Ro'n i'n benderfynol wedyn o gael pobl yn y byd Saesneg i sylweddoli mawredd Saunders Lewis, ond doedd dim modd osgoi'r dylanwad rhyfeddol oedd gynno fo ymysg y Cymry Cymraeg chwaith.

Dwi'n cofio, gyda fy mod i wedi mynd i Goleg Bangor i ddechrau'r Adran Ddrama, fod Dafydd Iwan wedi sgwennu ata'i yn dweud pob math o bethau mawr ynglŷn â dyfodol Cymru. Mae'n debyg ei fod o'n bensaer ar y pryd, neu ella'i fod o'n dal i fod yn y coleg ac yn drwm o dan ddylanwad Dewi Prys Thomas, Cymro pybyr iawn. Dwi'n cofio'r llythyr mewn inc coch a'r awgrymiadau mawr 'ma ynddo fo. Ro'n i'n meddwl fod hyn yn beth gwych iawn ac yn trio ateb yn ddoeth gan ddadlau mai'r peth pwysicaf oedd meistroli'r cyfryngau cyn ein bod ni'n medru cael yr holl bethau roeddan ni isio, fel sianel Gymraeg ac yn y blaen. Holl bwrpas y cwrs oedd cael pobl i ddysgu gramadeg y cyfryngau. Ond fel basach chi'n disgwyl mi sgwennodd Dafydd yn ôl yn mynnu nad oedd dim amser i hynny, fod rhaid protestio mewn modd gwleidyddol – yr ŵyn yn dysgu'r defaid i bori! Fo oedd un o'r rhai cyntaf i fynd i'r carchar, wedyn fe aeth rhes o bobl i'r adwy – does yna byth gynnydd heb aberth. Yn y pen draw roedd y brotest wedi cynyddu cymaint ro'n i'n gwrthod pob math o bethau, gwrthod talu trwydded teledu a gwrthod llenwi'r cyfrifiad. Ro'n i mewn dyfroedd reit ddyfnion erbyn dechrau'r 1970au, dyna pryd fues i yn y carchar, am ryw bum munud.

Gwynn Oedd y newidiadau sydyn yn hinsawdd wleidyddol Cymru ac yn enwedig y Cymry Cymraeg wedi dylanwadu ar eich penderfyniad chi i adael y BBC o gwbl?

Emyr O na. Na. Mynd am resymau hollol hunanol wnes i. Ro'n i isio sgwennu. Roedd o'n beth ofnadwy o hunanol i'w wneud. Ro'n i'n meddwl y baswn i'n cael mwy o wyliau a mwy o amser i sgwennu yn y coleg. Ond nid felly roedd hi, roedd y coleg, os rhywbeth, yn anos achos do'n i ddim yn academig ac ro'n i'n gorfod gweithio'n galed iawn i baratoi darlithoedd ac i ymwneud efo'r myfyrwyr. Roedd o'n llyncu amser i ddweud y gwir mewn ffordd lawn cyn waethed â'r BBC, ond heb fod yn agos mor ddifyr. Ro'n i'n hiraethu am y BBC ac erbyn dechrau'r 1970au ro'n i wedi pasio fy hanner cant ac yn teimlo fel rhoi'r gorau i'r cwbl a rhoi fy amser yn gyfan gwbl i sgwennu. Roedd Elinor yn eithriadol o amyneddgar achos roedd o'n beth digon anodd ei wneud, ac mae'n siwr ei fod yn anos fyth erbyn hyn. Mae gen i biti dros bobl sydd isio sgwennu yn yr oes yma, mae o'n gyfnod anodd iawn. Yr hyn sy'n rhyfedd ydi fod yna fwy o gyfleusterau a mwy o gyfle ar un olwg ac eto mae yna lai o ryddid. Mae'r cyfryngau mor gryf, y nhw sy'n rheoli, does gynnoch chi ddim gobaith cael gwneud fel fynnoch chi bellach, does dim rhyddid yn y maes, nac mewn cyhoeddi nofelau chwaith tasa hi'n dod i hynny. Fe gyrhaeddodd fy ngyrfa i fel nofelydd ei hanterth ryw ugain neu bum mlynedd ar hugain yn ôl, ar i waered mae popeth wedi mynd ers hynny! Ella fod gan hynny rywbeth i'w wneud â henaint, ond dwi'n meddwl fod yr holl bwyslais sydd ar gyflwyno wedi llyncu cynnwys pob dim. Er mor amrwd ac amaturaidd oedd pethau yn y blynyddoedd cynnar hynny roedd y cynnwys bob amser yn ofnadwy o ddiddorol. Braidd fel arall mae hi rwan, mae'r cyflwyno a'r pethau technegol yn wych dros ben ond mae'r cynnwys wedi mynd yn fain ac yn denau iawn.

Gwynn Pan aethoch chi o'r BBC i sefydlu Adran Ddrama a'r Cyfryngau ym Mangor pa mor bwysig oedd sgwennu dramâu ar gyfer y cyfryngau yma ac nid jyst canolbwyntio ar nofelau a barddoniaeth. Oedd hynny'n rhan amlwg o'r uchelgais?

Emyr Ddim yn ymwybodol felly, ond mae'n rhaid ei fod o'n bresennol. Un o'r rhesymau pam yr es i i Fangor oedd fod Caerwyn Williams a John Gwilym Jones a Geraint Gruffydd i gyd wedi fy ffonio i i fy annog i fynd yno. Ro'n i'n meddwl fod oes aur ar fin gwawrio ond erbyn i mi gyrraedd doedd grym a dylanwad yr Adran Gymraeg ddim yn agos mor fawr ag o'n i'n tybio. Fe ges i fy hun yn yr Adran Saesneg efo rhyw fath o hanner hawl i wneud pethau yn Gymraeg hefyd, doedd hi ddim yn sefyllfa foddhaol o gwbl. Ond ar y llaw arall un o'r pethau braf oedd fod John Gwilym Jones yno, ro'n i wedi gwneud lot fawr o'i waith o pan o'n i'n cynhyrchu ar gyfer radio a theledu, cymaint a wnes i o waith Saunders Lewis a dweud y gwir. Roedd o wastad yn arloesi, fo oedd biau'r gymdeithas ddrama yn y coleg. Dyna'r unig beth ddeudodd Caerwyn Williams wrtha'i pan ddechreuais i yno, 'cofiwch mai John Gwilym biau'r Gymdeithas Ddrama'. Do'n i ddim yn dymuno ei groesi o gwbl, ond fe ddeudodd John Gwilym wrtha'i am sgwennu ac mi wnes i a Wil Sam sgwennu *Dinas* ar ei gyfer o. Ro'n i'n dal mewn cysylltiad efo'r BBC hefyd a thra o'n i ym Mangor wnes i *Blodeuwedd*, a'r 'Dalar Deg' o waith Wil. Mi wnes i honno yn ystod gwyliau'r Coleg, efo Guto Roberts, a'r myfyrwyr yn y rhannau llai. Dwi'n meddwl ein bod ni wedi cynnal yr ymarferiadau i gyd yn y Coleg ac wedi mynd i lawr i Gaerdydd wedyn i recordio. Ond bob tro ro'n i'n cael unrhywbeth i wneud efo'r BBC ro'n i'n hiraethu am yr hen ddyddiau braf. Ond ar ôl colli Hywel Davies mi gollais gysylltiad yn gyfangwbl efo'r bobl oedd yn rhedeg y sioe yno. Roedd gweddw Hywel, Lorraine, yn dal o gwmpas ond ychydig iawn wnes i efo'r BBC wedyn. Mi adawodd Aled Vaughan y BBC i fynd at HTV, roeddan ni'n hen gydweithwyr a chyfeillion – ro'n i wedi bod yn rhannu swyddfa efo fo am gyfnod byr yn y BBC. A dweud y gwir fo hudodd fi at HTV ac efo nhw wnes i fy ngwaith teledu i gyd yn ystod y 1970au, roedd drysau y BBC wedi eu cau yn dynn erbyn hynny.

Gwynn Oeddach chi wedi gwneud penderfyniad ymwybodol i newid cyfeiriad? Roedd y rhan fwyaf o'r gwaith wnaethoch chi efo HTV yn ystod y 1970au i fewn i'r 1980au yn *'drama docs'* megis 'Y Gwrthwynebwr' neu sgwennu sgriptiau ar gyfer rhaglenni dogfen. Oedd hwn yn ymateb i gomisiwn neu oedd o'n dangos penderfyniad i ddilyn cyfeiriad newydd eto?

Emyr Dwi'n meddwl ei fod o'n benderfyniad i ddilyn cyfeiriad newydd i raddau. Ro'n i'n teimlo y byddai'n well i'r tipyn dychymyg oedd gen i fynd i sgwennu nofelau, gallwn i wedyn defnyddio'r unig grefft arall oedd ar ôl gen i i ddatblygu'r elfen ddogfen sy'n gweddu mor berffaith i gyfrwng teledu. Dyna'r cyfrwng i ddweud stori am bethau hanesyddol ac am y byd yn gyffredinol, wedi'r cwbl, ffenest ar y byd ydi teledu i fod, cyfrwng addysg gwych. Ella bod a wnelo fo rhywfaint â fy nghysylltiadau i hefyd, hynny ydi, dyna oedd diddordeb Aled, a fo roddodd fi mewn cysylltiad efo Huw Davies. Ro'n i wedi bod yn y carchar yng ngwanwyn 1973 a phan ddois i allan roedd yn rhaid i mi wneud rhywbeth, doedd gen i ddim gwaith o gwbl a doedd y nofelau ddim yn mynd i dalu. Mi wnes i baratoi rhestr o syniadau i Aled, ac mi aeth o â fi allan i gael pryd o fwyd. Y peth cyntaf ro'n i wedi roid ar fy rhestr hir oedd 'Y Gwrthwynebwr', a dyna'n union wnaethon ni, aethon ni ddim pellach i lawr y rhestr na hynny. Hwnnw oedd cychwyn fy niddordeb i yn y maes yna, ro'n i'n ei fwynhau o'n fawr iawn. Roedd hi'n braf cael gweithio efo pobl eraill hefyd, a chael pobl fel Gareth Miles ac R. Tudur Jones, pob math o bobl, i sgwennu a chyfrannu, roedd hyn yn ddifyrrach o lawer na'r Coleg.

Gwynn Wedyn fe wawriodd S4C, a dyma chithau'n dechrau eto ar ran newydd o'ch gyrfa.

Emyr Do. Pryd hynny roedd gen i gysylltiad reit agos efo HTV yn dal i fod. Aeth Siôn i weithio i HTV cyn iddo fo ac Alun Clayton ac Endaf Emlyn gael eu hudo gan S4C i fod yn gynhyrchwyr annibynnol. Dwn i ddim pwy oedd yn gyfrifol am eu hudo nhw, ond mi roedd y pethau yma wedi digwydd, ac yn gwbl ddamweinol mi wnes i ddechrau gweithio efo Siôn. 'Y Gosb' dwi'n meddwl oedd y rhaglen gyntaf un i ni gydweithio arni.

Gwynn Pam ydach chi'n dweud fod hyn wedi digwydd yn ddamweiniol?

Emyr Wel yn yr ystyr na wyddwn i ddim fod y pethau hyn yn mynd i ddigwydd – ffawd oedd o. Doedd gynno fo ddim i wneud â ni ond mae'n siwr mai Euryn Ogwen oedd yr ysgogydd. Dyna oedd ei ddawn o dwi'n meddwl, perswadio pobl i wneud pethau. Roedd o wedi tynnu'r tri yna at ei gilydd ac ro'n i i fod i wneud rhywbeth efo nhw ond fe aeth Alun Clayton benben ag HTV, a mynd yn ei ôl cyn pen dim yn bennaeth ar ryw adran a gadael Siôn ac Endaf efo'i gilydd, ond wedyn mi ddaeth Siôn yn ôl i fyw i'r gogledd, ac felly buo hi.

Gwynn Ro'n i am drafod y berthynas rhwng y tad a'r mab, rhwng Emyr a Siôn, a'u gwaith gyda'i gilydd yn ystod y blynyddoedd diwethaf 'ma.

Emyr Mae yna arbenigrwydd yn y berthynas rhwng awdur a chyfarwyddwr, fel rhyngof fi a Saunders neu John Gwilym. Os nad ydach chi'n medru bod ar yr un donfedd mae hi'n anobeithiol, dydi pethau ddim yn mynd i weithio. Trwy ryw ryfedd wyrth mae Siôn a finnau ar yr un donfedd yn sylfaenol. Mae hi'n beryglus defnyddio'r gair athroniaeth yn y byd sydd ohoni ond mewn ffordd o siarad dyna ydi o. Rydach chi'n anelu i'r un cyfeiriad ond mae cael llygaid rhywun lot iau yn edrych ar yr un peth yn taflu rhyw fath o oleuni newydd ar y byd, ar gyflwr dyn ac ar ystyr pob dim. Mae hynny'n fantais go fawr achos mae o'n rhoi rhyw fath o sbardun newydd i chi. Er eich bod chi wedi cael oes o brofiad, ar un wedd dydi o'n dda i ddim byd achos rydach chi'n dechrau o'r dechrau efo be bynnag rydach chi'n anelu ato fo, ac yn hynny o beth mae o'n help cael dyn tu ôl i chi sy'n dal yr awennau, cynhyrchydd a chyfarwyddwr sy'n cynnal yr hyn rydach chi'n ei wneud, yn eich cadw chi o fewn terfynau, a gadael i chi fynd yn rhydd hefyd.

Mae 'na rywbeth sy'n effeithio ar ddyn, yn enwedig wrth fynd yn hŷn, dydi o ddim yn effeithio ar Siôn yr un fath, ond mae o'n effeithio'n ofnadwy arna'i, a chyflymu ydi hynny. Mae 'na ryw gyflymiad yn digwydd ym mhob un dim ac rydach chi isio gwneud pob dim mewn llai o amser. Wna i byth sgwennu nofel eto, dwi'n rhy hen ac mae o'n ormod o gowlad, fedrwn i byth ddod i ben. Dwi'n chwilio am ryw gyfryngau byrrach fel fy mod i'n medru dweud be sy gen i i'w ddweud mewn llai o eiriau, llai o amser a llai o bob dim – faswn i'n galw'r broses yna yn gyflymiad, yn *acceleration*. Rydach chi am grynhoi'r neges a'i gael o drosodd mewn llawer iawn llai o amser, mae o'n gweddu rywsut i henaint mewn ffordd nad ydi'r nofel ddim. Mae'r rhan fwyaf o nofelwyr da wedi rhoi'r gorau i sgwennu nofelau cyn mynd yn rhy hen, mae nofelau'n tueddu i berthyn i'r blynyddoedd canol.

Gwynn Oes yna dyndra weithiau yn codi rhyngddoch chi a Siôn, nid oherwydd y berthynas deuluol ond oherwydd eich bod chi yn gynhyrchydd/gyfarwyddwr mor brofiadol?

Emyr Nac oes, mi fydda i'n cadw'n ddigon pell oddi wrtho fo, dwi byth yn bresennol pan fydd o'n ffilmio. Os bydda i yno, dim ond dweud 'Amen' fydda i. Dwi'n gwybod o brofiad fod cael awdur yn dod ar eich traws chi pan fyddwch chi'n ffilmio yn niwsans, cyn i'r gwaith ffilmio ddechrau mae gwneud yr holl drafod, ddim yn ystod y peth. Rydach chi yno i ganmol, mae'n rhy hwyr i wneud unrhyw fath o newidiadau sylfaenol. Erbyn hynny mae dimensiwn yr actorion a'r technegwyr wedi dod i mewn ac mae'r gwaith wedi symud i faes arall. Dwi'n hoffi'r ffordd mae Siôn yn gweithio – mae o'n ddistaw iawn ac mae pob dim yn mynd yn esmwyth heb unrhyw sterics, mae hynny'n ffordd sy'n siwtio, ac yn apelio ata'i. Dwi ddim yn leicio cyfarwyddwr sy'n ormod o athrylith ac yn gweiddi ac yn strancio, mae actorion yn bobl sydd angen eu trin yn ofalus fel cesyg a meirch rhywiog o waed pur. Mae gen i feddwl y byd ohonyn nhw, ond maen nhw'n *delicate* yn tydyn?

Gwynn Sut ydach chi wedi llwyddo i gadw cydbwysedd rhwng eich gwaith fel nofelydd a bardd a'ch gwaith ar gyfer teledu? Ydach chi'n teimlo fod y naill wedi dioddef oherwydd y llall o gwbl?

Emyr Dwi'n meddwl fod yr ysfa i sgwennu nofelau wedi mynd yn gryfach ac yn gryfach fel dwi'n mynd yn hŷn ond mae'r cyfryngau yn denu rhywun yn ofnadwy hefyd. Yn un peth mae o'n llai o waith mewn ffordd. Mae sgwennu sgript neu wneud rhaglen ar gyfer teledu yn cymryd llai o amser – dim llai o ymdrech, jyst llai o amser – ac mae'r wobr yn well, roedd mwy o arian o lawer i'w gael am wneud rhywbeth ar gyfer y cyfryngau, yn enwedig yn y cyfnod cynnar. Bach iawn fuo cylchrediad fy nofelau i erioed, deuddeg mil oedd y mwyaf ges i ar gyfer *A Change of Heart* ym 1951, mae'n rhaid mai dyna oedd uchafbawynt fy ngyrfa i, a doedd hyd yn oed hynny ddim yn llawer o arian.

Roedd symud i Gaerdydd i weithio efo'r BBC yn drobwynt go fawr yn fy mywyd i, ac yn ein bywyd ni fel teulu, achos roedd o'n golygu symud i lawr o Bwllheli, lle ro'n i'n dysgu, i fyw ym myd y cyfryngau am gyfnod sylweddol. Roedd o'n gyfnod hapus iawn, wrth gwrs mae pob hen ŵr yn dweud fod ei gyfnod o yn gyfnod euraid, ond roedd hwn yn gyfnod braf iawn. Roedd y BBC yn lle braf i weithio ar y pryd – roedd y staff yn fach, a'r swyddfeydd yn Park Place, efo'r Brifysgol ar y naill law a'r Amgueddfa ar y llall, ro'n i'n byw bywyd gwareiddiedig iawn. Roedd Hywel Davies yn bennaeth rhaglenni ysbrydoledig, roedd yr un o'i flaen o yn hen foi clên hefyd ond doedd o ddim yn weithgar iawn, er bod hynny'n beth da os oeddach chi isio cael llonydd. Roedd Alun Oldfield Davies yn bennaeth mwyn iawn, roedd rhywun yn cael lot fawr o ryddid gynno fo a doedd dim cymaint o bwysau gwaith arnoch chi. Er bod ITV wedi dechrau yn yr un flwyddyn ag o'n i'n dechrau efo'r BBC, doedd dim llawer o bwysau arnon ni oherwydd hynny. Roedd lot fawr o ryddid a lot o ddifyrrwch yn y gwaith, gormod i ddweud y gwir, achos ymhen amser ro'n i'n dechrau sylweddoli fod y radio a'r teledu mor ddifyr nes fod perygl iddyn nhw fy llyncu i'n gyfangwbl a fyddwn i byth yn sgwennu nofel eto. Roedd rhaid cosbi fy hun mewn gwirionedd a cholli'r bywyd braf yma er mwyn canolbwyntio ar ysgrifennu nofelau. Ella fod o'n gamgymeriad arswydus ond mi wnes i o beth bynnag a chefnu ar ddeng mlynedd difyr iawn.

Gwynn Oeddach chi'n gynhyrchydd radio a theledu o'r cychwyn cyntaf, neu wnaethoch chi ddatblygu o radio i deledu?

Emyr Radio yn unig i ddechrau, ond ro'n i'n cael fy ngyrru i Lundain am gyfnodau i ddilyn pobl fel Louis MacNeice y bardd oedd yn gynhyrchydd radio efo'r BBC ar y pryd. Roedd yna adran arbennig o dda yno o dan ddyn o'r enw Laurence Gilliam, roedd y lle yn llawn beirdd a dramodwyr ac yn berwi efo pobl ddiddorol. Ro'n i'n mwynhau hynny'n fawr, ac ar ôl rhyw ddwy neu dair blynedd roedd Hywel Davies am i mi fynd ar gwrs teledu ac mi ges fy ngyrru ar hwnnw a dechrau efo rhyw gyfres ynglŷn ag athrawon ysgol. Dwi'n cofio Michael Barry, oedd yn bennaeth drama ar wasanaeth teledu'r BBC ar y pryd, yn dweud, 'rydach chi wedi bod yn athro ysgol, rydach chi wedi bod yn dysgu, mi ddylech gymryd at hon'. *The Common Room* oedd enw'r gyfres, roedd hi'n ddifyr iawn ond doedd hi ddim byd i wneud efo ysgolion. Dyn o'r enw Leo Lehmann oedd y sgriptiwr, roedd gynno fo ryw fath o asiant oedd yn ddylanwad go bwysig ar ei fywyd o, ac fe ddaeth yn bwysig yn fy mywyd i hefyd ymhen tipyn, dynes o'r enw Peggy Ramsey, ddaeth yn enwog iawn yn ddiweddarach.

Cynhyrchydd *The Common Room* oedd Andrew Osborne, cyn-gyrnol yn y fyddin, a milwr llwyddiannus iawn baswn i'n meddwl. Roedd o'n rhoi amser caled iawn i mi fel cyn-wrthwynebwr cydwybodol, ond mi ddaethon ni'n ffrindiau yn y diwedd. Dwi'n cofio trafod rhyw olygfa yn y *staffroom*, a finnau'n trio dweud, fel cyn-athro, na fasan nhw byth yn siarad fel hyn, a fyntau'n ateb, *'look here Humphreys, I don't want any of that Gaelic Twilight'*. Dwn i ddim beth oedd o'n ei feddwl wrth *Gaelic Twilight*, dwi'n meddwl ei fod o wedi penderfynu mai Sgotyn o'n i. Roedd o'n actor ei hun a baswn i'n meddwl ei fod o wedi bod yn Rada yr un pryd â Clifford Evans. *'He would have been alright but he never ironed out that Welsh accent'*, oedd ei farn o am Clifford. Roedd o'n gymeriad diddorol iawn, Andrew, oedd yn trafod y stiwdio fel maes y gad a'r criw fel milwyr ffyddlon.

Gwynn Erbyn i chi ddechrau gweithio yn y byd teledu, pwy oedd y cyfarwyddwyr oedd yn dylanwadu arnoch chi?

Emyr Yn y cyfnod ro'n i'n dechrau cyfarwyddo teledu y broblem oedd y gwahaniaethau mawr oedd yn bod rhwng teledu a ffilm. Roedd gynnon ni dri neu bedwar o gamerâu ar y llawr ar yr un pryd, a'r dynion ro'n i'n eu hedmygu oedd y bobl ymarferol yn y gwaith. Roedd yna Sgotyn o'r enw Christian Simpson, a John Jacobs, enwau cyfarwydd iawn yn y cyfnod hwnnw, ro'n i'n eu hedmygu nhw'n fawr iawn. Wedyn ro'n i'n gweld mai'r allwedd i'r cwbl, yn hollol wahanol i ffilm, oedd fod pob dim yn digwydd ar yr un pryd. Dyletswydd y cyfarwyddwr teledu yn yr oes honno oedd creu cyfanwaith di-dor, awr neu awr a hanner o waith actorion a thechnegwyr, a'r canlyniadau'n ymddangos 'yn fyw' o flaen cynulleidfa o unigolion a theuluoedd yn eistedd yn glyd ac yn feirniadol yn eu cartrefi. Yn y dyddiau cynnar yr oedd hi'n hawdd iawn i bethau fynd o chwith, fe fu'n rhaid i gynhyrchiad uchelgeisiol o *The Boy David* ddod oddi ar yr awyr am fod y pedwar camera wedi cyrraedd congl o'r stiwdio ac yn ffilmio'i gilydd ar draws y perfformiad. Yr unig obaith felly wrth baratoi drama deledu oedd creu modelau o'r peiriannau a'r setiau a'r actorion a threulio oriau maith yn paratoi'r holl symudiadau gan gynnwys hynt a helynt y ceblau oedd yn dueddol o lusgo hyd lawr y stiwdio fel nadroedd yn chwilio am ysglyfaeth.

Wrth gwrs erbyn y 1960au fe ddaeth hi'n bosibl torri tâp, diolch i'r drefn. Tipyn o hunllef oedd gwaith stiwdio o dan yr hen drefn. Roeddan nhw'n dweud y byddai torri tâp un modfedd yn gwbl amhosibl i ddechrau. Roedd o'n effeithio ar yr holl ddulliau o weithio; mi fedrach chi stopio ac ailgychwyn, pethau na fedrach chi byth eu gwneud yn y cyfnod cynnar. Dwi ddim yn meddwl fod yna fawr ddim byd i'w ennill o safbwynt celfyddyd o gael y gwaith yn mynd ymlaen yn ddi-stop o'r dechrau i'r diwedd. Roedd o'n brofiad diddorol ond fel dulliau ac arddulliau a chelfyddyd roeddan nhw braidd yn gyntefig a dweud y lleia. Wedyn unwaith i Ampex a phethau felly ddod i fewn roeddach chi'n medru troi yn ôl at ddulliau a rhyddid ffilm oedd ddim yn bod am o leiaf chwe blynedd pan o'n i'n dechrau.

Gwynn I fynd yn ôl at y cwestiwn gwreiddiol – pwy oedd y dylanwadau arnoch chi o fyd y sinema. Oedd yna ddylanwadau wrth feddwl yn ôl am y ffilmiau roeddach wedi eu gweld? Oedd yna gyfarwyddwyr roeddach chi yn eu hedmygu? Oeddach chi'n teimlo'n sydyn eich bod chi'n cael eich ysbrydoli gynnyn nhw?

Emyr Ddim felly, oherwydd ychydig iawn o gyfle ges i weithio efo ffilm; roedd techneg ac anghenion teledu yn nes at radio, ond un oedd yn gwneud argraff fawr arna'i bob amser oedd Ingmar Bergman. Ro'n i'n sylweddoli fod y cysylltiadau rhwng dulliau ffilm y gwledydd llai yn bwysig iawn i Gymru, hynny ydi fod ein dulliau ni a'n diddordebau ni yn sicr o fod yn fwy cyfandirol na deudwch Lloegr oedd yn mynnu dynwared America bob amser. Nid fod 'na ddim byd o'i le ar beth oedd America yn ei gynhyrchu ond fod Ewrop yn nes at ein sefyllfa ni os oedd celfyddyd yn adlewyrchu bywyd y bobl. Ond, ar y llaw arall, doedd gynnoch chi ddim mo'r adnoddau na'r rhyddid i wneud yr hyn roeddach chi'n dymuno'i wneud, rhywbeth ddaeth yn nes ymlaen oedd hynny.

Gwynn Mae'n amlwg fod Saunders Lewis wedi chwarae rhan bwysig iawn yn eich bywyd chi, rydan ni'n dod yn ôl ato fo dro ar ôl tro. Fasach chi'n leicio siarad am y profiad o weithio efo fo, chi fel cynhyrchydd ac yntau fel awdur, gan ddechrau efo'r gwaith radio ddaru chi wneud a mynd ymlaen i sôn am y gwaith teledu a'r profiad o gyfieithu ei waith o ar gyfer y cyfryngau?

Emyr Mae'n siwr mai un o'r breintiau mwyaf o fod yn y swydd i mi'n bersonol oedd cael bod mewn cysylltiad agos efo fo. Dwi'n cofio'r tro cyntaf i mi ei gyfarfod o ar ôl ymuno â'r Gorfforaeth. Do'n i ddim wedi bod yn Park Place fwy na rhyw fis dwi'n siwr, a dyma fi'n penderfynu mai'r cwbl ro'n i isio'i wneud oedd *Siwan* a'r unig ffordd o'i gwneud hi yn y cyfnod hwnnw oedd ei chyfieithu hi. Es i ar draws Park Place i'r Brifysgol i chwilio am y dyn mawr, bach felly, ac mi ges i hyd iddo fo yn y llyfrgell. Dwi ddim yn meddwl ei fod o'n fy nghofio i, ac fe edrychodd arna'i yn hyrt. Roedd o'n medru sbïo'n ddigon cas, ro'n i'n meddwl ei fod o am ddweud rhywbeth cas ofnadwy wrtha'i, ond y cwbl ddeudodd o oedd, 'dowch allan o fa'ma – ddim yn y llyfrgell mae trafod'. Mi aethon ni allan i ryw stafell ddarlithio, a dyma fi'n dweud fy mod i isio gwneud *Siwan.* 'Mi wna i gyfieithu,' medda fi, 'mae hon yn ddrama rhy dda i fod yn Gymraeg yn unig.' Doedd o ddim yn leicio hynny, ond mi ges i ei gwneud hi. Honno oedd y ddrama gyntaf o bwys wnes i. Mi wnes i ei chyfieithu hi a'i gwneud hi yn Llundain efo actorion digon syml a dweud y gwir, yr unig un oedd yn dda oedd Sonia Dresdel oedd yn cymryd rhan Siwan. Wedyn mi wnes i ddechrau eu gwneud nhw i gyd, y naill ar ôl y llall. Fel rheol mi fyddai'n dod i'r ymarferion ond mi bechais yn ofnadwy un tro. Ro'n i'n gwneud *Brad* ac yn trio cael actorion blaenllaw o Gymru i gymryd rhan – Emlyn Williams, Richard Burton, Hugh Griffith, Clifford Evans, Meredydd Edwards a Siân Phillips. Roeddan nhw i gyd wedi cytuno, yr anhawster oedd eu cael nhw i gyd yn yr un lle ar yr un pryd. Yn y diwedd mi benderfynais i mai'r unig ffordd i lwyddo oedd i'w gwneud hi ar y radio, felly mi gawson ni gyfleusterau yn Broadcasting House ac mi aeth pob dim yn iawn nes i mi sylweddoli yng nghanol y prysurdeb yma i gyd fy mod i wedi anghofio gofyn i Saunders ddod draw. Roedd pob dim yn mynd yn iawn, pawb yn hapus ac yn cael hwyl, Richard Burton ac Emlyn Williams yn cystadlu efo'i gilydd i wneud yr effeithiau sain ac yn y blaen, ac mi wnes i sylweddoli nad oedd o ddim yno. Yn y diwedd mi wnaethon ni yrru telegram ato fo yn dweud cymaint roeddan ni i gyd yn edmygu *Brad.*

Dwi'n cofio gwneud cyfieithiad o *Esther* yn y Deml Heddwch, roedd yr acwstig yno'n ddifrifol o wael. Roedd dyn o'r enw William Devlin yn cymryd rhan, roedd o'n actor reit dda efo llais go fawr, a dwi'n ei gofio fo'n gofyn, *'What's all this? Drowning valleys? What's that got to do with Israel?'*, a llais bach Saunders yn dod o'r pellter ac yn dweud, *'Leave it out if you don't understand it'.* A dyna wnaethon ni, ei adael o allan. Cyfeirio oedd o at Dryweryn wrth gwrs, ond doedd William Devlin ddim yn deall hynny. Enghraifft reit ddadlennol o'r bwlch rhwng dau ddiwylliant; heb sôn am ddallineb Sais tuag at wewyr Cymreig.

Gwynn Oedd hi'n hawdd dod ymlaen efo fo? Mae'r berthynas rhwng awdur a chynhyrchydd/cyfarwyddwr wastad yn un sensitif iawn. Roedd o'n medru bod yn ddyn reit groen denau pan oedd eisiau bod yn doedd?

Emyr Na, roedd o'n ofnadwy o fonheddig a siriol. Wrth gwrs, roeddan ni'n dipyn o ffrindiau erbyn hynny – oes aur mewn ystyr arall. Roeddan ni'n cyfarfod unwaith bob pythefnos fel rheol i gael cinio yn y Park Hotel. Ro'n i'n meddwl y byd ohono fo, roedd o'n ddyn bendigedig, yn hwyliog, yn lot fawr o hwyl ac yn eang iawn ei ddiddordebau. Aeth o dros fy nghyfieithiad i o *Siwan* a dwi'n cofio un cywiriad ardderchog wnaeth o, sy'n dangos y basa fo wedi bod yn llenor da iawn yn Saesneg hefyd tasa fo isio. Y frawddeg dan sylw oedd yr un lle mae Siwan yn edliw i Llywelyn ei fod o wedi crogi Gwilym, *'and you hanged him like a herring on a string'* medda Saunders. Dwi ddim yn cofio beth o'n i wedi ddweud, ond fo ddeudodd *'like a herring on a string'.* Dyna beth ydi cyffelybiaeth ddramatig.

Oedd, roedd o'n eithriadol o hawdd dod ymalen efo fo, roedd o'n ddyn rhesymegol iawn, roedd o'n medru rhesymu, roedd hynny'n beth pwysig iawn, roedd o'n gwneud i chi resymu hefyd. Os oeddach chi isio gwneud rhywbeth roeddach chi'n rhoi rhesymau da gerbron. Er enghraifft, mi wnaeth o sgwennu drama fer yn Saesneg, dwn i ddim beth ddaeth dros ei ben o i wneud ond mi roddodd o hi i mi i'w darllen. Y cwbl dwi'n gofio amdani ydi fod yna hen ŵr a hen wraig yn cael sgwrs yn y gwely. Wnes i ei darllen hi a do'n i ddim yn meddwl ei bod hi'n gweithio. Wnes i ddweud wrtho fo nad o'n i ddim yn meddwl y gwnâi hi ddim lles iddo fo ei chyhoeddi hi, ac y byddai'n well iddo fo beidio mynd ymlaen efo hi. A dyna fo, mi gymerodd o'r feirniadaeth. Dwi'n meddwl ella fod gan Wyn Roberts rywbeth i wneud â hyn, ei fod o'n trio hudo Saunders i wneud rhywbeth yn Saesneg ar gyfer TWW. Ella fy mod i wedi camgymryd ond doedd hi ddim yn llwyddiant, a do'n i ddim yn meddwl y byddai hi'n gwneud dim lles iddo fo ar y pryd.

Ond fe wnes i bechu yn gelfyddydol yn ei erbyn o'n ddiweddarach, ar ôl i mi adael y BBC. Mi sgwennodd o ddwy ddrama fer, 'Yn y Gell' ac 'Yn y Trên', ac mi wnaeth Meirion Edwards ofyn i mi eu gwneud nhw ar gyfer y BBC. Erbyn hyn ro'n i ym Mangor a Meirion yn y BBC. Roedd Saunders yn meddwl ein bod ni wedi camddehongli'r darnau'n llwyr – un yn waeth na'r llall os dwi'n cofio'n iawn. Dwi'n ei gofio fo'n mynd â ni allan, fo a'i wraig yn mynd ag Elinor a finnau allan i'r Bulkeley, ym Miwmares, i gael swper, ac yn dweud, 'dydach chi ddim wedi deall o gwbl'. Un felly oedd o, roedd o'n dweud pob dim yn blwmp ac yn blaen, ac roedd yn rhaid i chi ei gymryd o. Mae'n siwr mai fo oedd yn iawn – fo oedd yr awdur!

Gwynn Roeddach chi efo'r BBC mewn cyfnod difyr iawn, cyfnod arloesol o ran y teledu, yn nyddiau cynnar y cyfrwng yng Nghymru. Oedd 'na deimlad o rwystredigaeth ymhlith y staff Cymraeg eu hiaith o'r cychwyn cyntaf, neu oedd pawb yn mwynhau'r cyfrwng newydd yn y dyddiau cynnar?

Emyr Roedd o'n od iawn. Roedd 'na rwystredigaethau wrth gwrs. Un peth oedd fod y technegwyr i gyd yn methu siarad Cymraeg – roedd 'na lot fawr ohonyn nhw wedi cael eu symud o rywle fel Shepherd's Bush, Cockneys allan o'u cynefin. Mae gwneud drama yn Gymraeg efo technegwyr sy'n deall dim gair o beth rydach chi'n ei wneud yn brofiad rhyfeddol – mae o'n brofedigaeth! Roedd yna anawsterau felly yn codi a dwi ddim yn meddwl fod pethau wedi newid cymaint â hynny. Roedd yna hefyd ddrwgdeimlad rhwng y rhai oedd yn medru Cymraeg a'r rhai oedd ddim yn medru Cymraeg fel y cynhyrchwyr a'r bobl ar yr ochr greadigol, roedd yna gymhlethdodau felly. Ond oherwydd fod Hywel Davies ac Aneirin Talfan y math o ddynion oeddan nhw doedd o ddim yn anodd i mi yn bersonol, ro'n i'n cael rhyddid rhyfeddol, mwy na fasa neb yn ei gael yn yr oes yma. Roeddan nhw'n barod iawn i roi'r cyfle i chi i wneud beth bynnag oeddach chi isio'i wneud ac aros nes bod y peth wedi ei orffen cyn rhoi barn, doedd dim ymyrraeth yn ystod y gwaith o gwbl.

Gwynn Oedd yna alw o gwbl yn ystod y 1950au neu'r 1960au cynnar am wasanaeth ar gyfer Cymru, gwasanaeth teledu a gwasanaeth radio, ar wahân i'r *opt outs* ar radio a theledu'r BBC?

Emyr Oedd, ond roedd hi'n un gwan iawn, doedd dim grym gwleidyddol o unrhyw fath y tu ôl i'r peth. Wrth gwrs roedd yna ryw *aura* yn perthyn i'r BBC yn y cyfnod hwnnw, roedd o'n rhyw fath o sefydliad eglwysig bron. Wn i ddim a oedd Alun Oldfield Davies yn cyfrannu at hynny efo'i lais esgobol dwfn. Roedd llun o'r Frenhines yn crogi ar y mur uwchben sedd y rheolwr bob amser. Roedd yna ymyrryd o'r tu allan hefyd gan bobl wrth-Gymreig, felly mewn ffordd roeddach chi jyst yn gafael yn yr hyn oedd gynnoch chi ac yn bwrw pobl elyniaethus i ffwrdd. Mi gododd 'na helyntion mawr efo Aelod Seneddol Toriaidd o'r enw David Llewelyn oedd yn dweud bod dylanwad Plaid Cymru yn gryf iawn yn y BBC ac yn arbennig yn yr Adran Newyddion. Mi fuodd 'na helyntion mawr ynglŷn â hynny, a phethau felly oedd yn mynd â'r sylw nes dechreuodd Cymdeithas yr Iaith ymwneud â phethau yn nechrau'r 1960au, tua'r un adeg ag o'n i'n hel fy mhac.

Gwynn Ond mae hwn i gyd yn dilyn *Tynged yr Iaith*. Oedd 'na unrhyw alwad am y pethau yma cyn iddo fo siarad ar y radio?

Emyr Dim byd, dim byd ymarferol i mi gofio. Ond cofiwch roedd fy myd bach i yn llawn o waith y BBC. Roedd o mor ddifyr, ro'n i'n paratoi rhaglenni radio ar gyfer y penwythnos a theledu yn ystod yr wythnos, felly ro'n i'n colli cysylltiad efo beth oedd yn mynd ymlaen yn y byd mawr tu allan. Ro'n i mewn cocŵn hapus y tu fewn i'r Gorfforaeth, oedd yn gyflogwr gwych yn yr oes honno. Doedd dim rhaid poeni am ddim byd, dim ond gwneud eich gorau efo pa raglen bynnag oedd gynnoch chi o'ch blaen. Do'n i ddim yn gwybod beth oedd yn mynd ymlaen tu allan ond dwi'n siwr mai'r ddarlith honno oedd y peth tyngedfennol. Roedd Aneirin Talfan yn ffan mawr o beth bynnag oedd Saunders yn sgwennu, er nad oedd o'n gwrando dim ar y neges, roedd o ac Alun Oldfield yn ei edmygu o'n fawr fel llenor. Roeddan nhw'n gwneud eu gorau i'w noddi o mewn ffordd. Roedd hwnnw'n rhyw fath o draddodiad yn y BBC achos dyna sut y gwnaethpwyd *Buchedd Garmon*. Roedd Owen Parry a Hopkin Morris, y ddau oedd yno o flaen Aneirin Talfan ac Alun Oldfield, wedi ei chomisiynu hi, ac mae'n amlwg bod y ddau arall wedi parhau â'r traddodiad. Mae hynny'n adlewyrchiad diddorol iawn o feibion y mans yn rhedeg y sioe yng Nghymru ac yn teimlo fod gynnon nhw ddyletswydd tuag at y diwylliant Cymraeg, ac os mai hwn oedd y gorau oedd yn cael ei gynhyrchu, yna roedd rhaid i'r BBC roi llwyfan iddo fo – beth bynnag oedd o'n ddweud. Wn i ddim fasa'r BBC yn gwneud yr un peth heddiw?

Gwynn Fel cenedl mi rydan ni wedi bod yn hynod o lwcus fod Emyr Humphreys wedi troi ei ddawn at deledu. Mae o'n gyfrwng ofnadwy o boblogaidd a dwi'n siwr y bydd y dramâu rydach chi wedi'u sgwennu ar gyfer y teledu yn ystod y pymtheng mlynedd diwethaf 'ma yn dylanwadu'n drwm iawn ar bawb arall sy'n mynd i sgwennu ar gyfer y cyfrwng yn Gymraeg. Pwy oedd, os oedd yna unrhywun, oedd yn dylanwadu arnoch chi wrth i chi gymryd y camau cyntaf i sgwennu ar gyfer y teledu? Oedd pobl fel Dennis Potter ac Alun Owen oedd yn sgwennu yn ystod oes aur y BBC ac ITV yn dylanwadu arnoch chi?

Emyr Mae yna agendor technegol amlwg rhwng y camau cyntaf a'r cyfnod diweddar, sef y gwahaniaeth rhwng teledu stiwdio hen ffasiwn pan o'n i'n dechrau cyfarwyddo, a'r holl gyfleusterau ffilm oedd ar gael erbyn diwedd y chwedegau. Rhaid cofio hefyd am y rheol yn erbyn cynhyrchu eich gwaith eich hun oedd yn bod pan o'n i ar staff y BBC. Mewn ffordd chefais i erioed mo'r cyfle i sgwennu'n gyson ar gyfer y teledu nes i mi gychwyn gwneud cyfresi i HTV yn ystod y saithdegau. Er bod gen i barch mawr at ddawn a gwreiddioldeb Dennis Potter, yr oedd fy llygaid i yn edrych i gyfeiriad y Cyfandir ac ieithoedd heblaw Saesneg. Erbyn y saithdegau yr oedd ymyrraeth o gyfeiriadau cyfalafol a gwleidyddol yn dod i'r amlwg; roedd grym a dylanwad y cyfrwng yn rhy fawr i wleidyddion a chyfalafwyr fel ei gilydd gadw eu dwylo oddi arno fo. Camp arbennig Potter ar wahân i'w ddawn gynhenid oedd manteisio ar draddodiadau rhyddfrydig y BBC i fynd â'i feini creadigol i'r wal megis. Mae'n sicr fod yr un ddawn gan Ingmar Bergman i greu ei gampwaith teledu *Fanny ac Alexander* ar gyfer teledu Sweden ac Edgar Reitz yntau i greu ei *Heimat* bythgofiadwy.

Dwi'n meddwl ei fod o'n bwysig iawn o hyd i beidio mynd i ddynwared ac ailadrodd gormod o beth sy'n mynd ymlaen yn Lloegr. Mae hynny'n anodd achos os nad oes gynnoch chi do o bobl sy'n hyddysg neu yn gyfarwydd â'r pethau y magwyd ni efo nhw rydach chi'n gwanhau eich gallu i gynnig rhywbeth gwahanol. Mae o'n wir am y gymdeithas Gymraeg yn gyffredinol, mae o'n mynd i orffen efo Saeson yn siarad Cymraeg a dim Cymry yn siarad Cymraeg. Dyna ydi'r her o hyd ac o hyd, mae o'n anodd iawn, ac mae o'n rhan o'r difyrrwch o fod yn Gymro, ond mae o'n rhan o'r boen hefyd.

Gwynn Ddaethoch chi ar draws Huw Wheldon yn ystod eich cyfnod efo'r BBC a beth oedd eich teimladau tuag ato fo? Oeddach chi'n cytuno? Faint oeddach chi'n ymwneud â'ch gilydd?

Emyr A chofio fy mod i'n wrthwynebwr cydwybodol ac yntau'n gyn-filwr roeddan ni'n dod ymlaen yn dda iawn. Mi ddechreuodd o a finnau yn y cyfryngau o ddifri pan oeddan ni'n dau yn byw yn Llundain dwi'n meddwl. Roedd o wedi dechrau yn yr adran hysbysebu efo Nest Jenkins oedd yn byw yn y fflat odanon ni. Roedd hynny cyn iddo fo ddechrau ar ei yrfa yn cyflwyno rhaglenni plant fel *All my Own*. Mi wnes i ei gyfarfod o yr adeg hynny ond welais i ddim llawer ohono fo am gyfnod wedyn nes i mi fynd i weithio i fyd teledu, wedyn ro'n i'n ei gyfarfod o'n reit aml. Ro'n i'n hoffi Huw yn fawr iawn, roedd o'n dweud ei feddwl yn blwmp ac yn blaen am bob dim. Mewn ffordd fo oedd y gwyliwr delfrydol – roedd gynno fo'r ddawn i roi ei hun yn lle'r gwyliwr oedd yn gwybod dim byd am y pwnc, at hwnnw roeddach chi'n anelu. Roedd o'n ddyn da iawn ac yn arweinydd ardderchog. Fe wnaeth o drio fy hudo i i fynd i weithio efo fo yn Monitor, a'r unig reswn pam nad es i ddim oedd y plant. Ro'n i isio magu'r plant yn Gymry Cymraeg yng Nghymru. Ond ro'n i'n leicio Huw yn fawr, roedd o'n urddasol hyd yn oed yn ei waeledd olaf pan oedd y canser arno fo. Ond er fy mod i'n hoff ohono fo do'n i ddim yn cytuno efo'i safbwyntiau Prydeinig o ar bethau fel y teulu brenhinol chwaith, ond ar wahân i hynny roedd o'n ddyn hawdd iawn i weithio efo fo o ddydd i ddydd.

Gwynn Ond i raddau onid oedd o ei hun yn chwarae ar ei Gymreictod, onid oedd 'na ryw elfen o'r *Celtic Twilight* yn ei gymeriad yntau hefyd?

Emyr Oedd, ac mewn ffordd o siarad roedd o'n well Cymro o lawer na fi. Roedd traddodiad y Wheldoniaid yn beth mawr gynno fo. Roedd ei deulu o hil Robert Jones Rhos-lan, awdur *Drych yr Amseroedd,* ac mi oedd o yn ymfalchïo yn y ffaith. Roedd taid Huw, Thomas Jones Wheldon, yn bregethwr ac yn arweinydd ymysg y Methodistiaid Calfinaidd, a'i dad, 'yr hen ddyn' chwedl Huw, Major Wyn Wheldon, yn gofrestrydd Coleg y Brifysgol Bangor cyn mynd i redeg y Bwrdd Addysg yng Nghymru. Roedd o'n medru siarad Cymraeg yn wych iawn, llawer iawn gwell na dwi wedi ei wneud erioed. Ond ar y llaw arall roedd o'n nodweddiadol o'i oes a'i gyfnod. Roedd traddodiad yr Ymerodraeth yn rhan bwysig o'i gymeriad o. Heddwch i'w lwch.

Gwynn O feddwl am y dramâu rydach chi wedi eu sgwennu ac mae Siôn wedi eu cyfarwyddo ar gyfer S4C, p'run ydi'r ffefryn?

Emyr Rydan ni wedi gwneud tipyn yn do? Dwi ddim yn siwr p'run ydi'r orau. Ro'n i'n leicio 'Brodyr a Chwiorydd' fy hun ond does fawr neb arall yn cytuno efo fi. Roedd honno'n rhyw fath o gyfres wedi ei seilio ar *A Man's Estate*. Ro'n i'n hapus iawn efo rheiny. Ro'n i'n hapus iawn efo'r cyfresi wnaethon ni ar gyfer *Channel 4* – pan oeddach chi'n eu comisiynu nhw! Ro'n i wrth fy modd yn gwneud rheiny hefyd achos eu bod nhw'n agor drysau, hynny ydi, fod y byd mawr yn cael gwybod am Kate Roberts a'r Mabinogi. Dwi'n meddwl fod hynny'n rhan reit bwysig o swydd y cyfryngau yng Nghymru ond mae'n bwysig iawn i beidio drysu rhwng hynny a rhyw fath o uchelgais i dorri cyt fawr yn Llundain. Mae 'na wahaniaeth mawr rhwng y ddau beth. Mae 'na swydd genhadol ac mae 'na swydd yrfaol a dydi'r ddwy ddim yr un peth. Ro'n i'n cael dadleuon mawr efo Hywel Davies am hyn, flynyddoedd mawr yn ôl. Roedd o'n sôn am bobl yn ymarfer ar y *nursery slopes* yng Nghymru cyn cael y fraint o wneud pethau yn Llundain. Ro'n i'n meddwl fod hyn yn hollol anghywir, ac mai fel arall y dylai hi fod – eu gyrru nhw i Lundain i gael profiad ar bob cyfrif ond gofalu eu bod nhw'n gwneud eu gwaith gorau yng Nghymru. Mae hi'n broblem foesol ac yn broblem oesol.

Gwynn Pa gynyrchiadau diweddar ydach chi wedi eu mwynhau?

Emyr Dwi allan o gysylltiad efo pethau newydd sy'n cael eu gwneud rwan ond dwi wedi clywed pobl yr ydw i'n parchu eu barn nhw'n fawr yn canmol *House of America*. Dwi'n siwr ei fod o'n beth iach iawn i gynhyrfu'r dyfroedd, dyna ydi swyddogaeth pobl ifanc, dyna maen nhw i fod i'w wneud, ond dwi'n amheus iawn pan maen nhw'n dechrau sôn am y Gymru sydd ohoni fel rhyw fath o fyd *Mickey Mouse*. Mae hynny'n dangos eu bod nhw'n teimlo eu bod nhw'n artistiaid mor fawr nes bod fa'ma yn rhy fach iddyn nhw. Mae o'n beth od iawn achos mae rhyw fath o gaethiwed a rhyddid yn perthyn i fod yn Gymro, y *thesis* a'r *antithesis*, a'r gamp fawr ydi cyfuno'r ddau mewn *synthesis* o waith. Hwnnw ydi'r peth mwyaf anodd ei wneud o ddydd i ddydd ac o wythnos i wythnos.

Fel dwi wedi trio dadlau laweroedd o weithiau o'r blaen camgymeriad sylfaenol yw meddwl am deledu fel ffenest ar realaeth neu gofnod cywir o gwrs a natur y byd hwn. Yn ei hanfod peiriant creu chwedl a chwedloniaeth yw'r teledu. Nid tafell o fywyd bob dydd yw *Coronation Street* na *Pobol y Cwm* na helyntion y teulu brenhinol. Eu nod nhw, fel nod y gwasanaeth newyddion, yw dathlu bodolaeth y gymdeithas y mae hi'n gweini arni. Dyna'r rheswm cudd y tu ôl i anfodlonrwydd y BBC i ganiatáu newyddion annibynnol am chwech o'r gloch i'r Alban a Chymru. Dyletswydd y cyfrwng yw darparu salmau i berswadio'r gwylwyr ynglŷn â phwysigrwydd eu bodolaeth a'u lle canolog yn y byd. Mi ddywedwn i fod teledu, digidol neu beidio, yn gyfuniad derbyniol, *melange* o ffaith a chwedl sy'n cydweithio y tu mewn i rym mythopeig iaith neilltuol. Dyna pam dwi'n dal o'r farn fod sianel deledu Gymraeg yn gyfle unigryw i greu cosmos y tu mewn i derfynau'r iaith – math o ocsigen – anadl einioes ar gyfer canrif newydd o fodolaeth. Honna ydi'n problem fawr ni. Dydi problemau ddim yn diflannu, mae'n rhaid ymgodymu efo nhw. Yng Nghymru mae pob cenhedlaeth yn trosglwyddo'i phroblemau yn hytrach na'i thraddodiadau i'r nesaf. Mae hynny'n wir o oes i oes, os oes gynnoch chi thema lle mae *thesis* ac *antithesis*, lle mae caethiwed a rhyddid, cymuned ac unigolyn, neu draddodiad ac ysbrydoliaeth unigol, mae'n rhaid iddyn nhw ddod i ddeall ei gilydd rhywsut neu'i gilydd.

Roedd 'na erthygl dda iawn yn *Planet* yn ddiweddar oedd yn beirniadu llenyddiaeth yr Eingl-Gymry am fod yn rhy gymunedol, ac mae o'n dweud lot o wir dwi'n siwr. Ond mae'r un peth yn wir am Gymry Cymraeg hefyd; rydan ni'n rhy gymunedol, rydan ni i gyd yn adnabod ein gilydd. Mae fel pe bai ysbryd y capel yn mygu pobl ac nad oes 'na ddim rhyddid i ddiwyllio eich enaid o dan amgylchiadau fel hyn. Mae 'na wirionedd yn hynny dwi'n siwr, ond ar y llaw arall dyna ydi'r broblem. Y gamp fawr ydi dod o hyd i'r ateb, ac mae pob cenhedlaeth yn gorfod cael hyd i hwnnw, felly mae hi'n broblem oesol. Dwi ddim wedi cael hyd i'r ateb eto a dwi'n hen iawn! Ond o leiaf dwi'n medru gofyn y cwestiwn.

Gwynn Sur ydach chi'n gweld lle'r awdur mewn cymdeithas ar hyn o bryd?

Emyr Gan fy mod i'n sôn cymaint am anelu at *synthesis*, dwi'n gweld dwy ffordd wrthgyferbyniol o edrych ar y berthynas rhwng y cyfarwydd a'i gymdeithas. Er mwyn y ddadl dwi am osod y bardd a'r cyfryngau torfol – ffilm, radio, teledu (digidol neu beidio) – o dan yr un to â'r cyfarwydd. Wedi'r cwbl faint o wahaniaeth sydd 'na mewn gwirionedd rhwng yr hen gyfarwydd a'i gymdeithas a chyfarwyddwyr yn y cyfryngau neu yn y byd cyhoeddi? Ar y naill law, er mwyn heddwch cymdeithasol neu elw neu gymhellion gwleidyddol, fe all y cyfryngau adlewyrchu'n fanwl gywir gyflwr y gymdeithas y maen nhw'n ei gwasanaethu. Dyna'n fras safbwynt cyfredol y BBC, HTV ac S4C fel ei gilydd. Mae siartr y BBC yn sôn am ddarlledu gwybodaeth, addysg a difyrrwch fel trindod sanctaidd, ac mae grym a nerth arallfydol bron yn perthyn i'r hawl hwnnw. Y cyfryngau yn hytrach na chrefydd yn yr oes oleuedig hon sydd yn dosbarthu opiwm i'r bobl. Fel yr hen enwadaeth gynt yn y Gymru ymneilltuol mae 'na ryw ffug gystadlu am gynulleidfa rhwng y cwmnïau teledu. Golyga hyn, ym myd y BBC, roi'r pwyslais mwyaf ar ddifyrru'r mwyafrif cyffredin gan roi heibio'r hen ddyletswydd haearnaidd o arwain, oherwydd gwir ystyr addysg ydi arwain y ffordd.

Cyn i'r byd darlledu gael ei ddallu'n llwyr gan ddatblygiadau technegol a chystadlu cysgodol, roedd y BBC, er enghraifft, yn arwain. Ym myd diwylliant cerddorol Lloegr a Phrydain yn gyffredinol, gellir hawlio iddi ehangu gwybodaeth y gymdeithas am holl rychwant cerddoriaeth glasurol mewn modd na fyddai'n bosib ond trwy donfeddi'r awyr. Yn yr un modd ym myd y ddrama. Meddiannu clustiau trwch y boblogaeth er mwyn eu diwyllio, cynnig rhagorfreintiau difyrrwch y dosbarthiadau breintiedig, y bendefigaeth, i'r werin bobl yn ddiwahân, dyna oedd ystyr darlledu tra oedd y Gorfforaeth yn llywodraethu'r maes. Cymhellion elw, cyfalafiaeth noeth, yn gweithredu yn enw democratiaeth a rhyddid a'r farchnad rydd sydd wedi newid y sefyllfa'n llwyr yn ystod fy oes i.

Dwi'n gweld ffawd yr artist unigol, yn enwedig yr awdur, fel adlewyrchiad cywir o'r sefyllfa yn y byd darlledu a'r diwydiant difyrrwch yn gyffredinol, sy'n cynnwys cyhoeddi llyfrau wrth reswm. Mae gynno fo'r dewis o feithrin ei weledigaeth ei hun neu elwa ar fwydo'r peiriant difyrrwch. Nid dewis syml rhwng ei blesio ei hun a cheisio plesio pawb yw hyn. Perthyn i bob gweithgarwch creadigol yr angen i argyhoeddi. Mae'n siwr mai dyna'r rheswm fod cymaint o feirdd a llenorion yn ystod y ganrif hon wedi ceisio ennill eu tamaid trwy weithio i gwmnïau hysbysebu. Mae hysbysebu a chenhadu yn beryglus o agos at ei gilydd, a swydd yr awdur, fe gredwn i, a'i uchelalwedigaeth, ydi chwilio am y gwirioneddau bach a mawr efo brwdfrydedd ac egni ci hela. Yn y cyd-destun Cymraeg mae'r uchelalwedigaeth hon yn allweddol. Os oes dyfodol i wareiddiad yn y gongl fach hon o'r ddaear, fe fydd angen cyfresi hir o bregethau newydd ar y testun 'lle nad oes gweledigaeth methu a wna'r bobl' yn ystod degawdau cynnar y mileniwm newydd. Hyd yn oed yn Philistia y mae arnom ni ddyletswydd i gadw rhyw gongl neu'i gilydd i gynnal yr artist.

Pennod 5

Sisial Ganu

M. Wynn Thomas yn holi Emyr Humphreys am ei gerddi

Wynn Pryd ddechreuoch chi sgrifennu barddoniaeth, a pham?

Emyr Dwi'n cofio bod yn dipyn o fethiant yn yr ysgol a chael fy rhoi mewn dosbarth o'r enw *The Remove*, a oedd ynddo'i hun yn awgrymu'ch bod chi ddim yn mynd i unlle! Dwi'n cofio sgwennu ambell i beth er mwyn difyrru fy nghyfeillion yn y dosbarth hwnnw, limrigau yn bennaf. Wedyn, unwaith es i i'r chweched dosbarth dim ond y fi oedd yn gwneud economeg felly dim ond Moses Jones yr athro a fi oedd yn y dosbarth, ac mi roedd o'n rhoid ei gylchgronau i mi i'w darllen. Un ohonyn nhw oedd *G.K's Weekly*, oedd yn cynrychioli safbwynt *distributionism*, athrawiaeth oedd yn gwbl groes i gomiwnyddiaeth, ond oedd o blaid chwalu eiddo. Yn od iawn mae o wedi mynd yn syniad ffasiynol eto, yn tydi? Dyna oedd byrdwn y peth, a 'G.K.' oedd G. K. Chesterton. Ar yr un pryd roedd o'n cael rhywbeth mwy uchel ael, a mwy llenyddol, *The New English Review*, ac yn hwnnw ro'n i'n dod ar draws pobl fel T. S. Eliot ac Ezra Pound, a beirdd eraill o'r cyfnod hwnnw oedd i gyd yn tueddu i fod i'r dde yn athronyddol. Ond ar yr un pryd roedd fy mrawd yn Aberystwyth, a'r ffasiwn yn fan'no oedd y *Left Book Club*, Victor Gollancz, oedd i'r gwrthwyneb yn llwyr. Felly ro'n i'n cael fy nhynnu'r naill ffordd a'r llall, ond mae'n debyg fod hynny i gyd yng nghrochan syniadaeth yr oes honno, hynny a heddychiaeth a chenedlaetholdeb. Roedd Moses Jones yn olygydd un o gylchgronau prin y Blaid Genedlaethol ar y pryd, sef *Y Triban*, chwarterolyn oedd i fod i drafod syniadau economaidd yn bennaf. Oherwydd hyn i gyd ro'n i'n arfer mynd i lyfrgell y dre yn Y Rhyl – roedd hi'n rhyw fath o Fecca gen i. Roedd y llyfrgellydd yn un da iawn ac yn mynnu cael y llyfrau diweddaraf i gyd. Yn fan'na y des i ar draws rhagor o T. S. Eliot ac Ezra Pound ac yn fan'na y dechreuodd yr ysfa 'ma i sgwennu.

Wynn Felly, codi o'ch profiad chi o bori ym myd llenyddiaeth wnaeth yr awydd i sgrifennu barddoniaeth?

Emyr Ia, ac yn od iawn, dwi'n cofio rhyw wyliau haf – ar ôl yr arholiadau mae'n siwr gen i – mi wnes i sgwennu pedair neu bump o straeon byrion, y naill ar ôl y llall. Dwi'n cofio ista yn y stafell orau yn y tŷ yn sgwennu'r rhain, fel rhyw orchest am wn i, jyst i brofi i mi fy hun fy mod i'n medru, ac ar yr un gwynt yn dechrau barddoni, a chyhoeddi pethau yng nghylchgrawn yr ysgol. Roedd Moses Jones yn dweud wrtha'i fod gynno fo lyfr nodiadau o'r ysgol, a'i fod o wedi cofnodi rhai o'r pethau 'ma. Mae'n rhaid gen i ei fod o wedi ei gadw fo, ond dwi erioed wedi ei weld o!

Wynn Wedyn, fe ddaethoch chi'n berchen ar rai o gyfrolau Pound ac Eliot?

Emyr Do, er mawr syndod i bawb mi ges i'r wobr am y marciau uchaf yn arholiadau'r *Higher.* Ro'n i'n cael prynu gwerth pymtheg punt o lyfrau . . .

Wynn Oedd yn swm sylweddol bryd hynny . . .

Emyr Oedd. Ro'n i'n sbïo ar un ohonyn nhw gynnau, *The Oxford Book of Seventeenth-Century Verse* a olygwyd gan Herbert Grierson, a 7/6 oedd pris hwnnw, felly os oedd gynnoch chi bymtheg punt mi allech chi gael tipyn go lew o lyfrau. Fe ges i Ezra Pound, *Make it New,* ac fe gafodd ddylanwad ysgubol arna'i, achos roedd gynno fo bob math o *one-liners,* fel 'anadliad ydi harddwch rhwng rhes o ystrydebau'. O edrych yn ôl ar y llyfr mae o'n pori ym mhob mathau o feysydd, a dydach chi ddim yn siwr os ydi o'n gwybod am beth mae o'n sôn bob amser!

Wynn Ond mae e'n gyffrous iawn, on'd yw e?

Emyr Ydi. Mae o'n gwneud i chi feddwl os oes gynnoch chi

rywbeth i'w ddweud, mae'n rhaid i chi ei ddweud o mewn ffordd newydd.

Wynn A'i sgrifennu fe mewn ffordd gryno, achos mae Pound yn sgrifennu mewn ffordd ergydiol, egnïol iawn.

Emyr Ydi, ac mae 'na ryw swyn adeiladol iawn yn y *Cantos*. I ddweud y gwir do'n i ddim yn deall hanner yr hyn roedd o'n ei ddweud, ond roedd gynno fo'r ffordd *imagiste* yma o fynd o'i chwmpas hi. Delwedd oedd y cwbl. Roeddach chi'n medru creu rhyw fath o gywreinwaith, neu ddelwedd, mewn ychydig o eiriau; rhyw fath o fydysawd mewn man bychan iawn. Ond ar yr un pryd, mi ges i gasgliad o farddoniaeth T. S. Eliot, fo oedd y dylanwad pennaf ar bawb yn y cyfnod hwnnw, dwi'n meddwl, roedd o'n rhyw fath o Bab llenyddol. Os oedd Pound yn dweud *'Make it New'*, roedd Eliot yn dangos sut i wneud hynny wrth droi'ch cefn ar holl arddull oes Fictoria, ac yn y blaen. Roedd o'n fwy dylanwadol o lawer na'r to iau, fel Auden, Spender a MacNeice, roedd o'n fwy o feirniad llenyddol, ac roedd rhychwant ei ddiddordebau o'n cynnwys Eidaleg a Ffrangeg, ac yn y blaen. Roedd 'na bwysau awdurdod y tu ôl i'r hyn roedd o'n ei ddweud.

Wynn Roedd ganddo fe weledigaeth o Ewrop, wrth gwrs, ac fe ddaeth hynny i fod o bwys mawr i chi, on'd do fe?

Emyr Roedd hynny o bwys mawr, ac yn cynganeddu'n berffaith efo syniadau Saunders Lewis, a'r Blaid Genedlaethol, fel oedd hi yn yr oes honno. Felly yn y maes hwnnw ro'n i'n pori ar y pryd.

Wynn Ymhlith y cerddi cynharaf wnaethoch chi sgrifennu, mae'r gerdd 'A Young Man Considers His Possibilities'. Yn y gerdd honno, mae'r gŵr ifanc yn dyfalu i ba gyfeiriad y dyle fe fynd. Mae e'n dweud er enghraifft, *'I could devote myself to art / To counting the beatings of my heart'*. Mi fyddai gwneud hynny'n gyson â'r modd y mae nifer o feirdd ifainc yn cychwyn ar eu gyrfaon, am fod eu cerddi cynharaf nhw fel arfer yn hunanfynegiannol. Ond dyw hynny ddim mor wir yn eich achos chi. O'r cychwyn ro'ch chi'n fwy gwrthrychol na goddrychol yn eich ffordd o sgrifennu.

Emyr Oeddwn, a dwi'n meddwl mai dyna wthiodd fi i

gyfeiriad y nofel yn y pen draw. Ond wrth i chi adrodd y teitl rwan, fe wnaeth i mi sylweddoli'n sydyn o ble roedd o wedi dod. Roedd Yeats yn arfer defnyddio teitlau fel yna, ac mae'n siwr mai adlais o Yeats ydi hwnna.

Wynn Nawr i chi sôn, rŷch chi'n iawn, mae e'n deitl Yeatsaidd dros ben, o gofio, dywedwch, am gerdd megis 'The Poet Pleads with the Elemental Powers'. Yn eich cerdd chi mae'r llanc yn ymwrthod â'r temtasiwn i encilio, *'And standing on a rock above the tide / Watch hostile waters rise on every side'*. Hynny yw, fe fydde modd iddo fe ymneilltuo a throi'n sylwebydd, pe bai'n dewis. Mae hyn yn awgrymu'ch bod chi, bron o'r cychwyn, yn ymwybodol fod cyfrifoldeb arnoch chi i fod yn fardd *engagé*, ymrwymedig.

Emyr Ydi. Ac mae'n debyg mai'r diddordebau gwleidyddol oedd yn gyfrifol am hynny. Ro'n i wedi ymuno â'r Blaid Genedlaethol, ro'n i wedi dechrau dysgu Cymraeg, ac ro'n i wedi dechrau sgwennu i gyd tua'r un adeg; mae'r cyfan yn cydblethu, y naill beth yn bwydo'r llall. Roedd hyn yn fy ngyrru i i gyfeiriadau gwrthrychol. 'Ystad bardd, astudio byd', dyna'r cymhelliad yn y lle cyntaf, yn hytrach nag adrodd eich hynt a'ch helynt eich hun.

Wynn Un arwydd o hynny yw'r gerdd gynnar arall honno, 'Cymru 1938', ble rŷch chi'n dychanu'r cerddi gwladgarol sy'n canu clodydd Cymru, oherwydd mae honno'n gerdd sy'n ceisio darlunio'r Gymru gyfoes, a hynny mewn ffordd ddigon dychanol. Felly roedd yr awydd ynoch chi o'r cychwyn i ddarlunio'r byd fel ag yr oedd e ar y pryd, a gwneud hynny'n ddadansoddiadol, ac yn feirniadol i raddau.

Emyr Mae hynny'n wir, ac wrth gwrs rydach chi'n barnu'r byd o'ch cwmpas chi drwy arfer safonau digon annelwig delfrydau gwleidyddol. Mae pellter mawr rhwng realiti a'r hyn rydach chi'n feddwl fyddai'n bosib. Yn y tridegau, roedd hyn yn rhywbeth cyffredinol, er enghraifft, mae gan Louis MacNeice gerdd 'Eclogue for New Year', wn i ddim ydw i wedi dwyn y ffurf o'r gerdd honno ai peidio, er bod 'na leisiau'n siarad yn honno, ac un llais sydd yn fa'ma. Mae hi'n gerdd sy'n edrych ar y byd, ac yn mynegi'r ymdeimlad o argyfwng, gair mawr y cyfnod.

Wynn A bod 'na gyfrifoldeb ar y bardd i fynd i'r afael â'r argyfwng hwnnw gorau gallai fe . . .

Emyr Ia, achos roedd o'n gyfnod annifyr iawn, i ddweud y gwir, adeg ansefydlog ofnadwy.

Wynn Ar ddechrau'ch gyrfa, ro'ch chi'n eitha hoff o ffurfiau gosod, sef mydr ac odl, soned a phennill. Ydi'ch chwaeth chi wedi newid rhyw lawer yn yr achos hwnnw ddywedech chi?

Emyr Cwestiwn diddorol iawn. O edrych yn ôl, dwi'n sylwi fod 'na sonedau, ac maen nhw'n fwy personol, yn rhyfedd iawn, na beth dwi'n arfer sgwennu. Mae'n amlwg fod y ddwy soned 'Courage' a 'Cowardice' yn rhan o wewyr y cyfnod. Yn Aberystwyth ro'n i, dwi'n meddwl, pan o'n i'n sgwennu'r rheini, ac mae holl broblemau'r cyfnod, rhyfel a heddwch, ynddyn nhw. Rheini oedd sail fy ngyrfa i, mewn ffordd anuniongyrchol, achos mi yrrais i nhw at y *Spectator*, gan feddwl mai Goronwy Rees oedd y golygydd, a chan wybod ei fod o'n Gymro. Mae'n rhaid felly mai ym mlwyddyn gyntaf y rhyfel oedd hynny cyn cyfnod Dunkirk. Ond Graham Greene oedd y golygydd llenyddol nid Goronwy Rees wrth gwrs. Fo wnaeth eu cyhoeddi nhw, a thrwy hynny lansio'r ychydig bach o yrfa a fu i mi fel bardd. Ond ymhen blwyddyn ro'n i'n dal i gadw cysylltiad efo fo, a chyn iddo fo gael ei ddanfon i ffwrdd i'r rhyfel mi wnes i ddangos mwy o gerddi iddo fo. Fo oedd yn gofyn am eu gweld nhw, ac fel dwi wedi sôn wrthoch chi o'r blaen mi wnaeth argraff ddofn arna'i pan ddeudodd o, 'gwaith ysgrifennwr rhyddiaith ydi'r rhain'. Ro'n i'n meddwl mai dyna oedd diwedd fy ngyrfa i fel bardd, ac mai rhyddiaith oedd i fod o hynny ymlaen. Dyna'r adeg es i ymlaen i wneud rhywbeth gyda *A Toy Epic*, sef cychwyn rhywbeth oedd yn golygu fy mod i hanner ffordd rhwng bod yn fardd a bod yn sgwennwr rhyddiaith. Mae'n amlwg felly fod ymarfer mewn ffurfiau yn bwysig iawn, ac mae'n dal i fod yn bwysig. Ond gyda threigl amser, a minnau'n fath o fardd rhan amser, yn sgwennu cerddi i'w ddifyrru ei hun rhwng sgwennu nofelau, roedd beth oedd gen i i'w ddweud yn bwysicach na'r dull, i raddau. Ro'n i wedi darllen yn gynnar, mewn ysgrif gan T. S. Eliot, fod 'na berthynas rhwng cynnwys a ffurf, a bod angen ymarfer, ac mae'n rhaid fod y sylwadau hynny wedi gwreiddio'n reit ddwfn yno i. Dwi wedi bod yn siarad efo pencampwr fel R. S. Thomas hefyd, ac yn sôn am y modd mae'r iambig yn gor-ddylanwadu ar farddoniaeth Saesneg, – mae'r ystyriaethau hyn yn eich meddwl chi drwy'r amser. Ond at ei gilydd, faswn i'n dweud, yn y blynyddoedd diwethaf, fod yr hyn sydd i'w ddweud a'r ffordd rydach chi'n ei ddweud o wedi mynd yn un. Fasach chi ddim yn rhoi dim byd i lawr ar bapur oni bai ei fod o'n eich gorfodi chi i'w roi o i lawr, achos yn fy mhrofiad i dim ond hyn a hyn sydd gynnoch chi i'w ddweud, a dwi ddim yn un sy'n mwynhau ymarfer er mwyn ymarfer. Mae cyfieithu hefyd yn rhan reit bwysig o'r ddisgyblaeth, mewn ffordd, ond peth hollol hunanol ydi hynny, ffordd i'ch cadw chi mewn siâp, run fath ag y mae athletwr, neu redwr, yn cadw ei hun yn barod.

Wynn Felly ro'ch chi'n hoff o eirfa ddethol, ddeallusol, o'r cychwyn. Mae'ch ymadroddi chi'n gynnil, ac yn fachog, ac yn groyw, ac mae hynny wedi dal i fod yn nodwedd o'ch gwaith chi.

Emyr Ydi, mae'n siwr ei fod o, achos fy mod i'n credu ei fod o'n rhan o ddyletswydd y llenor i ddweud rhywbeth mewn cyn lleied o eiriau ag sy'n bosib. I raddau, dwi'n credu mewn *minimalism,* y gamp yw crynhoi, ac ella fod hynny'n rhan o fy natur i, fy mod i'n pendroni ac yn dod i gasgliad, a'r broblem wedyn ydi crynhoi'r casgliad yn y ffordd fwyaf effeithiol.

Wynn Rŷch chi'n crisialu syniadau?

Emyr Yn union. Mae o'n beth od iawn, mae o'n debyg iawn i arbrofi mewn labordy a chwilio am nodwydd ddur mewn tas wair ar yr un pryd, mae be rydach chi'n dweud hanner ffordd rhwng y ddau. Dwi'n credu'n gryf yn y dull gwyddonol. Er fy mod i'n gwbl anllythrennog mewn gwyddoniaeth, mae gen i barch mawr i ffordd y gwyddonydd o symud ymlaen.

Wynn Sef ymbalfalu ac arbrofi a threial crynhoi'r hyn rŷch chi wedi ei ddarganfod yn y diwedd?

Emyr Ia. Karl Popper sy'n dweud mai trio, profi a methu ydi'r ffordd ymlaen, ac mai trio dod o hyd i wirionedd rydach chi ar hyd yr amser.

Wynn Felly mae'ch diddordeb chi yn y traethu cryno yn cyd-fynd â'ch parch chi at y gynghanedd ac at y traddodiad Cymreig o sgrifennu mewn dulliau cywasgedig iawn?

Emyr Ydi, ac eto does gen i ddim math o ddawn yn y cyfeiriad hwnnw. Ond ar y llaw arall, cofiwch, dwi ddim yn ymhyfrydu mewn dywediadau pert er eu mwyn eu hunain, ac mae hynny'n wendid mawr yn y traddodiad Cymraeg. Mae clec y gynghanedd yn swynol ar un wedd, ond mae hi'n eich arwain chi ar gyfeiliorn hefyd. Ar y llaw arall, pan gewch chi fardd sy'n medru defnyddio'r cyfyngderau hyn i fynegi mwy o ddyfnder, mae o'n beth mawr.

Wynn Yr hyn sy'n fy nharo i yw fod ambell awgrym o ddylanwad y beirdd metaffisegol ar eich canu cynnar chi. Er enghraifft, mae diweddglo grymus i'r gerdd 'Isolation', *'Knock, son of God, I am alone / And unentangled as a single stone.'* Pan ddes i ar draws y geiriau hynny ar ffurf dyfyniad yn un o'ch nofelau chi, fe gymerais i mai darn o waith Donne neu Herbert oedd e.

Emyr Mae'n siwr fy mod i, yn y cyfnod hwnnw, yn drwm dan eu dylanwad nhw, yn enwedig Donne. Ond erbyn hyn, wrth dyfu'n hŷn, mae gen i fwy o ddyledus barch i Herbert a Vaughan. Ond pan o'n i'n ifanc roedd Donne yn gyffrous iawn.

Wynn Mae 'na nifer o gyfeiriadau at Dduw yn y cerddi cynnar, fel petaech chi'n ymdrechu i gysoni'r byd sydd ohoni gyda chredo neu weledigaeth grefyddol. Ydi hynny wedi dal i fod yn ymdrech greiddiol yn eich gwaith chi fel bardd?

Emyr O ydi, o'r cychwyn cyntaf. Ar un adeg ro'n i wedi bwriadu mynd yn offeiriad, run fath â fy mrawd, a dilyn ei lwybrau o. Ond do'n i ddim yn credu fod gen i'r gallu oedd mor amlwg yn Tudur Jones, sef yr argyhoeddiad, a'r nerth, a'r weledigaeth, ond wedyn fedrwn i ddim cysoni'r alwedigaeth honno â bod yn chwedleuwr neu gyfarwydd oedd yn chwilio am ryw fath o wirionedd mewn ffyrdd eraill.

Wynn Felly, mae 'na ymdrech o bryd i'w gilydd, a honno'n ymdrech benodol yn eich cerddi chi, i geisio dehongli'r byd a'r cread fel cread Duw?

Emyr Oes, mae hynny'n wir, neu fel byd a chread efo rhyw ystyr yn perthyn iddo fo. Yn syml iawn, dyna'r pegynau mae dyn yn byw oddi fewn iddyn nhw, ynte? Mae 'na ystyr, a does 'na ddim ystyr. Ac wedyn, mae dyn fel pêl yn cael ei guro yn ôl ac ymlaen rhwng y ddeubeth yna, a bob yn hyn a hyn rydach chi'n teimlo'ch bod chi mewn rhyw fath o dywyllwch. Ond mae 'na'r mymryn bach lleiaf, jyst sbardun neu wreichionyn o olau, a dyna ydi'r pethau sy'n eich gyrru chi yn eich blaen.

Wynn Mae hynny'n f'atgoffa i am gerdd weddol ddiweddar, honno am y cerddor Messiaen, sy'n awgrymu i mi eich bod chi weithiau yn darganfod mewn cerddoriaeth a barddoniaeth a rhyddiaith ryw ddelwedd o'r cyfanrwydd rŷch chi'n chwilio amdano fe. Fydde hynny'n wir?

Emyr Bydda, mae o'n rhyw fath o fflam sydyn yn y tywyllwch sy'n rhoi rhyw oleuni dros dro, na, nid dros dro chwaith, achos mae'r goleuni yno ar hyd yr adeg a chi sydd dros dro, ynte? Ond rydach chi'n cael cip ar y deyrnas, felly, i ddefnyddio ieithwedd arall. Mae treiddgarwch meddwl diwinyddol a chrefyddol yn cydredeg, yn fy marn i, â meddwl y gwyddonydd. Maen nhw wedi eu gwahanu yn y cyfnod technolegol, ond yn y pen draw rhyw fath o wybodaeth bur ydi hi, ynte?

Wynn Fe ddywedwn i fod yna, yng ngherddi'r deng mlynedd diwethaf, dinc cyfriniol ym mheth o'ch gwaith chi, fel tasech chi'n cael cip dros dro ar ddirgelwch cudd y cread.

Emyr Dwi ddim yn ddiwinydd o fath yn y byd, gan mai allan o brofiad mae dyn yn creu ac nid allan o ddeall. Mae 'na ambell fflach o brofiad sy'n profi rhywbeth, neu rydach chi'n meddwl eich bod chi wedi profi rhywbeth, rydach chi ar brawf trwy'r amser.

Wynn Ai dyna pam fyddwch chi'n defnyddio, yn rhai o'ch cerddi diweddaraf chi, y ddelwedd o ddarllen byd natur, fel tase 'na sgrifen gudd ynddo fe? Ai dyna'r syniad?

Emyr Un o bleserau fy henaint yw mynd i gerdded. Dwi'n hoff iawn o gerdded yn y wlad, mae 'na ryfeddodau ar bob llaw, unwaith fod eich ymwybyddiaeth chi mewn cyflwr i'w dderbyn o.

Wynn Felly, rŷch chi'n closio at yr hen gredo honno am 'gyfatebolrwydd' (*correspondences*), sy'n awgrymu fod y gweledig a'r anweledig yn cyfateb. Mae e'n ymddangos yng ngwaith Böhme, er enghraifft, ac mae gan Baudelaire soned enwog ar y testun yn y ganrif ddiwethaf. Oes yna ddylanwadau pendant arnoch chi yn yr achos 'na?

Emyr Ddim yn benodol felly. Ond o edrych yn ôl mewn gwaed oer, mae'n siwr fod 'na. Hynny yw, mae gynnoch chi'ch ymwybyddiaeth eich hun, ac mae 'na ymwybyddiaeth yn perthyn i'r cread, ac weithiau mae 'na ryw fath o gyfryngu, *rapport*, lle rydach chi'n teimlo'ch bod chi'n deall rhywbeth mwy. Mae hynny'n bwysig iawn, ac mae o'n rhan hanfodol o geisio cyfuno ffeithiau'r byd, y bydysawd, a'ch bodolaeth chi fel meidrolyn.

Wynn Mae 'na ambell gerdd yn eich casgliad chi sy'n dangos eich gallu arbennig chi i lunio golygfa ddisgrifiadol. Ond dŷch chi ddim yn arfer y ddawn honno'n aml yn eich gwaith. Pam hynny?

Emyr Ella fod yr ysfa ddisgrifiadol yn mynd i'r nofelau'n fwy. Meddyliwch am y gerdd 'Pastoral', er enghraifft, lle mae disgrifiadau o geffylau. Fe alla i gofio sawl golygfa sy'n disgrifio ceffylau yn y nofelau, ella am fod fy nghenhedlaeth i'n teimlo tipyn bach o hiraeth ar ôl y ceffylau gwedd. Roeddan nhw'n rhan hanfodol o fywyd cefn gwlad, ac yn y nofelau mae gen i sawl golygfa sy'n eu cynnwys nhw mewn rhyw ffordd neu'i gilydd. Mae cynllun y saith nofel, 'The Land of the Living', yn seiliedig ar gyfres o olygfeydd, maen nhw'n symud fesul golygfa ac yn dibynnu ar ddisgrifio. Ond dwi ddim yn ymhyfrydu mewn disgrifio er mwyn disgrifio. Hwyrach ei bod hi'n wendid yno'i, fod yn rhaid i mi gael rhyw ysgogiad moesol cyn bod y deunydd yn dod.

Wynn Mae hynny'n ddiddorol, oherwydd sylw arall oedd gen i oedd fod nifer o'ch cerddi chi'n ymdebygu i foeswersi neu ddamhegion, fel tasech chi'n ceisio ymgorffori syniadau, neu fel tasech chi'n synfyfyrio ac wedyn yn darlunio'r myfyrdodau hynny. Ydi hynny'n cyfateb i'r ffordd rŷch chi'n gweithio?

Emyr Ydi. Mae'n siwr mai rhyw fath o bregethwr *manqué* ydw i! Mae'r ysfa i foeswersu yn gryf iawn ynof i, ac mae o'n mynd ar nerfau fy nheulu i ers blynyddoedd! Fedra'i ddim osgoi'r peth rhywfodd neu'i gilydd, wn i ddim pam, ond mae o yn fy nghyfansoddiad i, a dwi ddim yn cyfri'r peth yn rhinwedd, gwendid ydi o!

Wynn Fe geir, yn rhai o'ch cerddi chi'r awydd yma i ddisodli'r hunan, ei symud e o ganol y darlun, er mwyn rhoi lle i fywyd yn ei helaethrwydd. Ydi hynny'n rhywbeth rŷch chi'n ymwybodol ohono fe?

Emyr Ydi. Mae rhywun yn teimlo'r awydd 'ma, mae'n debyg ei fod o'n sylfaenol i'r math o awdur sy'n gyfarwydd, yr awydd 'ma i golli'ch hunan yn llwyr yn yr ymwybyddiaeth fwy, ac mae honno'n ysfa reit gre, yn tydi?

Wynn Mae'n ymddangos mewn un ffordd yn y nofelau, drwy amlhau cymeriadau ac amgylchiadau, ac mae'n ymddangos mewn ffordd arall yn y cerddi.

Emyr Mae'n rhaid ei fod o, ac mae'n rhaid mai dyna ydi'r moeswersi 'ma ynte? Wyddoch chi, fe sgwennodd Auden soned wych am y nofelydd, y cwpled sy'n cloi'r soned ydi, *'And in his own weak person if he can / Must suffer dully all the wrongs of man'*. Mae hi'n soned wych iawn, ac mi gafodd ddylanwad mawr arna'i pan o'n i'n ifanc, mae hi'n gwrth-gyferbynnu'r bardd a'r nofelydd. Mae Auden mor eithriadol o ddeallus, mae o'n dreiddgar iawn.

Wynn Ond lle bo Auden yn gwrthgyferbynnu'r bardd a'r nofelydd, rŷch chi am i'r naill glosio at y llall mewn ffordd, achos eu bod nhw'n gwneud hynny yn eich profiad chi.

Emyr Ydan, yn ymarferol. Mae pob ffurf mewn ffordd yn rhyw fath o allwedd i ryddid oddi wrth yr hunan, ac mae'r cerddi, y ddrama, a'r nofel yn ffyrdd traddodiadol o ddianc rhagddoch chi'ch hun, yn hytrach nag yn ffurfiau o hunan-fynegiant. Mae hynny'n rhywbeth sy'n ddwfn yn fy natur i mae'n rhaid, ac yn ddiffyg mae'n siwr, does gen i ddim i'w ddweud ac eithrio'r hyn dwi'n wybod, ddim o fy mhrofiad i fy hun, ond o edrych ar y byd o fy nghwmpas i.

Wynn Fe alla'i ddeall hynny, a gweld yr awydd yma yn eich gwaith chi i uniaethu ag eraill ond ar yr un pryd, mewn cerdd gynnar rŷch chi'n cyfeirio at *'the chilling self-possession that for art is a necessity'*. Nawr wn i ddim a fyddech chi'n dal i arddel y gred honno, ond pan drown ni at y cerddi o'ch eiddo chi sy'n portreadu cymeriadau mae 'na sylwgarwch deifiol, os ca'i ddweud felly – uniaethu, ond barnu hefyd, ie?

Emyr Ia, ia, peth hyll iawn ydi o hefyd, ynte? Un uchelgais dwi ddim wedi llwyddo i'w chyflawni o bell ffordd ydi, pan rydach chi'n dweud stori, neu'n creu drama, *mainspring* y cyfan fel arfer ydi'r dyn drwg. Y gamp ro'n i wedi dymuno'i chyflawni oedd portreadu dyn da, neu chwilio am y daioni, ond wrth wneud hynny rydach chi'n cael eich siomi, rydach chi'n disgwyl gormod. Ond wedyn mae'n rhaid derbyn y gwirionedd, gan mai'r gwirionedd sy'n bwysig yn y pen draw, felly os taw 'gwael golledig euog ddyn' ydi'ch cymeriad chi, yna mae'n rhaid i chi dderbyn hynny. Ond ar y llaw arall, fe ddylech chi roi dyledus barch i'r rhai sy'n cyrchu at y nod, tu fewn i derfynau crefyddol, ac o'r safbwynt hwnnw rydach chi'n beirniadu. Wyddoch chi, Graham Greene oedd yn cyfeirio at '*the chip of ice in the brain*'; ond fe ddylai hynny gyfeirio at yr ymchwil, yr ymchwil o ddweud y gwir, a hynny sydd anodda wrth gwrs.

Wynn Nawr, yn y gerdd 'The Last Exile', rŷch chi, yn gynnar iawn, yn mabwysiadu'r dechneg fodernaidd honno o hepgor atalnodi ac mae honno wedi dal i fod yn nodwedd o'ch cerddi chi ers hynny. Yn achos y modernwyr, pwrpas gwneud hynny, hyd y dealla'i, yw symbylu'r darllenydd i greu synnwyr drosto fe'i hun, a thrwy hynny ddarganfod ystyr. Ai dyna'r pwrpas yn eich achos chi?

Emyr O ia, yn bendant; hefyd yr ymdrech i'w dynnu o'n nes at y gerddoriaeth, yn yr ystyr eich bod chi'n darllen y nodiant. Os ydach chi'n atalnodi'n rhesymegol, ac yn defnyddio'r rheolau, rydach chi weithiau'n torri ar draws y gerddoriaeth, y gân felly. Yn rhyfedd iawn, pan o'n i yn Ibiza yn ddiweddar efo fy ffrind Oscar a'i wraig, ro'n i'n dangos y cerddi sgwennais i amdanyn nhw iddyn nhw. Roedd ei wraig o'n cwyno ac isio i mi esbonio rhan ganol y gân 'ma am Oscar iddi, doedd hi ddim yn deall beth oedd y '*dance of the particles*'. 'Allwch chi ddychmygu fod 'na golon yn fan'na', meddwn i, 'wel, does 'na ddim colon', medda hithau, 'rhaid i chi chwilio am y colon wrth ddarllen y peth, a'i roi o i mewn wedyn', medda finnau. Dyna un o'r gwahaniaethau hanfodol, baswn i'n dweud, rhwng cerddi a rhyddiaith, fe ddylech chi eu darllen nhw fwy nag unwaith. Hynny ydi, mae'n rhaid iddyn nhw ganu i chi cyn y dôn nhw drosodd yn iawn.

Wynn Wrth ddarllen eich cerddi portread chi, fe fydda i'n teimlo bod 'na storïau y tu cefn iddyn nhw, a taw darn o stori yw'r gerdd. Er enghraifft, dyna i chi gerddi fel 'Hugo', 'Actors X and Y', 'The Duchess and her Duke', 'The Colonel and his Lady', 'The Father', 'Hawkins Without a Number', ac ati.

Emyr Ia, storïau byrion gor-gryno ydan nhw, ynte? Ond os ydi'r gerdd yn llwyddiant rydach chi'n gadael adeiladwaith y stori, er mwyn canolbwyntio ar y gân sy'n codi allan ohoni.

Wynn Ydyn nhw'n seiliedig ar unigolion go iawn, neu ydyn nhw'n gyfuniad o nifer o gymeriadau, ac amgylchiadau, gwahanol, a chithe wedyn yn llunio darlun neu stori sy'n cwmpasu'r cyfan, er mwyn mynegi'r gwirioneddau rŷch chi wedi eu gweld yn y profiadau amrywiol hynny?

Emyr Wel, cymerwch 'The Duchess and her Duke'. Yn sicr, dwi'n cofio gweld, flynyddoedd yn ôl, lun o ddug a duges Windsor, wedi'u gosod mewn *pose* ar gyfer llun, ac mae'r gerdd yn disgrifio'r llun yn fanwl. Allan o hynny mae hi'n codi, felly mae hi'n seiliedig ar ffaith. Mae 'The Colonel and his Lady', yn codi o brofiad hefyd, sef o hunangofiant Daphne du Maurier, lle mae hi'n canmol ei gŵr, rhyw filwr proffesiynol uchel iawn, Browning, dwi'n meddwl oedd ei enw fo, a bod hwnnw'n cysgu efo *teddy bear* dan ei glustog.

Wynn Yr hyn sy'n taro dyn hefyd yw eich bod chi yn eich cerddi yn hoff o gymeriadu, fel tase ysfa nofelydd yn ymddangos hyd yn oed yn y farddoniaeth rŷch chi'n ei hysgrifennu.

Emyr Mae hynny'n siwr o fod yn wir. Dwi'n cofio ar un adeg, roedd Browning yn cael dylanwad arna'i. Ro'n i'n cael blas ofnadwy ar ei waith o, *Men and Women* a'r holl ddarluniau yna o gymeriadau. Roedd hynny'n apelio'n fawr ata'i fel ffurf, achos dydw i ddim yn fardd telynegol. Dwn i ddim be ydw i. Adrodd rhyw fath o stori ydw i bob tro.

Wynn Rŷch chi wedi cyfieithu tipyn hefyd wrth gwrs gan gynnwys ambell gerdd gan Montale.

Emyr Do, do'n i ddim yn ei adnabod o'n bersonol ond roedd amryw o fy ffrindiau i yn yr Eidal yn ei adnabod o, roedd o'n dipyn o gymeriad. Mae o'n fardd athronyddol, annhelynegol, sy'n gydnaws â'r ffordd mae fy meddwl i'n gweithio.

Wynn Rŷch chi hefyd, wrth gwrs, wedi cyfieithu cryn dipyn o'r Gymraeg i'r Saesneg.

Emyr Do. Dwi i wedi gwneud cryn dipyn o hynny. Disgleirdeb y beirdd a'm hudodd i o'r cychwyn, beirdd fel Saunders Lewis, Gwenallt, Thomas Gwynn Jones. Roedd hanner cyntaf yr ugeinfed ganrif yn gyfnod disglair iawn, iawn i'r Gymraeg, yn enwedig mewn barddoniaeth, ac roedd hudoliaeth Williams Parry a Parry-Williams, a'r genhedlaeth yna i gyd yn canu yn eich clustiau chi ar hyd yr adeg fel rhyw fath o bibau hud.

Wynn Felly mae'r cerddi rŷch chi wedi eu trosi o'r Gymraeg yn rhyw fath o deyrnged iddyn nhw mewn ffordd ac yn gydnabyddiaeth o'u harwyddocâd nhw i'ch gwaith ac i'ch gyrfa chi?

Emyr Ydi. Rhyw fath o ymestyn at raffau'r addewidion a dweud, 'dwi'n rhan o hwn mewn rhyw ffordd neu'i gilydd er fy mod i'n sgwennu yn Saesneg'.

Wynn Peth arall ro'n i am ei awgrymu oedd fod eich cerddi chi'n ddrych o gyfnodau gwahanol yn eich gyrfa chi. Er enghraifft, os meddyliwch chi am gerdd fel 'Director with Star', neu'r gerdd ddiweddar honno 'Show Business', ydi'r rheini'n adlewyrchu'ch profiad chi ym myd y ddrama?

Emyr Ydan, er enghraifft 'Director with Star' ydi Joseph Losey. Do'n i ddim yn ei adnabod o, ond fe wnaeth Richard Dinefwr ei wahodd o i Ddinefwr yr un pryd ag ro'n i'n ceisio cychwyn rhyw ŵyl yno, ac mae'n rhaid fod y gerdd wedi'i seilio ar rywbeth oedd o wedi'i ddweud am rywun arall. Mae'r llall, 'Show Business', yn deillio o stori glywais i gan actorion am y ffordd roeddan nhw'n cael eu trin fel baw gan gyfarwyddwyr. Mae o'n rhyw fath o *ego-trip* ffantastig i fod yn gyfarwyddwr, ond yn rhyfedd iawn wnes i ddim cael profiad ohono fo fy hun! Wnes i ddim sylweddoli nes i mi orffen fy mod i wedi colli cyfle! Ond mae cyfarwyddwyr yn trin actorion fel baw weithiau; ac wedyn unwaith mae'r actorion yn llwyddiant, maen nhw'n llyfu'u traed nhw. Felly rydach chi'n gweld y natur ddynol ar ei gwaethaf yn y meysydd yma, ac ar ei gorau hefyd weithiau. Yr un fath o fyd sydd yn *The Gift*, wrth gwrs.

Wynn Er bod nifer o'ch cerddi chi'n ddarluniau cymdeithasol realaidd, mae 'na haenen o ffantasi hefyd yn eich gwaith chi, sy'n brigo i'r wyneb mewn cerddi sy'n dal yn ddirgelwch i mi. Meddwl yr ydw i am gerddi fel 'Rabbit Ensemble', 'The Traveller', 'One More Dove', neu 'White World'. I mi mae 'na awgrym o awduron megis Borges, neu Pirandello, neu o lên yr abswrd yn y rheini. Ond sut fyddech chi'n meddwl amdanyn nhw?

Emyr Wel, dwi'n cofio amgylchiadau 'Rabbit Ensemble' yn fyw iawn. Ro'n i'n chwech ar hugain oed a newydd ddod yn ôl o'r rhyfel, a'r cwbl ro'n i am ei wneud oedd priodi, ac wedyn meddwl beth i'w wneud. O'r amgylchiadau hynny mae'r gerdd yna'n codi, pan oedd pobl yn dweud 'mae'n rhaid i chi fod yn barchus, mae'n rhaid i chi gael swydd, mae'n rhaid i chi fod fel cwningod eraill', ynte. Felly o brofiad uniongyrchol ac nid o ysgogiad llenyddol, y cododd honno.

Wynn Felly, mae'n fath o ddrych, drwy ddameg, o gyflwr meddwl personol iawn. Beth wedyn am y lleill, 'The Traveller', 'One More Dove', a 'White World', ydyn nhw, hefyd, yn seicolegol eu naws?

Emyr Ydan, maen nhw hefyd yn codi o amgylchiadau personol, felly rydach chi'n cael hyd i ryw fath o ddameg fach sy'n mynegi'r math o beth sy'n eich poeni chi. Felly, mae'n debyg eu bod nhw'n fwy personol, ac ella'n dywyllach hefyd, na'r gweddill.

Wynn Wedyn, fe ddown ni at y cyfresi 'ma rŷch chi wedi eu sgrifennu, sy'n gyfoethog o amlochrog. Yr un gyntaf, a'r un fwyaf adnabyddus mae'n debyg, yw *Ancestor Worship* a gyhoeddwyd gan Wasg Gee ym 1970. Ai rhag-weld wnaethoch chi fod angen creu cadwyn o gerddi neu gychwyn drwy sgrifennu cerddi unigol, ac wedyn eu cydio nhw ynghyd i ffurfio dilyniant?

Emyr Rwy'n cofio'r amgylchiadau'n fyw iawn. Ro'n i'n byw yn Sgubor Fawr, Marian-glas, ac wedi dechrau dysgu ym

Mangor. Roedd Mr Charman yng Ngwasg Gee, ac Alun R. Jones yr Athro Saesneg yn y coleg, yn pwyso arna'i i gyhoeddi cyfrol o gerddi, felly mi wnes i ymgynghori â Richard Dinefwr, oedd yn digwydd bod yn aros efo ni, ac wedyn mynd trwy swp o bethau o bob oed, rhai'n ddiweddar a rhai'n hen. Er enghraifft, mae 'Pastoral' yn perthyn i gyfnod pan o'n i'n gweithio ar y tir yn Llanfaglan, ond wedyn ro'n i'n trio gwneud rhyw fath o wead allan ohonyn nhw. Roedd 'A Roman Dream', er enghraifft, newydd gael ei sgwennu, achos ro'n i newydd fod yn yr Eidal, ac roedd rhywun wedi sgwennu hanes Kennedy, ar ôl iddo gael ei ladd, a chymharu amgylchiadau yr ymerawdwyr Rhufeinig â hanes cyfoes America, pobl yn cael eu saethu ac ati. Mae 'na debygrwydd aruthrol wedi'r cyfan rhwng Washington a Rhufain, hyd yn oed yn y bensaernïaeth – mae'n amlwg eu bod nhw'n gwybod bod ymerodraeth ar ddod.

Wynn Fe sonioch chi am chwilio am wead, pa themâu ro'ch chi'n eu gweld yn gweu drwy'r cerddi i gyd i greu dilyniant ohonyn nhw?

Emyr *Ancestor Worship* oedd y thema honno, sef yr ymwneud â hanes personol a hanes hanes. Mae'n dechrau efo'r teulu, ac yn gorffen efo sut i greu byd perffaith.

Wynn Felly, maen nhw'n myfyrio uwchben natur amser . . .

Emyr Ydi, ac mae o'n sicr yn codi o'm sefyllfa i yn y flwyddyn honno, sef 1971.

Wynn Mae'n amlwg eich bod chi'n cofio am ganu Taliesin, Myrddin Wyllt, gwaith Syr Ifor Williams, ond yn achos 'A Roman Dream' oeddech chi'n cofio am ymerawdwr arbennig – Nero neu Caligula efallai?

Emyr Ro'n i wedi bod yn Tuscolo, lle roedd *villa* Cicero pan oedd naill ai Nero neu Caligula'n cynnig hunanladdiad fel gwobr i'w gweision ffyddlonaf.

Wynn Mae'n ddameg gref ac arswydus, on'd yw hi?

Emyr Grym ar ei waethaf, a dydan ni byth yn bell oddi wrtho fo – Hitler, Stalin, Pinochet – mae o ym mhlyg yn y syniad o berson mewn grym absoliwt dros nifer o bobl eraill.

Wynn Ydy, ac felly mae e'n cyfateb i'r hyn ro'ch chi'n ei ddweud am rym y cyfarwyddwr ym myd drama a ffilm a theledu, sef ei fod yn rhoi cyfle i fynegi'r ysfa 'ma i fod yn drahaus.

Emyr Ydi, mae hi'n agwedd arbennig iawn ar bechod gwreiddiol.

Wynn Ac mae e'n demtasiwn, mae'n debyg, hyd yn oed i awdur. Un o'r themâu yn *Ancestor Worship* yw'r berthynas rhwng celfyddydwr a grym.

Emyr Ia, ond dyna pam dwi'n ymhyfrydu cymaint yn y syniad o wrthrychedd. Nid pypedau ydi cymeriadau. Mae 'na hunaniaeth sy'n perthyn i gymeriad unwaith fod y stori ar gerdded. Ac wrth gwrs, yn achos nofel fel *Outside the House of Baal,* dydi'r awdur ddim yn bresennol, mae o'n absennol.

Wynn Yn 'Dream for a Soldier', mae'r gerdd yn gyflwynedig i 'ET'. Pwy tybed oedd e, neu hi?

Emyr Cyfaill ysgol sy'n dal yn fyw – Eric Thomas yw ET. Roedd o'n athro ysgol cyn ymddeol ond pan oedd o'n ifanc roedd mynd i'r fyddin yn ddihangfa iddo fo. Roedd gynno fo job wael mewn siop offer trydanol, a doedd gynno fo ddim gobaith am ddim byd gwell yn y dyfodol, felly mi gafodd ei ollwng yn rhydd, fel llygoden allan o drap, roedd o wrth ei fodd yn cael mynd i'r fyddin.

Wynn Un o'r themâu ar gychwyn y gadwyn yw'r wefr a ddaw o ladd, *'Life comes to life near death'*. Beth sy gyda chi mewn golwg fan'na, eich ymwybyddiaeth chi eto o'r natur ddynol ac o wead rhyfedd y natur honno sy'n ei amlygu ei hun yn y pethau rhyfedd sy'n rhoi ias a chyffro i ni?

Emyr Ia, a hefyd gwewyr oesol y gwrthwynebydd cydwybodol sy wedi gwrthod mynd i'r fyddin er bod 'na elfen o'i gymeriad o sy isio mynd ac o'r herwydd yn cael ei dynnu rhwng y naill a'r llall. Ac fel yn 'Cowardice' a 'Courage', dydach chi ddim yn gwybod pa ddewis i'w wneud, a dydach chi ddim yn gwybod sut y byddech chi'n ymateb i'r naill beth na'r llall.

Wynn Beth am y lluniau gan Eric Malthouse sy'n addurno'r gyfrol *Ancestor Worship,* maen nhw'n fath o jigsaw o luniau, beth felly yw hanes y rheini?

Emyr Mae'r hanes yn reit ddiddorol. Ro'n i'n gyfeillgar efo Eric – roedd o'n darlithio yn y coleg celf yng Nghaerdydd pan o'n i yn y BBC. Ro'n i'n licio'i waith o ac yn ymddiddori ynddo fo yn arw iawn, ac fe ddaethon ni'n ffrindiau fel teuluoedd. Roedd o'n drwm dan ddylanwad pobl fel Roger Hilton ac yn gwybod fy mod i'n nabod y rheini, felly roedd y cysylltiad yn mynd yn nes fyth. Pan oedd Gwasg Gee isio gwneud argraffiad newydd o waith Kate Roberts mae'n rhaid fy mod i wedi awgrymu wrth Mr Charman y basa'n beth da i gael Eric i wneud lluniau ar gyfer y straeon, dyna sut y gwnaeth o'r lluniau ar gyfer y casgliad *Prynu Dol.* Tua'r un adeg roedd Charman yn cyhoeddi *Ancestor Worship* felly fe gafodd o'r syniad o adael i Eric wneud y rheini. Ro'n i'n eu hoffi nhw, ac yn licio'r un ar gyfer 'Twenty-four Pairs of Socks' yn arbennig, am eu bod nhw'n gweddu'n hapus i'w gilydd. Rwy'n meddwl rwan ei fod o wedi gwneud gormod o luniau ac y basa llai ohonyn nhw wedi gwneud y tro, ond dyna ydi'r hanes.

Wynn Ydyn nhw'n rhyw fath o ddeongliadau haniaethol, addurniadau, neu beth . . .?

Emyr Dwi ddim yn siwr eu bod nhw'n perthyn yn benodol i'r cerddi. Yn y diwedd un peth wnaeth o oedd gwneud un llun efo nhw i gyd gyda'i gilydd a rhoi un i bob un o'r plant. Mae un yma yn rhywle ond mae gan ein plant ni lithograph ohonyn nhw gyda'i gilydd. Felly maen nhw'n perthyn i'w gilydd mewn ffordd – yn un patrwm. Ro'n i'n licio'r un wnaeth o ar y clawr hefyd, ond roedd rhai pobl yn dweud y drefn yn arw amdanyn nhw, yn enwedig rhai Kate. Dwi'n cofio rhywun ar Gyngor y Celfyddydau yn dweud eu bod nhw'n amhriodol ac yn y blaen, ond dwi'n eu hoffi nhw erbyn hyn, maen nhw'n rhan o hanes y cyfnod.

Wynn Wedyn, mae 'na gyfeiriad ar gychwyn y gyfrol at berfformiad o ddwy o'r cerddi, a'r gerddoriaeth gan Alun Hoddinott. Ar ôl i chi gwblhau'r gyfres roedd hynny?

Emyr Dwi'n meddwl fod 'A Roman Dream' wedi ymddangos yn y *New Statesman*, a Hoddinott wedi cael gafael arni'n fan'na. Ac fe gafodd o afael ar 'An Apple Tree and a Pig' pan gyhoeddwyd nhw gan yr O.U.P., cyn i gyfrol Gwasg Gee ymddangos.

Wynn Ym 1979 fe ymddangosodd eich gwaith chi yn *Penguin Modern Poets*. Sut ddigwyddodd hynny? Nhw ddaeth atoch chi, neu chi gynigiodd y gwaith iddyn nhw?

Emyr Na, mi wnes i gyfarfod B. S. Johnson, oedd yn olygydd dros dro ar y gyfres, yng Ngregynog, a fo ddaru ofyn i mi, ac i John Ormond a John Tripp mae'n rhaid. Ymhen ychydig ar ôl hynny mi roedd o wedi cyflawni hunanladdiad, on'd oedd? Ond mi wnaeth pwy bynnag a gymerodd ei le fo gario ymlaen â'r gwaith.

Wynn Sut ymateb fu i'r gyfrol? Gafodd hi lawer o sylw?

Emyr Do dwi'n meddwl, os nad ydw i'n drysu rhwng y gyfrol honno ac *Ancestor Worship*. Yn sicr, dwi'n cofio *Ancestor Worship* yn cael adolygiadau da iawn gan bobl yn y *Guardian* ac yn y blaen, mwy o sylw nag ydw i'n ei gael rwan beth bynnag. Fe wnaeth pobl fel Jeremy Hooker astudiaeth go fanwl ohoni.

Wynn Rwy'n gwybod fod Jeremy yn edmygu'r dilyniant hwnnw'n arbennig, a'i fod e'n credu ei fod e o'r pwys mwya yn hanes barddoniaeth Eingl-Gymreig. Ac eto, er gwaetha'r ffaith eu bod nhw wedi cael y fath groeso a'r fath gydnabyddiaeth, symbylwyd mohonoch chi i fynd ymlaen i greu rhyw lawer mwy o gerddi, ac fe fu cyfnod go dawel yn eich hanes chi fel bardd ar ôl hynny, ac eithrio y dilyniant 'Landscapes', wrth gwrs.

Emyr Ia, ac yng Ngregynog y digwyddodd hynny eto, ar gais Alun Hoddinott yn y lle cyntaf, ac wedyn roedd yna argraffydd oedd yn gymrawd yng Ngregynog oedd yn chwilio am ddilyniant i weithio arno fo, felly fe wnaeth o argraffu'r dilyniant, ac ymhen hir a hwyr fe wnaeth Alun rywbeth efo nhw hefyd, ond efo rhai ohonyn nhw'n unig, ddim y cyfan.

Wynn Keith Holmes oedd enw'r arlunydd?

Emyr Keith Holmes oedd yr arlunydd ond dyn arall oedd yr argraffydd, dyn oedd yng Ngregynog am flwyddyn, roedd gynno fo dŷ yno a phopeth, fo oedd wedi dod â Keith Holmes i Gregynog.

Wynn A hyd y gwela'i, cyfres yn ymwneud â henebion ardal Llŷn yn bennaf yw'r dilyniant hwnnw.

Emyr Rhai ohonyn nhw yn Sir Fôn a rhai yn Llŷn – yng Ngwynedd felly.

Wynn Sef ardal rŷch chi'n ei chysylltu â hanes chwedloniaeth Cymru. Ydi hynny'n arwyddocaol? Achos yr argraff rwy'n ei chael yw mai un o themâu'r gyfres honno yw'r ymdrech i fagu parch at yr henebion, drwy atgoffa'r darllenydd am yr hanes a'r chwedloniaeth sydd ynghlwm wrthyn nhw.

Emyr Ia'n union. I ddweud y gwir, wn i ddim oeddwn i'n gall yn cynnwys y rheini yn y casgliad o'm barddoniaeth sydd newydd ymddangos, gan mai geiriau ar gyfer eu canu sydd ynddyn nhw. I ateb eich cwestiwn arall chi, ynglŷn â fy nhawelwch i fel bardd am gyfnod, y rheswm am hynny oedd fy mod i'n canolbwyntio ar bethau fel *The Taliesin Tradition*, yn parhau'r dilyniant o nofelau, ac yn paratoi i sgwennu ar gyfer y teledu, yn dilyn cychwyn S4C. Ro'n i hefyd yn gweithio i HTV, yn gwneud cyfres iddyn nhw o'r enw *Border Music* ynglŷn â gwaith awduron fel Arthur Machen a Geraint Goodwin. Pwysau gwaith oedd y rheswm dros fy nistawrwydd i felly. Roedd 'na ddigonedd o bethau i'w gwneud, a doedd 'na ddim amser i sgwennu barddoniaeth. Mae eisiau hamdden i greu'r math o farddoniaeth dwi wedi trio'i sgwennu. Maen nhw'n digwydd mewn cyfnod tawel, nid cyfnod hysb ond cyfnod pan fyddwch chi'n braenaru'r tir ar gyfer gwaith arall. Gwaith ymylol ydi o mewn ffordd, fedrwch chi ddim byw arno fo, a dwi wedi byw ar fy sgwennu ers chwarter canrif.

Wynn Felly, rŷch chi fel iâr yn gori?

Emyr Ydw. Er enghraifft, chi gafodd y syniad o gyhoeddi'r casgliad 'ma o gerddi yn y lle cyntaf. Do'n i ddim yn siwr eu bod nhw'n deilwng o hynny fy hun. Ond unwaith fod rhywun o'r tu allan yn dweud 'pam na wnewch chi', wel mae hynny ynddo'i hun yn symbyliad i wneud.

Wynn Ac mae hynny wedyn wedi bod yn ysgogiad i chi i fwrw ati o'r newydd.

Emyr Ydi. Hynny a mwy o hamdden wrth gwrs, lot mwy yn ystod y deng mlynedd diwethaf 'ma yn arbennig, achos ro'n i wedi gorffen dilyniant 'The Land of the Living' tua diwedd y 1980au. Er na wnaeth y gyfrol olaf ddim ymddangos tan 1991, ro'n i wedi gorffen ei sgwennu hi tua 1989 mae'n siwr. Dim ond dwy nofel dwi wedi eu sgwennu yn ystod y nawdegau, ac mae'r rheini'n rhai byrrach na'r rhai cynt, felly dwi wedi cael lot mwy o amser.

Wynn Ac o ganlyniad i hynny, yr hyn sy'n fy nharo i yw fod un rhan o dair o'r cerddi sydd yn y casgliad cyflawn 'ma wedi cael eu sgrifennu yn ystod y degawd diwethaf 'ma.

Emyr Mae'n debyg eu bod nhw. Wrth gwrs dwi wedi mynd yn flêr iawn, dwi ddim yn rhoi dyddiad ar bethau, felly mae ambell beth yn ailbobiad o rywbeth ro'n i wedi'i sgwennu ers talwm. Wrth sbïo drwy ddalen ola'r rhestr dwi'n meddwl bod llawer o'r rhai Cymraeg 'ma wedi cael eu cyhoeddi ar ddiwedd yr wythdegau oherwydd fy mod i wedi cael blas arbennig ar weithio efo Siôn yn creu sgriptiau ffilmiau Cymraeg ar gyfer y teledu, ac wedi gwneud cryn ddwsin am wn i. Ro'n i'n teimlo fel trwytho fy hun fwyfwy yn y Gymraeg ac yn raddol, bron heb yn wybod i mi fy hun, yn dechrau gweld bod modd barddoni yn Gymraeg ac, mewn ffordd, dod â'r ddau beth oedd wedi bod yn fy nilyn i ar hyd fy mywyd yn nes at ei gilydd. Mae'r ysfa i sgwennu a'r ysfa i ddysgu Cymraeg wedi bod efo fi ar hyd y daith, ac yn fan'na ro'n i'n medru cael cyfle i wneud y ddau efo'i gilydd. Mae hynny'n dechrau tua chyfnod 'Cardiau Post' ac ati, ac ar ôl y cyfnod hwnnw mae 'na fachlud, ac mae 'na droi yn ôl unwaith eto at y Saesneg.

Wynn Ac mae 'na rai enghreifftiau o gerddi a sgrifennwyd yn y Gymraeg ond sy'n ymddangos wedyn yn y Saesneg, rhai ohonyn nhw'n gerddi sy'n cael eu trosi, yn yr ystyr fod 'na gerdd sy'n cyfateb yn agos iddyn nhw yn y Saesneg, a rhai eraill lle mae 'na ddarnau ohonyn nhw wedi'u codi, a'u defnyddio i greu cyfanwaith mwy estynedig yn y Saesneg.

Emyr Mae hynny'n wir, dyna sy'n digwydd i rywun sy'n ddwyieithog. Mae bod yn ddwyieithog yn parhau i olygu ymdrech foesol. Rydach chi'n parhau i drio Cymreigio'ch hun mewn dwy ffordd, mae'r berthynas yn un od iawn. Er enghraifft, dwi wedi sgwennu 'Cara Signora' ddwywaith, unwaith ar gyfer Bedwyr Lewis Jones am ei fod o wedi gofyn am rywbeth a honno oedd gen i. Ro'n i wedi bod yn yr Eidal yn gweithio efo Basil MacTaggart ar yr Etrwsciaid ac yn y blaen, roedd o'n ddigwyddiad gwir a finnau'n cofnodi'r peth yn y Gymraeg ar y pryd. Wedyn, ymhen tipyn, fe deimlais i yr hoffwn i wneud hon yr eilwaith yn y Saesneg er mwyn i Basil gael ei darllen hi, felly mi wnes i ei gyrru hi ato fo am ei fod o'n gwybod am yr amgylchiadau a phwy oedd y bobl, a gan nad oeddan nhw yn medru'r un iaith ac eithrio Eidaleg ro'n i'n saff. Do'n i ddim mewn unrhyw beryg o enllib nac athrod. Mae hynny'n un o'r manteision sy'n codi o'r ffaith eich bod chi'n sgwennu yn un o'r ieithoedd lleiafrifol! Mi ddylwn i fanteisio ar hynny'n amlach!

Wynn O ddarllen rhai o'r cerddi diweddar yr hyn sy'n fy nharo i yw fod yr arddull yn mynd yn fwy cywasgedig nag erioed a'ch bod chi'n sgrifennu fel pe baech chi am raffu gwirebau, nes bod peth o'r canu yn ymdebygu i'r hen ganu brud tywyll, rwy'n meddwl am gerddi fel 'Postcards', neu 'Inscribing Stones'. Un broblem sy'n wynebu'r darllenydd yw ei bod hi'n galed dod o hyd i'r ddolen gyswllt rhwng y naill gerdd a'r llall, maen nhw weithiau fel tasen nhw'n mynd i gyfeiriadau cwbl annisgwyl, y naill ar ôl y llall. Sut fyddech chi'n synied amdanyn nhw? Sut wnaethon nhw ddatblygu'n ddilyniant yn eich meddwl chi?

Emyr Mae 'na ddwy neu dair ohonyn nhw ac mae'n debyg mai math o fyfyrdod gorfodol oeddan nhw. Dyna oedd y pethau oedd yn fy mhoeni i ar y pryd, ro'n i'n eu cofnodi nhw fel roeddan nhw'n digwydd felly roedd fy meddwl i'n rhedeg. Roedd un gerdd yn codi sgwarnog a'r nesa'n rhedeg ar ei hôl hi.

Wynn Allech chi fanylu drwy edrych ar ambell gysylltiad penodol, er mwyn enghreifftio'r hyn rŷch chi'n ei ddweud?

Emyr Wel, meddyliwch am 'Postcards' i ddechrau, sef darluniau o atgofion o'r gorffennol. Yn y caniad cyntaf rydach chi adra, ar eich tir eich hun, wedyn yn yr ail rydach chi'n mynd i grwydro, felly mae 'na ryw lanw a thrai. Dwi'n cofio sgwennu pan o'n i'n hogyn ysgol, 'pan dwi adra, dwi isio bod i ffwrdd, a phan dwi i ffwrdd, dwi isio bod adra'. Mae hynny'n rhyw fath o batrwm sy'n nodweddiadol o'r math o ddyn ydw i wedi bod ar hyd fy oes. Rydach chi'n mynd i ffwrdd ac yn landio mewn rhyw le nad ydach chi ddim isio bod yno fo, felly mae'r trydydd caniad am freuddwydion rhamantaidd sydd wedi mynd yn ofer i raddau. Mi allwch chi feddwl am y presennol fel mynd am dro yn adfeilion y gorffennol ac ym methiannau'r gorffennol, ac yn y blaen. Wedyn rydach chi'n mynd yn ôl i'r un lle yn y caniad nesa, sy'n seiliedig ar gyfnod pan o'n i'n aros gyda fy mrawd ym Mhortiwgal – mae'r cwestiwn, *'do I belong here'* yn codi trwy'r amser. Wedyn, mae'r bumed yn mynd ymlaen at y profiad o hedfan o gwmpas y byd, a'r hud a'r lledrith sy'n perthyn i deithio. Dwi'n cofio pan oedd Robert Tear yn canu'r dilyniant yma i gerddoriaeth Alun Hoddinott, roedd o'n chwerthin yn ofnadwy uwchben y chweched gerdd, 'mae hwn yn ddarlun o fy mywyd i', medda fo. 'Dwi'n mynd o un lle i'r llall fel cerddor proffesiynol, a dwi'n gweld fy hun felly, *"seeing yourself as un-nourished as a ghost / In the pitiless mirror of another airport bar". Can't tell you how many times that's happened to me'*, medda fo. Ac wedyn rydach chi'n chwilio am y cysuron, am gysylltiadau cyfriniol eich bywyd chi, *'Give us that sudden vision / That turns the universe / Like a ring on a little finger'*.

Wynn Sef chwilio am yr hyn a all ein cyfannu ni, gan ein bod ni ar chwâl i gyd ac yn cael ein tynnu neu'n gwthio i'r naill gyfeiriad a'r llall.

Emyr Yn union. Wedyn yn y seithfed gerdd mae 'na fath o syniad o weledigaeth o gyfanrwydd sy'n codi allan o gariad arferol gŵr a gwraig ac yn ymestyn i'r cariad mwy, thema sy'n brigo i'r wyneb yn gyson, yn arbennig yn y cerddi diweddar. A dyna ydi siâp 'Postcards'.

Wynn Rŷch chi'n gwneud rhywbeth tebyg yn 'Inscribing Stones', ond rŷch chi hefyd yn symud o'r naill iaith i'r llall yn y dilyniant hwnnw.

Emyr Ydw. Roedd y cychwyn yn dod yn naturiol yn Gymraeg, ac yn codi'n uniongyrchol o'r profiad o gerdded ar hyd y traeth a gweld y pethau sydd yn y gân. Ond mae 'na ddarnau mwy haniaethol yn y gerdd nesaf, sy'n mynd ar ôl y cwestiwn o beth ydi natur caru, neu serch. Mae o'n perthyn i le ac i amser, mae o'n ddigwyddiad penodol, pan fo mab a merch yn cyfarfod am y tro cyntaf, ond beth ydi'r dirgelwch?

Pam dewis un yn hytrach na dewis y llall? Ac yn y blaen. Mae hynny'n codi'r cwestiwn ai cip ar dragwyddoldeb ydi o, achos mae o'n fath o eiliad dragwyddol, ac eto dydi o ddim, gan fod Awstin Sant, er enghraifft, yn honni fod tragwyddoldeb y tu allan i amser yn llwyr, a bod a wnelo amser ddim â fo. Ond wedyn, yn y drydedd gerdd, mae'r dilyniant yn troi'n ôl yn sydyn i'r Gymraeg, ac yn ôl i amgylchiadau'r beirdd yng Nghymru, beth sy'n digwydd i feirdd mewn gwlad leiafrifol, a'r gwahaniaeth rhyngon ni a'r Gwyddelod, maen nhw wedi mynnu cael aberth gwaed, ac mi rydan ni wedi creu sŵn, sef aberth cynganeddion. Ymwneud â'r berthynas rhwng y ddwy iaith mae'r pedair cerdd yma.

Wynn Un peth sy'n fy nharo i yw fod y dilyniant hwnnw, wrth iddo fe fynd yn ei flaen, yn collfarnu'r cyfryngau torfol am eu bod nhw'n teneuo iaith. Felly tybed a ydi'ch barddoniaeth chi, wrth iddi gywasgu ystyr, yn ymdrech i gynilo ac i gyfoethogi iaith yn wyneb hynny o beth?

Emyr Ymdrech i droi geiriau yn ôl at eu swyddogaeth briodol, ac i sicrhau fod 'na sylwedd i'r hyn sy'n cael ei ddweud, dyna un o'r gwirioneddau mawr am swyddogaeth barddoniaeth, sef '*to purify the language of the tribe*', chwedl Eliot yn dyfynnu Mallarmé. Os felly, beth ydw i'n ei wneud yn potsio efo dwy iaith? Fel dywedodd rhywun dan ei wynt pan gyhoeddwyd *Y Tri Llais* a *Toy Epic* a rhywun yn fy nghanmol i am ddefnyddio'r ddwy iaith, '*it's as much as I can do to write properly in one language*'. Mae 'na wirionedd aruthrol yn hynny a dyna sy'n sialens dragwyddol i unrhyw wlad sy'n honni bod yn ddwyieithog, mae hynny'n rhedeg drwy'r peth trwy'r amser. Felly mae'r seithfed yn rhyw fath o atgof o natur cariad eto, rhyw fath o garwriaeth anghyfreithlon rhwng dyn a dynes ro'n i'n adnabod. Mi ddatblygodd hi'n llwyddiant mawr yn y byd gwleidyddol, ac mi roddodd yntau'r llythyrau caru i mi i'w cadw, erbyn hyn dydan nhw'n ddim ond llwch ond maen nhw'n gymeriadau hanesyddol. Felly, yn yr wythfed a'r nawfed gân rydach chi'n troi at y bobl ifainc ac maen nhw'n dechrau holi beth ydi hanes? Ac yna am gyfnod mae'r dilyniant yn troi o gwmpas y cwestiwn hwnnw, yn Saesneg ac yn Gymraeg, nes yn y diwedd un rydach chi'n mynd 'nôl yn raddol i'r fynwent lle'r mai'r unig hanes sy'n cyfri ydi'r hanes ar y garreg fedd. Dyna ydi'r 'Inscribing Stones' ar y diwedd.

Wynn Mae hynny'n ddiddordeb sy'n ymddangos yn eich nofel *The Gift of a Daughter*, sef thema'r arysgrifen, y sgrifen ar y mur. Ydi hynny'n thema sy wedi gafael ynoch chi'n ddiweddar?

Emyr Ydi. Achos mae pob awdur bownd o ofyn yn y pen draw 'beth aflwydd ydw i'n ei wneud?'. Ydach chi'n ei wneud o er mwyn ennill bywoliaeth? Ydach chi'n ei wneud o i basio amser? Ydach chi'n ei wneud o i'ch difyrru'ch hun? Ond beth sydd a wnelo fo â threigl amser? Ydi o'n gyfraniad i ryw fath o ddiwylliant, neu ydi o'n ddiddim? Wrth gwrs mae'n dibynnu pa bersbectif rydach chi'n ei gymryd at yr holl beth. *Sub specie aeternitatis* ydi o'n rhywbeth, neu ydi o'n ddim? Dydach chi ddim yn gwybod – rydach chi'n mentro.

Wynn Felly, mae 'na ymdrech yn y cerddi diweddara 'ma i naddu geiriau, hynny yw i sicrhau fod 'na ddyfnder parhaol i'r iaith sy'n cael ei defnyddio?

Emyr Oes, felly mae o'n mynd yn groes i'r syniad o chwarae efo iaith. Rydach chi'n naddu yn yr ystyr eich bod chi'n trin geiriau fel tasach chi'n naddu carreg, neu goed, ac yn troi iaith yn ôl i'w phriod swydd o fynegi'r dyfnder yn ogystal â'r arwynebedd.

Wynn Ar hyn o bryd rŷch chi wedi dod i ddiwedd cyfnod cynhyrchiol o lunio cerddi, ydi hynny am eich bod chi wedi troi yn ôl at sgrifennu storïau byrion?

Emyr Rhyw fath o fynd a dod mae'r awen, beth bynnag yw'r awen. Rwy'n cofio fel petai hi'n ddoe trafod yr un peth yn union efo Louis MacNeice pan oedd o a fi'n dilyn cwrs hyfforddiant mewn cynhyrchu rhaglenni teledu. Ro'n i'n llawn edmygedd ohono fo fel bardd go iawn ac yn ei holi o beth oedd o'n ei sgwennu ar y pryd. Roedd ei lais o run fath â fel tasa fo wedi ei naddu allan o garreg, ac medda fo, *'the muse it comes and goes'*. Mae o'n wahanol i'r syniad o ymarfer cyson, rhaid gadael iddi fynd a dod. Ar hyn o bryd mae'r cwpwrdd yn wag.

Wynn Mae gynnoch chi un gerdd gymharol ddiweddar, sef 'SL

i RS', lle mae Saunders Lewis yn cyfarch R. S. Thomas. Pa mor bwysig yw'ch cyfeillgarwch chi â R. S. Thomas yng nghyswllt eich ymdrech chi i sgrifennu cerddi? Oes 'na unrhyw ddylanwad, neu oes 'na lyffethair am eich bod chi'n gwybod ei fod e gystal bardd?

Emyr Wel, mae o'n rhyfedd iawn. Dwi'n ei nabod o ers blynyddoedd ac fel mae amser wedi mynd yn ei flaen dwi wedi sylweddoli fwyfwy fod hwn yn fardd mawr, ond y dylanwad arno fo ac arna i ydi Saunders. Beth sy'n gwneud i ni gynganeddu, am wn i, ydi fod ein hagwedd ni at Gymru ac at y Gymraeg yn cydredeg, rydan ni yn yr un cywair yn union. Ond o ran mynegiant ro'n i'n meddwl amdanaf fy hun bob amser fel nofelydd nid fel bardd, ac amdano fo fel bardd, er ei fod o ar y llaw arall yn medru mynegi ei hun yn wych mewn rhyddiaith ac wedi creu sawl cyfrol o bwys. Mae gynno fo weledigaeth hollol unigryw.

Wynn Mae'ch cerddi chi'n frith o gyfeiriadaeth sy'n ein tywys ni i feysydd go estron.

Emyr Ydan, llawer mwy na fyddai dyn yn ei ddisgwyl, a hynny hyd yn oed yn yr achosion mwya syml fel yn achos y gerdd 'Tomos Tŷ Calch'. Gwas fferm oedd o ym Mhlas Llanfaglan, fo oedd yr hwsmon, yn gweithredu fel arweinydd y gweision, a fo oedd y dyn cyntaf welais i erioed oedd ddim yn siarad Saesneg. Roedd o'n cyfri rhesi tatws mewn ugeiniau, ac roedd o'n byw mewn bwthyn yn y Foryd, lle bach oedd yn ddigon o ryfeddod, ac yntau'n ddyn oedd yn ddigon o ryfeddod.

Wynn Beth oedd arwyddocâd Marvao?

Emyr Tref yw hi ar y ffin rhwng Sbaen a Phortiwgal, lle hynafol, hardd iawn. Roedd 'na bobl oedd fy mrawd yn eu nabod yn byw yno. Doedd o ddim yn lle twristaidd o gwbl, ardal amaethyddol oedd hi, ond ei bod hi'n digwydd bod ar y ffin a bod 'na gestyll yn digwydd bod yn y cyffiniau. Y cwbl rydach chi'n ei weld pan fyddwch chi ar y *ramparts* yw'r perllannau, a'r olewydd, a'r bugeiliaid, a'r dyn sy'n edrych ar ôl y moch. Roedd y bobl yma'n eistedd yn fan'no, yn byw yno, ac yn bwriadu aros yno, ac eto doedd ganddyn nhw'r un gair o'r iaith. Roedd y lle'n llawn o hud a lledrith, ac eto do'n nhw'n gweld dim ond yr haul a'r ddiod, ac mae'r peth ar gynnydd. Rydach chi'n cael *colonies* o'r *expats* 'ma ym mhobman. Mae'r Almaenwyr wrthi hefyd, ond y Saeson sy waethaf, fedran nhw ddim cymysgu nac ymdoddi o gwbl. Mae 'na eithriadau wrth gwrs, pobl eithriadol o ddiwylliedig, ond ysywaeth rhai prin yw'r rheini.

Wynn A beth am 'Carchar Gweir' wedyn? Mae'r gerdd honno'n seiliedig ar chwedl o'r Mabinogi, on'd yw hi?

Emyr Ydi. Maen nhw'n meddwl fod un chwedl ar goll, am Bwyll a Rhiannon, pan oedd Pwyll yn garcharor. Cerdd amdano yn cael ei weld fel rhyw fath o brototeip o'r carcharor gwleidyddol ydi hi, a'r math o feddylfryd oedd gynno fo o'r herwydd. Mae'r cyfeiriadau hyn yn brawf, mewn ffordd, fy mod i'n fardd achlysurol, a bod y cerddi yn codi o amgylchiadau neilltuol ar y pryd. Dyna i chi 'Monologue of a Horizontal Patriot', er enghraifft, ro'n i wedi bod yn cynhyrchu rhyw ddrama radio yn Abertawe yn ystod y pumdegau, ac ar y trên hwyr yn mynd adref, a rhyw GI efo fi'n sbïo drwy'r ffenest ac yn dweud, *'my father came from here, there's no future for this place, so he's gone to America'*. Mae amgylchiadau fel yna'n dwysbigo dyn i ateb, a'r unig ymateb sy gynnoch chi ydi rhyw fath o gerdd. Hwyrach, o feddwl, fod hynny'n un o'r ysgogiadau pennaf. Does dim un ymateb arall i fod, rydach chi wedi brifo, wedi teimlo i'r byw, ac mae'n rhaid i chi ei roid o i lawr rhywsut.

Wynn Dyna ddigwyddodd yn achos *The Taliesin Tradition* onide? Rŷch chi'n sôn ar y cychwyn eich bod chi'n sefyll mewn *queue* yn aros am goffi rhwng dwy ddarlith, a rhywun yn holi, *'tell me, since when do the Welsh consider themselves to be a nation?'*.

Emyr Ia, ac fe ddyweda i wrthoch chi pwy oedd o hefyd, David Holbrook. Darlithio ar Dylan Thomas oedd o ar y pryd, ac fe holodd o'r cwestiwn mewn llais uchel, nawddoglyd.

Wynn Rwy'n cofio hefyd eich bod chi wedi sôn rhywbryd fod y gerdd 'Bullocks' wedi codi o amgylchiadau penodol.

Emyr Do, rhywbryd yn ystod y chwedegau. Pan oeddan ni yn Sgubor Fawr, roedd perthynas i Elinor yn cadw bustych yn ein caeau ni, yn eu pesgi nhw ac yn eu gwerthu nhw yn yr hydref gogyfer â'u lladd. Ro'n i wedi mynd yn dipyn o ffrindiau efo'r hen fustych 'ma a dwi'n cofio Siôn neu Robin yn chwarae miwsig ar ben y clawdd a'r bustych yn dod yn nes achos mae 'na rywbeth od o annwyl ynghylch bustych, maen nhw bron fel anifeiliaid anwes.

Wynn Wedyn mae gynnoch chi gerddi sy'n amlwg yn deillio o'ch teithiau chi i'r Unol Daleithiau.

Emyr Oes. Mae 'Overheard in O'Hare', er enghraifft, yn siwr o fod yn seiliedig ar ddigwyddiad go iawn. Unwaith eto roedd dyn yn cael ei ddwysbigo, ac mae 'na elfennau yn y gerdd honno sydd air am air yr hyn ddigwyddodd.

Wynn Rwy'n arbennig o hoff o'r gerdd 'Cyflwr Dŵr', cerdd sy'n dychmygu fod dŵr yn dyheu am ryw sadrwydd, ei fod e mor lifeiriol nes ei fod e'n breuddwydio am sefyll yn ei unfan. Ydi'r gerdd yma eto'n ymwneud â'r tyndra sydd ynddoch chi rhwng y teithiwr a'r gŵr sydd am sefyll adre?

Emyr Mae'n siwr, a hefyd mae 'na berthynas uniongyrchol rhwng y ffordd ieithyddol o ddynodi dŵr ac amser gan fod y ddau yn llifo. Wedyn mae awdur yn ceisio creu rhywbeth sefydlog allan o'r hyn sy'n ansefydlog, hynny ydi yn ceisio creu rhywbeth a fydd yn dal dŵr. Mae'r awydd hwnnw yn cyfateb mewn ffordd i'r ddadl rhwng Parmenides, oedd yn credu yn y ffurfiau oesol, parhaol, a Heraclitus, oedd yn pwysleisio pa mor anorfod gyfnewidiol yw'r profiadau dynol sy ynghlwm wrth symudolrwydd amser.

Wynn Er bod peth wmbredd o'ch cerddi chi wedi eu casglu ynghyd yn y gyfrol, mae 'na gerddi sy wedi cael eu hepgor o'r casgliad, on'd oes e? Hynny yw, *Collected Poems* yw'r rhain, ac nid *Complete Poems*.

Emyr Ia, ac fel y gwyddoch chi, gan mai chi sy wedi dod o hyd i lawer ohonyn nhw, mae 'na bytiau'n troi i fyny o hyd. Yn aml iawn, fe ddewch chi ar draws llinell gyntaf cerdd sydd heb ddatblygu, mae'r rheini'n blith draphlith ar hyd y lle ym mhobman, ond ddaw 'na ddim byd ohonyn nhw, rhyw fath o erthyliad ydan nhw mewn gwirionedd. Wrth gwrs wn i ddim be sy yn y llyfr 'na sy gan Moses Jones, er mae'n siwr gen i mai pethau llencynnaidd, anaeddfed, gwirion, yw'r cerddi hynny at ei gilydd. Felly dydi'r cyfan ddim yn y gyfrol honno. Ond fel y dywedodd Ned Thomas, a fo sy'n gyfrifol fod y gyfrol yn ymddangos, 'mae eisiau i chi fod fel Robert Graves, roedd gan hwnnw *Collected Poems 1*, *Collected Poems 2*, ac felly ymlaen rhyw wyth o weithiau!'. Mae'n eithaf tebyg i gyngherddau ffarwél Frank Sinatra! Ro'n i'n amheus iawn fy hun a ddylwn i gyhoeddi cyfrol fel hon, ond dwi'n falch rwan fod y gwaith wedi ei wneud. Petai hi'n cyflawni dim byd arall mi all sefyll yn lle hunangofiant – allwn i byth bythoedd feddwl am sgwennu peth felly – dydi'r ddawn honno ddim gen i o gwbl. Nid fod dim byd o'i le efo ymchwilio i'ch profiad chi'ch hun ond dwi ddim yn cael fy symbylu gan yr hyn sydd wedi digwydd i mi fy hunan, dim ond gan yr hyn fydd yn digwydd o fy nghwmpas i. Mi faswn i wrth fy modd petawn i'n medru sgwennu fel Rousseau, ond fedra i ddim. Dydi'r ddawn honno ddim gen i.